Het Land van Melk en Honing

GRACE McCLEEN

Het Land van Melk en Honing

Vertaald door Theo Scholten

2012

Uitgeverij Contact

Amsterdam/Antwerpen

De vertaler ontving voor deze vertaling een werkbeurs van het Nederlands Letterenfonds

© 2012 Grace McCleen
© 2012 Nederlandse vertaling Theo Scholten
Oorspronkelijke titel *The Land of Decoration*
Oorspronkelijke uitgever HarperCollins
Omslagontwerp Zeno
Omslagbeeld © Chatto & Windus
Foto auteur © Tom York
Typografie binnenwerk Suzan Beijer
Drukker Koninklijke Wöhrmann, Zutphen
ISBN 978 90 254 3795 4
D/2012/0108/918
NUR 302
www.uitgeverijcontact.nl

Aan de engel

Zo zegt de Heer God: op de dag dat Ik Israël uitverkoos,
zwoer Ik een eed aan het geslacht van het huis Jakobs en Ik
maakte Mij aan hen bekend in het land Egypte; ja, Ik zwoer
hun een eed, zeggende: Ik ben de Heer, uw God. Op die dag
zwoer Ik hun, dat Ik hen uit het land Egypte zou leiden naar
een land dat Ik voor hen uitgezocht had, een land dat overvloeit
van melk en honing. Het is een sieraad onder alle landen.

Ezechiël 20:5,6

BOEK I

Instrument van God

De lege kamer

In den beginne was er een lege kamer, een klein beetje ruimte, een klein beetje licht, een klein beetje tijd.

Ik zei: 'Ik ga velden maken,' en ik maakte ze van placemats, tapijt, bruin ribfluweel en vilt. Daarna maakte ik rivieren van crêpepapier, plasticfolie en glimmend aluminiumfolie, en bergen van papier-maché en schors. En ik keek naar de velden en ik keek naar de rivieren en ik keek naar de bergen en ik zag dat het goed was.

Ik zei: 'En nu wat licht,' en ik maakte een zon van een peertje in een kooi van ijzerdraad met kralen die aan het plafond hing, ik maakte een maansikkel en heldere sterren, en aan de rand van de wereld maakte ik een zee van een spiegel, die de lucht en de boten en de vogels weerspiegelde, en ook het land (waar het de zee raakte). En ik keek naar de zon en ik keek naar de maan en ik keek naar de zee en ik zag dat het goed was.

Ik zei: 'Wat dacht je van huizen?' En ik maakte er een van een kluwen droog gras en een van een holle boomstronk en een van een trommel waar toffees in hadden gezeten en die gaf ik een vislijn en een zeil en ik maakte ruimte voor een deken en een tandenborstel en een beker, en een fornuis, en ik zette een zeemeeuw boven op de mast (die eigenlijk een bezemsteel was) en ik liet hem varen op de zee (die eigenlijk een spiegel was).

Ik maakte huizen van chocodipperbakjes: het kleine gedeelte waar de chocola had gezeten was de slaapkamer en het grote gedeelte voor de koekstaafjes was de huiskamer. Ik maakte huizen van een lucifer-doosje en een vogelnest en een erwtenpeul en een schelp. En ik keek naar de huizen en ik zag dat het goed was.

Ik zei: 'Nu hebben we dieren nodig,' en ik maakte papieren vogels en wollen konijnen en vilten katten en honden. Ik maakte beren van bont en gevlekte luipaarden en vuurspuwende draken met schubben bedekt. Ik maakte glinsterende vissen en krabben van kokkelschel-pen en vogels op heel dunne draadjes.

Als laatste zei ik: 'We hebben mensen nodig,' en ik boetseerde gezichten en handen, lippen, tanden en tongen. Ik kleedde ze aan en gaf ze haren en blies adem in hun longen.

En ik keek naar de mensen en ik keek naar de dieren en ik keek naar het land. En ik zag dat het goed was.

De grond vanuit de lucht

Als je vanaf de grond naar de aarde kijkt lijkt hij heel erg groot. Als je op een speelplaats staat en je bukt je en houdt je gezicht bij de grond alsof je iets kleins zoekt, dan lijkt hij nog groter. Je ziet kilometers beton om je heen en kilometers lucht boven je en daartussen kilometers niets. Voetballende jongens zijn reuzen, de bal is een planeet, touwtjespringende meisjes zijn bomen die zichzelf ontwortelen, en met elke zwaai van het touw trilt de grond. Maar als je vanuit de hemel naar beneden kijkt lijken de jongens en de meisjes en de bal en het touw kleiner dan vliegen.

Ik kijk naar de jongens en meisjes. Ik weet hoe ze heten maar ik praat niet met ze. Als ze me zien kijk ik een andere kant op. Ik raap een snoeppapiertje op dat naast mijn schoen ligt. Daar maak ik bloemen van, of een regenboog of misschien een kroon. Ik stop het papiertje in een tas en loop door.

Er groeit onkruid door het beton. Bij de hoeken van gebouwen komt het omhoog, boort het zich een weg naar het licht. Ik wurm wat plantjes los en stop ze met aarde in een klein blikje waar chocola in heeft gezeten en in een koker waar snoepjes in hebben gezeten. Ze worden opnieuw geplant en dan worden het eiken en pampa's en beuken en palmen. Ik raap een schoenveter op die in een plas ligt. 'Dit wordt een tuinslang,' zeg ik. 'Of een beek. Of een python. Of misschien een klimplant.' En ik ben blij want over een paar uur nog maar ben ik weer op mijn kamer dingen aan het maken.

Dan opeens val ik, de grond schiet op me af en het grind bijt in mijn knieën. Een jongen kijkt op me neer. Hij is groot. Hij heeft een dikke nek. Hij heeft blauwe ogen en sproeten en een witte huid en een neus als een varken. Hij heeft geel haar en bleke wimpers en een spuuglok. Er zijn twee jongens bij hem. Eentje pakt de tas af die ik bij me heb. Hij keert hem om en papiertjes en veters en lipjes van blikjes waaien weg.

De geelharige jongen trekt me overeind. Hij zegt: 'Wat zullen we met haar doen?'

'Ophangen aan de reling.'

'Broek naar beneden trekken.'

Maar de jongen met geel haar lacht. Hij zegt: 'Heb jij wel eens de binnenkant van een wc gezien, freak?'

Er gaat een bel en over de hele speelplaats komen groepjes kinderen aanrennen om bij de dubbele deur in de rij te gaan staan. De geelharige jongen zegt: 'Tering.' Tegen mij zegt hij: 'Wacht maar tot maandag,' en hij duwt me naar achteren en rent weg met de anderen.

Een eindje verderop draait hij zich om. Hij heeft een slaperige blik in zijn ogen, alsof hij droomt, en van die droom geniet. Hij haalt zijn vinger over zijn keel en gaat er dan lachend vandoor.

Ik doe mijn ogen dicht en leun tegen de vuilnisbakken. Als ik mijn ogen weer opendoe peuter ik het grind van mijn knieën en spuug erop. Ik hou ze heel stevig vast aan de randen om het schrijnen tegen te gaan. Dan begin ik naar het schoolgebouw te lopen. Ik ben verdrietig want nu kan ik toch geen bloemen of een beek of een eikenboom maken. Maar erger is dat Neil Lewis maandag mijn hoofd in de wc gaat stoppen en als ik doodga, wie maakt míj dan opnieuw?

De bel gaat nu niet meer en de speelplaats is leeg. De hemel zakt omlaag. Het ziet eruit alsof het gaat regenen. Dan komt er uit het niets een windvlaag opzetten. Hij laat mijn haren wapperen en mijn jas opbollen en duwt me vooruit. En wikkels van snoepjes en veters en lipjes dansen en dwarrelen en buitelen om me heen.

Ik houd mijn adem in

Ik heet Judith McPherson. Ik ben tien jaar. Maandag is er een wonder gebeurd. Zo ga ik het noemen. En ik heb het allemaal zelf gedaan. Het kwam door wat Neil Lewis zei, dat hij mijn hoofd in de wc zou stoppen. Het kwam doordat ik bang was. Maar het kwam ook doordat ik geloofde.

Het is allemaal op vrijdagavond begonnen. Vader en ik zaten in de keuken lamsvlees en bittere kruiden te eten. Lamsvlees en bittere kruiden zijn Noodzakelijke Dingen. Ons leven zit vol Noodzakelijke Dingen want we leven in de Laatste Dagen, maar Noodzakelijke Dingen zijn vaak moeilijk, net als prediken. Prediken is noodzakelijk want Armageddon is nabij maar de meeste mensen willen niet dat er gepredikt wordt en soms schreeuwen ze tegen ons.

Lamsvlees staat voor de eerstgeborenen die God heeft gedood in Egypte en Christus die voor de mensheid is gestorven. Bittere kruiden herinnerden de Israëlieten aan de bitterheid van de slavernij en hoe goed het was om in het Beloofde Land te zijn. Vader zegt dat ze vol ijzer zitten. Ik denk liever aan lammetjes in de wei, niet op mijn bord, en als ik bittere kruiden probeer door te slikken gaat mijn keel dichtzitten. Ik had die vrijdagavond meer moeite met eten dan anders door wat Neil Lewis had gezegd. Na een tijdje gaf ik het op en legde ik mijn vork neer. Ik zei: 'Hoe is het om dood te gaan?'

Vader had zijn overall van de fabriek aan. Het keukenlicht maakte zijn ogen hol. Hij zei: 'Wat?'

'Hoe is het om dood te gaan?'

'Wat is dat nou voor vraag?'

'Ik vroeg het me gewoon af.'

Zijn gezicht stond donker. 'Eet op.'

Ik nam een vork vol bittere kruiden en deed mijn ogen dicht. Ik had het liefst mijn neus dichtgeknepen maar dat zou vader hebben gezien. Ik telde en slikte. Na een tijdje zei ik: 'Hoelang zou iemand blijven leven als zijn hoofd onder water werd gehouden?'

'Wat?'

'Hoelang zou iemand onder water blijven leven?' zei ik. 'Ik bedoel, het lijkt me dat je het langer vol zou houden als je eraan gewend was. In ieder geval tot iemand je zou vinden. Maar als het de eerste keer was? Als degene die je vasthield zou willen dat je doodging – en dat gebeurde ook – ik bedoel als je hoofd onder water werd gehouden?'

Vader zei: 'Waar héb je het over?'

Ik keek naar beneden. 'Hoelang iemand onder water zou blijven leven.'

Hij zei: 'Ik heb geen idee!'

Ik slikte de rest van de bittere kruiden door zonder te kauwen en daarna ruimde vader de borden af en haalde hij de bijbels tevoorschijn.

We lezen elke dag de Bijbel en dan denken we na over wat we gelezen hebben. De Bijbel lezen en nadenken zijn ook Noodzakelijke Dingen. Nadenken is noodzakelijk omdat het de enige manier is om erachter te komen hoe we over God denken. Maar Gods wegen zijn ondoorgrondelijk. Dat betekent dat je tot in lengte van dagen kunt nadenken en dan nog steeds niet weet wat je moet denken. Als ik probeer na te denken dwalen mijn gedachten af naar andere dingen, zoals hoe ik van een borduurring een zwembad met een trapje kan maken voor de modelwereld in mijn kamer of hoeveel perendrups ik kan kopen van mijn zakgeld of hoeveel dingen er nog zijn om over na te denken. Maar na afloop praten we altijd over de dingen waar we over nagedacht hebben dus je kunt niet net doen alsof je nagedacht hebt als dat niet zo is.

Buiten begon het donker te worden. Ik kon jongens horen fietsen in het straatje achter ons huis. Ze reden tegen een schuin schot op en elke keer als ze er weer af kwamen hoorde ik het schot rammelen. Ik keek naar vader. Ik zag aan de manier waarop zijn wenkbrauwen naar voren staken dat ik moest opletten. Ik zag aan de manier waarop zijn bril blikkerde dat hij niet moest worden gestoord. Ik keek naar beneden, haalde diep adem en hield die in.

'*Het woord van de Heer kwam tot mij in het negende jaar in de tiende maand,*

16

op de tiende van de maand: Mensenkind, schrijf voor uzelf de naam van de dag op, juist op deze zelfde dag heeft de koning van Babel het beleg voor Jeruzalem geslagen...'

Na vijfentwintig seconden begon de kamer op en neer te golven en kwam mijn adem met kleine stootjes naar buiten. Ik wachtte een minuut en haalde toen opnieuw diep adem.

Er blafte een hond. Er kletterde een vuilnisbakdeksel. De seconden druppelden van de schoorsteenklok. Na vijfentwintig seconden begon de kamer weer op en neer te golven en moest ik mijn adem weer laten ontsnappen. Ik moet het heel plotseling hebben gedaan want vader keek op en zei: 'Alles goed met je?'

Ik sperde mijn ogen open en knikte.

'Lees je mee?'

Ik knikte nogmaals en sperde mijn ogen nog wijder open. Hij keek me vanonder zijn wenkbrauwen aan en begon toen weer te lezen.

'In uw onreinheid ligt uw schande! Omdat Ik u heb willen reinigen, maar u niet rein geworden bent, zult u van uw onreinheid niet meer gereinigd worden, totdat Ik Mijn grimmigheid op u doe rusten. Ik, de Heer, heb gesproken.'

Ik wachtte twee hele minuten en haalde toen weer diep adem.

Die hield ik in. En in.

Ik zei tegen mezelf: 'Ik ga dit doen. Ik ga níét verdrinken.'

Ik hield me vast aan de stoelleuningen. Ik zette mijn voeten schrap en drukte mijn billen tegen de zitting. Ik was bij vierentwintig seconden toen vader zei: 'Wat ben je aan het doen?'

'Nadenken!' zei ik en mijn adem kwam met een zucht naar buiten.

In vaders slaap trilde een adertje. 'Je bent heel erg rood.'

'Het is hard werken,' zei ik.

'Dit is geen spelletje.'

'Dat weet ik.'

'Lees je mee?'

'Ja!'

Vader blies een beetje lucht uit zijn neus en begon toen weer te lezen.

Ik wachtte drie hele minuten. Toen haalde ik opnieuw diep adem.

Ik vulde ieder stukje van mijn lichaam met lucht: mijn maag, mijn longen, mijn armen en mijn benen. Mijn borst deed pijn. Mijn hoofd bonsde. Mijn benen gingen op en neer.

Ik had niet gemerkt dat vader was opgehouden met lezen. Ik zag pas dat hij naar me zat te kijken toen hij zei: '*Wat is er aan de hand?*'

'Ik voel me niet lekker.'

Hij legde zijn bijbel neer. 'Moet je eens even goed luisteren. Ik lees dit niet om je te amuseren. Ik lees dit niet voor mijn gezondheid. Ik lees dit omdat het je leven zal redden. *Dus ga recht zitten, hou op met klieren en let op!*'

'Oké,' zei ik.

Hij wachtte even en begon toen weer te lezen. '*Het zal komen en Ik zal het doen. Ik zal het niet nalaten, Ik zal niet verschonen noch berouw hebben. Naar uw wegen en naar uw daden zullen zij u oordelen, zo spreekt God, de Heer.*'

Ik probeerde mee te lezen maar het enige waar ik aan kon denken was de toiletpot, het enige wat ik kon horen was de stortbak die leegliep, het enige wat ik kon voelen waren handen die me naar beneden duwden.

'*Toen zei het volk tegen mij: Wilt u ons niet vertellen wat deze dingen voor ons betekenen, nu u dit doet? En ik zei tot hen: Het woord van de Heer is tot mij gekomen: Zeg tegen het huis van Israël: "Judith!"*'

Zo las vader het, zonder te stoppen en zonder op te kijken.

'Wat?' Mijn hart bleef vastzitten aan mijn vest.

'Lees maar verder alsjeblieft.'

'O.'

Ik keek maar de bladzijde krioelde van de mieren. Ik sloeg hem om en mijn gezicht werd warm. Ik sloeg hem weer terug en mijn gezicht werd nog warmer.

Vader deed zijn bijbel dicht. Hij zei: 'Ga maar naar je kamer.'

'Ik kan het wel!' zei ik.

'Nee, je hebt blijkbaar iets beters te doen.'

'Ik luisterde!'

Vader zei: 'Judith.'

Ik stond op.

Mijn hoofd voelde heel warm, alsof er te veel dingen tegelijk in gebeurden. Het was ook door de war, alsof iemand het door elkaar had geschud. Ik liep naar de deur. Ik legde mijn hand op de kruk en ik zei: 'Het is niet eerlijk.'

Vader keek op. 'Wat zei je daar?'

'Niets.'

Zijn ogen glinsterden. 'Dat is je geraden ook.'

Hoe is het om dood te gaan?

Er is een wereld in mijn kamer. Hij is gemaakt van dingen die niemand anders wil en hij is gemaakt met dingen die van mijn moeder zijn geweest, die ze me heeft nagelaten, en het heeft het grootste deel van mijn leven gekost om hem te maken.

Die wereld strekt zich uit van de tweede vloerplank bij de deur tot de radiator onder het raam. Er zijn bergen bij de muur, waar de kamer het donkerst is, en grote rotswanden en grotten. Er zijn rivieren die van de bergen omlaaglopen naar heuvels en weilanden en daar staan ook de eerste huizen. Dan krijg je de vallei en de velden en de stad, en na de stad krijg je nog wat boerderijen en dan krijg je het strand en de strandweg en een bos met dennenbomen en een baai met een pier en op het laatst, vlak bij de radiator onder het raam, krijg je de zee, met een paar rotsen en een vuurtoren, en wat boten en zeedieren. Aan het plafond, aan korte draadjes, hangen planeten en sterren, aan langere draden hangen de zon en de maan, en aan de langste draden hangen wolken en vliegtuigen en de lampenkap is een papieren luchtballon.

Die wereld heet het Land van Melk en Honing. In het boek Ezechiël staat dat God gezworen heeft de Israëlieten uit het land Egypte te leiden naar een prachtig land. Het vloeide over van melk en honing. Het had nergens gebrek aan, het was een wonder, een paradijs. Het was zo anders dan alles eromheen dat het erbij afstak als een juweel en het werd 'een sieraad onder alle landen' genoemd. Als ik de deur van mijn kamer dichtdoe klappen de muren naar achteren en dan zijn er planeten en regenbogen en zonnen. De vloer rolt zich op en er zijn velden en wegen aan mijn voeten en honderden kleine mensen. Als ik mijn hand uitsteek kan ik de top van een berg aanraken, als ik blaas kan ik de zee laten golven. Ik til mijn hoofd op en ik kijk recht in de zon. Ik voel me gelukkig als ik mijn kamer binnenga. Maar die vrijdagavond zag ik al die dingen niet.

Ik deed de deur dicht en leunde ertegenaan. Ik vroeg me af of ik weer naar beneden zou gaan om vader te vertellen waarom ik mijn adem had ingehouden. Maar als ik dat deed zou hij alleen maar zeggen: 'Heb je het tegen de meester gezegd?' en dan zou ik zeggen 'Ja,' en Mr. Davies had gezegd: 'Niemand gaat hier iemands hoofd in de wc stoppen,' en dan zou vader zeggen: 'Nou dan.' Maar ik wist dat Neil het toch zou doen. En ik vroeg me af waarom vader me nooit geloofde.

Ik ging op de grond zitten. Er kroop een pissebed onder mijn knieen vandaan, tikkend met zijn voelsprieten en trommelend met zijn pootjes. Hij zag eruit als een klein gordeldier. Ik zag hem tegen de zandduinen van het Land van Melk en Honing op klimmen en vroeg me af of hij er ooit weer uit zou komen. We hebben op school een experiment gedaan met pissebedden. We bouwden een doolhof van klei en telden hoe vaak ze naar links of naar rechts gingen. Ze gingen bijna altijd naar links. Dat komt doordat ze niet zelfstandig kunnen denken. Ik vroeg me af of dat betekende dat die pissebed er uiteindelijk uit zou komen of dat hij gewoon net zo lang in een kringetje zou blijven lopen tot hij zou sterven als een klein bros bolletje.

Het donker deed de vallei dicht als een boek tussen zwarte kaften. Het daalde neer over de kapotte straten, over daken en antennes, over achterpaden, winkels, vuilnisbakken en straatlantaarns, over de spoorlijn en de grote schoorstenen van de fabriek. Nog even en het donker zou ook de lichten verduisteren. Een tijdlang zouden ze des te helderder stralen maar uiteindelijk zouden ook zij worden opgeslokt. Als je naar de hemel keek zou je hun gloed nog een tijdje zien. En daarna niets meer. Ik vroeg me af hoe het zou zijn om dood te gaan. Was het net zoiets als in slaap vallen of als wakker worden? Was er geen tijd meer? Of ging de tijd altijd door?

Misschien zou alles waarvan ik dacht dat het echt was niet echt blijken te zijn geweest en was alles wat niet echt was het wel. Ik weet niet waarom maar ik ging op zoek naar de pissebed. Het leek opeens heel belangrijk om die te vinden, maar ik zag hem nergens, ook al was hij er een paar seconden geleden nog geweest, en er was niet genoeg lucht in de kamer en het was net alsof iemand een lucifer had afgestreken die alle zuurstof verbrandde.

Ik ging met mijn rug tegen de muur zitten en mijn hart begon hard te bonzen. Er kwam iets naar me toe wat zich ontrolde als een wolk heel laag aan de horizon. De wolk werd groter. Hij kwam in mijn mond en in mijn ogen en opeens was er gebulder en dingen die heel snel allemaal tegelijk gebeurden, en toen zat ik weer met mijn rug tegen de muur en liep het zweet onder mijn haar vandaan en ik voelde me vreemder dan ik me ooit in mijn leven gevoeld had. En als ik moest zeggen hoe ik me voelde zou ik zeggen als een doos die was omgekeerd. En die doos was verbaasd over hoe leeg hij eigenlijk was.

Waarom ik niet heel lang zal leven

Ik verwacht niet lang te leven in deze wereld. Niet omdat ik een ziekte heb of omdat iemand me zal vermoorden (hoewel Neil Lewis dat misschien wel doet), maar omdat God heel gauw Armageddon zal brengen.

Met Armageddon zullen er rotswanden splijten en gebouwen instorten en wegen scheuren. De zee zal omhoogkomen en er zullen donder en bliksem zijn en aardbevingen en ballen van vuur die door de straten rollen. De zon zal donker zijn en de maan zal zijn licht niet geven. Bomen zullen met wortel en al worden uitgerukt en bergen platgeslagen en huizen zullen tot op de grond toe verkruimelen. De sterren zullen naar beneden worden gesmeten en de hemelen uit elkaar getrokken en de planeten omvergeworpen. De sterren zullen vernietigd worden en de zee zal barsten met het geluid van een bord, en de lucht zal vol zijn van wat geweest is en uiteindelijk zal er niets anders overblijven dan een berg rommel.

Wij weten dat Armageddon nabij is want we leven in een Poel van Verderf en vader zegt dat er geen plek is waar een Rechtschapen Mens zijn voet kan neerzetten, soms zelfs letterlijk. We weten ook dat we dicht bij het einde zijn omdat er oorlogen en aardbevingen en hongersnoden zijn en mensen die 'zonder natuurlijke liefde' zijn en daardoor explosieven ombinden of iemand neersteken omdat ze zijn horloge mooi vinden of elkaar filmen terwijl ze mensen hun hoofd afhakken. Er zijn Schapen (Broeders zoals wij) en Bokken (ongelovigen) en Verloren Schapen (Broeders die uit de gemeente zijn Verwijderd of die zijn weggevallen). Je hebt ook Onkruid tussen de Tarwe (mensen die doen alsof ze Broeders zijn maar het niet zijn), Valse Profeten (leiders van andere religies), het Wilde Beest (alle wereldreligies), Sprinkhanen (wij met onze stekende boodschap), een toename van Immorele Relaties (seks) en tekenen in de zon, de maan en de sterren (niemand weet nog wat die betekenen).

Maar in het echte Land van Melk en Honing zullen er geen ongelovigen zijn en zal er geen oorlog zijn of hongersnood of leed. Er zal geen vervuiling zijn en er zijn geen steden of fabrieken. Er zullen velden zijn, en zij die gestorven zijn zullen weer levend worden en zij die leven zullen helemaal nooit sterven en er zal geen ziekte meer zijn want God zal alle tranen uit onze ogen wissen. We weten dit omdat God het heeft beloofd.

Vader zegt dat het trouwens toch alleen maar een kwestie van tijd is voordat iemand de wereld opblaast of voordat geld waardeloos wordt, of voor we worden uitgeroeid door een virus, of voor het gat zo groot als Groenland in de ozonlaag zo groot wordt als Australië. Dus het is maar goed dat Armageddon komt en dat er niets van deze oude wereld overblijft.

En ik denk dat het goed is omdat de ijsberen hongerlijden en de bomen doodgaan en als je een plastic zak in de aarde stopt gaat hij nooit meer weg en de aarde heeft schoon genoeg van plastic zakken. En omdat ik in de nieuwe wereld mijn moeder zal zien.

Bergen verplaatsen

Op zaterdagochtend werd ik wakker uit een droom waarin ik in een gigantische toiletpot rondzwom en door Neil Lewis werd binnengehaald aan een lijn. Toen ik uit het water kwam werd ik wakker. De wekker naast het bed stond op 9 uur 48. Over zevenenveertig uur en twaalf minuten was ik misschien dood.

Ik oefende die dag het adem inhouden en kwam tot achtentwintig seconden. Rond bedtijd had ik buikpijn en moest ik Gaviscon en crackers nemen. Op zondag werd ik weer wakker alsof ik uit het water kwam en mijn kleren plakten aan me vast en de pijn was erger. Ik keek op de wekker. Er was nu nog zesentwintig uur te gaan.

Ik kon niet ontbijten maar vader merkte het niet. Hij liet een armvol hout naast het Rayburn-fornuis vallen en dronk zijn thee in één slok op. 'Klaar?'

Ik was klaar. Ik had mijn mooiste overgooier aan en de bloes met de roosjes op de kraag en mijn zwarte glimmende schoenen. Er zaten vlechten in mijn haar. Ik weet niet zeker of ze even dik waren. Vader pakte zijn schapenvachtjas en zijn pet en ik trok mijn houtje-touwtje-jas aan.

Buiten was het heel stil en heel koud. De lucht was mistig en de hemel was één blok wolk met de kleur van veren. Er was niemand te zien behalve de hond van nummer 29. We staken de rotonde over en begonnen de heuvel af te lopen. Ik kon het stadje zien, de antennes en de schoorstenen en de daken, de fabriek en de rivier en de hoogspanningsmasten die als eenzame reuzen door de vallei stapten. En op de bodem van de vallei lag de fabriek, een groot zwart ding met schoorstenen en torens en ladders en buizen en daarboven enorme rookwolken.

Onder aan de heuvel kwamen we langs de parkeergarage, de bingozaal, de Labour Club, het arbeidsbureau, het bookmakerskantoor en de pub waar bleekmiddel vermengd wordt met de geur van bier. In het weekend liggen er waterballonnetjes op de stoep en soms luiers met rode vlekken. Eén keer heb ik een naald gezien en toen moesten we oversteken.

In onze stad lijkt niets te zijn waar het hoort. Er liggen automotoren in tuinen en plastic tassen in bosjes en winkelwagens in de rivier. Er liggen flessen in de goot en er zitten muizen in de glasbak, er zijn muren met woorden erop en borden met woorden doorgestreept. Er is straatverlichting zonder licht en er zitten gaten in de straat en gaten in de stoep en gaten in uitlaten. Er zijn huizen met gebroken ruiten en mannen met gebroken tanden en schommels met gebroken plankjes. Er zijn honden zonder oren en katten met één oog en ik heb een keer een vogel gezien met niet zoveel veren.

We kwamen langs Woolworths, de koopjeshal, Kwik Save en de Co-op. Daarna namen we de tunnel onder de brug waar de muren donkergroen en druiperig zijn en toen we er weer uit kwamen liepen we over een stuk braakliggend terrein en daar was de Samenkomst-zaal. De Samenkomstzaal is een zwarte metalen loods en heeft aan elke kant drie ramen. Binnen staan een heleboel rode stoelen en op iedere vensterbank staan vaasjes met gele plastic rozen met nepdruppels water op de bloemblaadjes op regelmatige afstand van elkaar.

Vader en moeder hebben de Samenkomstzaal helpen bouwen. Hij is niet zo groot maar hij is wel van de Broeders. Er zaten toen niet zoveel mensen in de gemeente, vier of vijf maar. Zonder vader en moeder was de gemeente misschien doodgebloed, maar ze zijn blijven prediken en uiteindelijk werden er meer mensen gedoopt. Het was heerlijk toen ze eindelijk een eigen ontmoetingsruimte hadden. Ze hebben er drie jaar over gedaan om hem te bouwen en iedere cent is door de Broeders gedoneerd.

Het was koud in de zaal want de radiatoren waren nog niet warm geworden. Helemaal vooraan stonden Elsie en May te praten met oude Nel Brown in de rolstoel.

May zei: 'Ach, daar hebben we mijn kleine schat!'

Elsie zei: 'Ach, daar hebben we mijn kleine lieverd!'

'O, het is zo'n lief kind!' zei May en ze drukte me tegen zich aan.

'Ze is een zegen, dat is ze!' zei Elsie en ze kuste me op mijn wang.

May zei: 'Tante Nel was net aan het vertellen over die keer dat ze bonje had met de priester.'

'Druif?' zei Nel. Haar kin flabberde tijdens het kauwen omdat ze geen tanden heeft. Haar bovenlip was behaard. Haar onderlip was nat van het spuug.

'Nee bedankt, tante Nel,' zei ik. Ik maakte me te veel zorgen om te kunnen eten en ook als dat niet het geval was geweest had ik geen druif gehoeven want tante Nel ruikt naar plas.

Oom Stan kwam bij ons staan. Oom Stan is de Voorganger. Hij drinkt melk vanwege zijn maagzweer en hij komt uit Birmingham. Het schijnt dat Birmingham een nog grotere Poel van Verderf is dan onze eigen stad. Daar heeft hij zijn maagzweer gekregen, hoewel sommige mensen zeggen dat hij die van tante Margaret heeft gekregen. Stan sloeg zijn arm om tante Nel en zei: 'Hoe is het met mijn favoriete Zuster?'

Nel zei: 'Dat tapijt ziet eruit alsof het wel eens gezogen mag worden.'

Oom Stan hield op met lachen. Hij keek naar het tapijt. Hij zei: 'Juist.'

Stan ging op zoek naar de stofzuiger en ik ging op zoek naar vader. Hij was in de boekenkamer, waar hij samen met Brian bezig was de overgebleven tijdschriften van vorige maand uit te zoeken. Brian heeft kleine witte schilfertjes op de schouders van zijn jasje en in zijn haar. 'Hoe g-g-g-gaat het m-m-m-met je J-J-Judith?' zei Brian.

'Goed, dank je wel,' zei ik. Maar het ging niet goed. De pijn in mijn buik kwam weer terug. Ik was Neil heel even vergeten, maar nu zat hij weer in mijn hoofd.

Alf kwam bij ons staan. Zijn tong kwam steeds naar buiten in zijn mondhoeken net als bij een hagedis. Hij zei tegen vader: 'Rapportkaarten binnen?' Vader knikte. Alf is wat vader noemt de 'onderbevelhebber'. Hij is niet veel groter dan ik maar draagt laarsjes met hoge hakken. Hij is bijna kaal maar zijn haar is opzij gekamd en met de spuitbus tot een deksel gespoten. Ik heb het een keer omhoog zien komen in de wind toen we aan het prediken waren en toen sprong hij in de auto en zei: 'Ga gauw wat haarspray voor me kopen, kind!' en hij wilde er pas weer uit komen toen ik dat had gedaan.

Oom Stan verscheen met de stofzuiger. Hij zag er grijs uit. 'De spreker is er niet,' zei hij. 'Ik heb niet zo'n zin om de voordracht te houden als hij niet komt opdagen.'

'Hij komt wel,' zei vader.

'Ik weet het niet,' zei Alf. Hij hees zijn broek op. 'De vorige spreker die we hadden zullen krijgen is verdwaald.' Opeens zag hij mij en zijn frons verdween. 'Josie heeft iets voor je.'

Het beviel me niks zoals hij stond te grijnzen. 'Wat dan?' zei ik.

Vader zei: 'Het is beleefd om "dank u wel" te zeggen, Judith.' Hij keek me fronsend aan alsof hij teleurgesteld was en ik bloosde en sloeg mijn ogen neer.

Maar Alf zei: 'Ik kan je toch niet vertellen wat het is? Dan is het geen verrassing meer.'

Josie is de vrouw van Alf. Ze is heel klein en heel breed en heeft een lange witte paardenstaart en een mond als een spleet met romig speeksel in de hoeken dat uitrekt als een harmonica wanneer ze praat. Ze draagt rare kleren en die maakt ze ook graag voor andere mensen. Voor mij heeft ze tot nu toe gemaakt: een gehaakte jurk met blauwe en perzikkleurige rozen waar ze naar bleef vragen tot hij was gekrompen in de was, een turkooizen rok met een lint langs de zoom die tot op de grond kwam, een gehaakte toiletrolhouder in de vorm van een Assepoester-pop die vader niet in de wc wilde hebben dus daar heb ik een heuvel van gemaakt voor het Land van Melk en Honing, een toiletbrilovertrek die nu onder aan de achterdeur de tocht tegenhoudt, knalblauwe beenwarmers, een oranje body, twee vesten en een bivakmuts. Josie denkt waarschijnlijk dat we heel arm zijn, dat ik veel groter ben dan ik ben en dat ik het heel koud heb. Op een dag zal ik haar vertellen dat dat niet zo is: we zijn niet rijk maar we hebben genoeg geld om kleren te kopen, ik lijk misschien ouder omdat ik de Bijbel goed lees en met de volwassenen praat maar ik ben tien jaar en één meter drieëndertig, en ik heb meestal precies de juiste temperatuur.

Ik speurde de mensen af maar kon haar nergens ontdekken. Voor alle zekerheid ging ik toch maar bij Gordon achter de geluidsapparatuur staan. Er is niemand van mijn leeftijd in onze gemeente, dus praat ik vaak met Gordon, ook al is hij veel ouder dan ik. Gordon testte de microfoons en maakte een pok-pok-geluid.

Ik keek op de klok. Nog precies drieëntwintig uur voordat Neil Lewis mijn hoofd in de wc zou stoppen. Er was niets tegen te doen. Gordon stelde de microfoons op. Ik zei tegen hem: 'Heb je een pepermuntje?' Gordon voelde in zijn zak. Hij wikkelde de bovenkant van een rol los en liet een poederig wit tablet in mijn hand vallen. 'Bedankt,' zei ik. Ik vraag alleen in noodgevallen een pepermuntje aan Gordon. Hij nam er zelf twee en ging verder met het ontwarren van een paar snoeren.

Gordon is nog niet zo lang van de heroïne af. Hij was verslaafd geraakt aan de heroïne omdat hij Met de Verkeerde Mensen Omging. Hij Vecht Tegen de Depressie dus het is heel goed dat hij naar de samenkomsten komt. Het is een poosje heel ernstig geweest. Het zag ernaar uit dat Gordon misschien Verwijderd zou moeten worden. Hij werd gezien als een slechte invloed. Ze zeggen dat God Zijn licht in Gordons hart heeft laten schijnen, maar ik denk dat zijn herstel met die extra sterke pepermuntjes te maken heeft. Vader zei dat heroïne mensen gelukkig maakt omdat het de pijn wegneemt; die pepermuntjes maken je gelukkig omdat je als je er eentje gegeten hebt merkt dat je geen pijn meer hebt. Het komt op hetzelfde neer. Het probleem is dat Gordon eraan gewend begint te raken. Hij kan er al vier achter elkaar naar binnen werken. Ik weet niet wat hij gaat doen als hij een hele rol op kan want ze maken ze niet sterker.

Er waren nu een heleboel mensen in de zaal, of in ieder geval een heleboel voor onze gemeente, ik denk wel bijna dertig. Er waren zelfs een paar gezichten bij die we normaal gesproken niet zien. Pauline, de vrouw die de klopgeest had die oom Stan afgelopen voorjaar heeft uitgebannen, en Sheila van de vrouwenopvang, Geena uit de psychiatrische inrichting met littekens op haar armen en Wilde Charlie Powell die boven op de Tump in een houten huis tussen de sparren woont. Het leek alsof er iets bijzonders te gebeuren stond maar ik had geen idee wat.

Op het podium tikte Alf tegen de microfoon. 'Broeders en Zusters,' zei hij, 'als u wilt gaan zitten, de samenkomst gaat zo beginnen.'

De spreker had het dus niet gehaald. Ik zag in gedachten zijn auto langs de berg omlaagtuimelen en stelde me voor dat zijn geschreeuw zwakker en zwakker werd tot de gedeukte klomp metaal in de mist verdween. 'Tot straks,' zei ik tegen Gordon en ik ging naar mijn plaats.

Vader en ik zitten helemaal vooraan dus onze knieën komen bijna tegen het podium. Ik krijg een stijve nek van het omhoogkijken. Vader zegt dat dat beter is dan te worden Afgeleid. Afleiding leidt tot Misleiding. Maar de voorste rij heeft zijn eigen afleidingen. De geur van tante Nel is er een van. Ik was blij met mijn extra sterke pepermuntje.

We gingen staan om 'De vreugde van de Koninkrijksdienst' te zingen. Vader zong hard, hij liet het geluid diep uit zijn borst komen, maar ik kon niet zingen, deels omdat ik aan Neil dacht en deels omdat het extra sterke pepermuntje al het spuug uit mijn mond had opgezogen. Vader stootte me aan en fronste zijn wenkbrauwen dus ik schoof het pepermuntje naar mijn wang en begon net zo hard te schreeuwen als hij.

Omdat er geen spreker was moesten we eerst de tijdschriftstudie doen. Het artikel heette 'Verlichters van de wereld' en ging erover dat we ons licht niet onder de korenmaat moesten verbergen, wat een soort mand bleek te zijn. Alf zei dat we dat het beste konden doen door een rapportkaart in te vullen. Vader stond op om te antwoorden en zei dat het een voorrecht was om de spreekbuis van God te zijn. Elsie antwoordde en zei dat we wel sceptici tegenkwamen maar als we het de mensen niet vertelden hoe moesten ze het dan weten? Brian zei: 'Het p-p-p-p-p-punt. Het p-p-p-p-punt is...' Maar we kregen niet te horen wat het punt was. Tante Nel ging met haar hand heen en weer maar ze bleek alleen maar aan May duidelijk te willen maken dat ze in haar broek geplast had.

Tegen die tijd was mijn pepermuntje op dus stak ik mijn hand omhoog en zei dat God wel heel blij moest zijn om al die kleine lichtjes in het donker te zien schijnen en Alf zei: 'Nou, we kunnen allemaal zien dat jouw lichtje schijnt, Zuster McPherson!' Maar dat was niet zo, en ik voelde me niet blij, en ik wenste op dat moment dat ik niet een van Gods lichtjes was want als ik dat niet was zou Neil Lewis mijn hoofd niet in de wc stoppen.

Toen de tijdschriftstudie afgelopen was ging vader op het podium staan en zei: 'En nu, Broeders, door onvoorziene omstandigheden...' Ik zag dat oom Stan zijn papieren bij elkaar schoof en zijn nek afveegde met zijn zakdoek. Vervolgens trok er een luchtvlaag door de zaal en hoorden we de buitendeur dichtgaan.

Ik draaide me om. Er kwam een man door de haldeuren. Ze leken te zijn opengewaaid want ze bleven vanzelf openstaan toen hij ertussendoor liep en gingen even later weer achter hem dicht. De man had een karamelkleurige huid en haar in de kleur van merels. Hij zag eruit als een van de Ouden, alleen droeg hij geen gewaad maar een donkerblauw pak, en waar het licht erop scheen glansde het als benzine in een plas. De man liep helemaal door naar onze rij en ging aan het uiteinde zitten, en ik rook iets wat op vruchtentaart leek en iets wat op wijn leek.

Alf liep gauw naar hem toe. Hij fluisterde iets tegen de man en knikte toen naar vader. Vader glimlachte. Hij zei: 'En we zijn heel blij met de komst van...'

'Broeder Michaels,' zei de man. Zijn stem was nog het allervreemdst. Die klonk als pure chocola.

Vader zei: 'Onze gastspreker, uit...?' Maar Broeder Michaels leek het niet te hebben gehoord. Vader vroeg het nog een keer en Broeder Michaels glimlachte alleen maar. 'Nou, hoe dan ook, Broeder, we zijn heel blij dat u er bent,' zei vader, en hij stapte naar beneden.

Er werd een hele tijd geklapt en daarna kwam Broeder Michaels het podium op. Hij had zo te zien geen aantekeningen bij zich. Hij haalde iets uit zijn aktetas en legde het op de katheder. Toen sloeg hij zijn ogen op. Nu hij ons aankeek zag ik hoe donker zijn huid eigenlijk was. Zijn haar was ook donker maar zijn ogen waren vreemd en licht. Vervolgens zei hij: 'Wat hebben jullie hier mooie bergen, Broeders!'

Ik kon merken hoe verbaasd iedereen was. Er had nog nooit iemand gezegd dat onze vallei mooi was. Broeder Michaels zei: 'Vinden jullie niet? Ik reed er vandaag doorheen met de auto en bedacht toen hoezeer jullie het getroffen hebben dat jullie hier wonen. Op het hoogste punt dacht ik dat ik zo de wolken in kon kijken.'

Ik keek door het raam naar buiten. Broeder Michaels moest óf gek zijn, óf hij had een bril nodig. De wolken hingen nu zelfs nog lager – je kon niet meer dan een meter voor je uit kijken.

Hij glimlachte. 'Het thema van onze voordracht vandaag is "bergen verplaatsen". Wat denken jullie dat je nodig hebt, Broeders, om die berg daar te verplaatsen?'

'Dynamiet,' zei Alf.

'Het kan niet,' zei oom Stan.

'Een behoorlijk grote graafmachine,' zei Gordon en iedereen moest lachen.

Broeder Michaels hield iets tussen zijn duim en wijsvinger omhoog. 'Weten jullie wat dit is?'

'Er is niks,' fluisterde ik, maar vader glimlachte.

'Wie van jullie gelooft dat ik überhaupt iets vasthoud?' zei Broeder Michaels.

Sommige mensen staken hun hand op en een heleboel niet. Vader glimlachte nog steeds en hij stak zijn hand op dus deed ik dat ook. Broeder Michaels hield een velletje papier vlak onder de microfoon. Toen deed hij zijn duim en wijsvinger van elkaar en hoorden we iets vallen. 'Degenen van jullie die dachten dat ik iets vasthield mogen jezelf een schouderklopje geven,' zei hij. 'Jullie zagen met de Ogen van het Geloof.'

'Wat is het?' zei ik, maar vader hield alleen zijn vinger voor zijn lippen.

'Dit, Broeders, is een mosterdzaadje,' zei Broeder Michaels. Hij hield een foto van een uitvergroot mosterdzaadje omhoog. Het leek net een klein geel balletje. 'Het is een heel klein zaadje maar het groeit uit tot een boom waar de vogelen des hemels in zitten.' Toen begon hij over de wereld te vertellen.

Hij zei dat Gods volk nog vele moeilijkheden zou ondervinden voordat het systeem ten einde kwam. Hij zei dat de Duivel over de aarde rondzwierf op zoek naar iemand om te verslinden. We lazen dat de Israëlieten niet langer geloofden dat ze het Land van Melk en Honing zouden bereiken, en dat ze Gods wonderen en de wonderdoeners bespotten. 'Laten wij nooit zo zijn,' zei hij. 'Geloof is niet van alle mensen. De wereld lacht om geloof. Het zou nooit in ze opkomen om die berg op te dragen zich te verplaatsen. Maar kijk met me mee in jullie bijbel, Broeders, en zie wat Jezus zegt.'

Toen begon hij te lezen, en terwijl hij las bonsde mijn hart en was het net alsof er licht op me scheen.

'Want voorwaar, Ik zeg u: Als u een geloof had als een mosterdzaad, u zou tegen deze berg zeggen: Verplaats u van hier naar daar! En hij zou zich verplaatsen, en niets zou voor u onmogelijk zijn.'

'Jezus bedoelde dit natuurlijk overdrachtelijk,' zei hij. 'We kunnen niet echt bergen verplaatsen. Maar we kunnen wel dingen doen die we voor mogelijk houden als we geloof hebben. Het geloof ziet die berg als reeds verplaatst, Broeders. Het is niet genoeg om te bedenken hoe de nieuwe wereld zal zijn, we moeten onszelf daar zien; al die tijd dat we bedenken hoe het daar zal zijn, zijn wij nog steeds hier. Maar geloof heeft vleugels. Het kan ons overal naartoe brengen.'

Toen begon hij te praten, en het was alsof ik naar een prachtig verhaal luisterde, en ik kende het verhaal maar kon me niet herinneren het ooit eerder gehoord te hebben, of in elk geval niet op deze manier verteld.

In het begin, zei Broeder Michaels, was al het leven één groot wonder. Mensen bleven eeuwig leven en werden nooit ziek. Elke vrucht, elk dier, elk onderdeeltje van de aarde was een volmaakte weerspiegeling van Gods glorie, en de relatie tussen de mensen was ook volmaakt. Maar Adam en Eva raakten iets kwijt. Ze raakten het geloof in God kwijt. Dus begonnen ze dood te gaan, de cellen in hun lichaam begonnen achteruit te gaan en ze werden uit de hof verdreven.

'Daarna waren er alleen nog maar glimpen te zien van hoe het ooit geweest was: een zonsondergang, een orkaan, een struik getroffen door de bliksem. En geloof werd iets waar je om bad in een kamer 's nachts of op een slagveld of in de buik van een walvis of in een vurige oven. Geloof werd een sprong, want er gaapte een kloof tussen hoe het was en hoe het vroeger geweest was.' En toen keek hij naar mij – dat weet ik zeker. Dat was de ruimte waar wonderen gebeurden.

'Alles is mogelijk, altijd en overal en voor alle soorten mensen. Als je denkt van niet dan komt dat alleen maar doordat je niet kunt zien hoe dichtbij je bent, hoe je alleen nog maar een klein dingetje hoeft te doen en alles komt naar je toe. Wonderen hoeven geen grote dingen te zijn en ze kunnen op de onwaarschijnlijkste plekken gebeuren; wonderen werken het beste met gewone dingen. Paulus zegt: "Het geloof nu is een vaste grond van de dingen die men hoopt, en een bewijs van de zaken die men niet ziet," en als we er maar een klein beetje van hebben volgen andere dingen vanzelf, Broeders. Soms meer dan we hadden kunnen dromen.'

De voordracht was afgelopen maar de eerste paar seconden klonk er geen geklap; toen barstte het los. Ik had het gevoel alsof ik wakker geworden was. Maar ik had langer geslapen dan de voordracht had geduurd; ik had het gevoel alsof ik mijn hele leven had geslapen.

Ik kon niet wachten tot het zingen en bidden voorbij waren. Broeder Michaels leek mij precies de juiste persoon om mee te praten over Neil Lewis.

Na afloop ging ik bij Broeder Michaels staan en wachtte tot oom Stan klaar was met praten. Maar toen Stan wegliep kwamen Elsie en May bij hem staan. Daarna Alf. Broeder Michaels gaf hun een hand, hij luisterde, hij knikte; hij glimlachte en glimlachte. Ze wilden geen van allen weg.

Ik begon al te denken dat ik hem nooit te spreken zou krijgen maar uiteindelijk was er een gaatje en draaide hij zich om om zijn papieren in zijn tas te doen en toen zag hij mij.

'Hallo,' zei hij. 'Wie ben jij?'

'Judith,' zei ik.

'Ben jij degene die dat mooie antwoord heeft gegeven?'

'Dat weet ik niet.'

'Volgens mij wel.' Broeder Michaels stak me zijn hand toe. 'Fijn om kennis te maken.'

Ik zei: 'Ik vond het een mooie voordracht,' maar mijn stem leek niet goed te werken. 'Ik denk dat ik nog nooit zo van een voordracht heb genoten.'

'Dank je wel.'

'Ik vroeg me af of ik dat mosterdzaadje eens mag zien?'

Broeder Michaels lachte. 'Dat mag,' zei hij. 'Maar ik weet niet zeker of het hetzelfde zaadje zal zijn.' Hij haalde een klein potje uit zijn tas en het zat vol zaadjes.

Ik zei: 'Ik heb nog nooit mosterd gezien die er zo uitzag!'

'Zo ziet het eruit voordat ze het vermalen.'

Ik zei: 'Ik wou dat ik er wat van had.'

Broeder Michaels schudde een klein hoopje zaadjes in mijn hand. 'Nu heb je er wat van.'

Ik keek naar de zaadjes. Ik was zo blij dat ik bijna vergat wat ik hem wilde vragen. 'Broeder Michaels,' zei ik uiteindelijk, 'ik kwam met u praten omdat ik een probleem heb.'

'Ik wist het,' zei hij.

'O ja?'

Hij knikte. 'Wat voor probleem?'

'Iemand... ik ben bang dat...' Ik zuchtte. Toen wist ik dat ik hem precies moest vertellen hoe het zat. 'Ik denk dat ik binnenkort misschien niet meer zal zijn.'

Broeder Michaels trok zijn wenkbrauwen op.

'Ik bedoel: niet meer zal bestaan.'

Broeder Michaels liet ze weer zakken. 'Ben je ziek?'

'Nee.'

Hij fronste. 'Heeft iemand je dat verteld of is het alleen maar een gevoel?'

Ik dacht hierover na. 'Niemand heeft het me verteld,' zei ik. 'Maar ik weet het behoorlijk zeker.'

'En heb jij het aan iemand verteld?'

'Nee. Ze kunnen toch niets doen.'

'Hoe weet je dat?'

'Dat weet ik gewoon,' zei ik. Volwassenen dachten dat je een meester of juf alles kon vertellen. Ze snapten niet dat dat het alleen maar erger maakte.

Broeder Michaels zei even niets. Daarna zei hij: 'Heb je geprobeerd te bidden?'

'Ja.'

'Soms duurt het een tijd voordat gebeden verhoord worden.'

'Ik heb maar tot morgen.'

Broeder Michaels haalde diep adem. Toen zei hij: 'Judith, ik denk dat ik met een gerust hart kan zeggen dat er voor morgen niets met je zal gebeuren.'

'Hoe weet u dat?'

'Waar jij mee te maken hebt is simpelweg angst,' zei hij. 'Niet dat er iets simpel is aan angst; angst is de verraderlijkste vijand van allemaal. Maar je angst onder ogen zien, daar komt iets goeds uit voort.'

Ik zei: 'Ik zie niet hoe hier iets goeds uit voort kan komen.'

'Kijk er dan eens op een andere manier naar. Het is verbazend om te zien hoe problemen waarvan we dachten dat ze onoplosbaar waren helemaal verdwijnen als we dingen vanuit een andere gezichtshoek bekijken.'

Mijn hart bonsde. 'Dat zou fijn zijn,' zei ik.

Broeder Michaels glimlachte. 'Ik moet gaan, Judith.'

'O,' zei ik. Ik voelde me opeens weer angstig. 'Denkt u dat u nog terugkomt?'

'Dat zal vast wel een keer gebeuren.'

Toen deed hij iets vreemds. Hij legde zijn handen op mijn schouders en keek in mijn ogen en er trok een warmte helemaal door mijn armen omlaag naar mijn vingers en over mijn schouders en rug. 'Heb geloof, Judith,' zei hij. Toen keek ik om. Vader riep me.

'Ogenblikje,' zei ik, maar vader tikte op zijn horloge. 'Oké!' zei ik. Ik draaide me weer om en de rij was leeg.

Ik rende het gangpad af. 'Waar is Broeder Michaels naartoe?' zei ik. Alf haalde zijn schouders op. Ik rende de hal in. 'Oom Stan,' zei ik, 'hebt u Broeder Michaels gezien?'

'Nee,' zei Stan. 'Ik zocht hem zelf ook net. Margaret en ik wilden hem uitnodigen voor het middageten.'

Ik rende het parkeerterrein op. Gordon liet de andere jongens zijn nieuwe spoiler zien. 'Waar is Broeder Michaels naartoe?' zei ik, en ik voelde mijn ogen prikken.

Het was kouder nu maar er stond nog steeds geen zuchtje wind. De mist was opgetrokken maar de hemel was bedekt met wolken.

Ik voelde een hand op mijn elleboog en draaide me om. Vader gaf me mijn jas en tas. Hij zei: 'Het braadstuk zal ondertussen wel zwart zijn.' Vervolgens zei hij: 'Wat heb je daar?'

Ik was het vergeten.

'Zaadjes,' zei ik. En ik deed mijn hand open en liet ze zien.

Waarom geloof net zoiets is als verbeelding

Ik weet wat geloof is. De wereld in mijn kamer bestaat eruit. Uit geloof heb ik de wolken genaaid. Uit geloof heb ik de maan en de sterren geknipt. Met geloof heb ik alles aan elkaar gelijmd en tot leven gebracht. Dat komt doordat geloof net zoiets is als verbeelding. Het ziet iets waar niets is, het neemt een sprong, en opeens vlieg je.

Rondjes van papier uit een perforator worden schoteltjes voor theekransjes als je er met het uiteinde van een pen op drukt. Lijm die bobbelig is opgedroogd wordt een bak met zeepsop voor een paar pijnlijke voeten. Eikelhoedjes worden kommetjes, tandpastadoppen schoorstenen voor oceaanstomers, twijgjes knieën voor een struisvogel, vetergatringetjes een klein schaartje. Lucifers worden boomstammen, druppels van de bakplaat kleine Schotse pannenkoekjes, kruidnagelkoppen sinaasappels, sinaasappelschillen een achtbaan, sinaasappelkroontjes rijen planten in een tuin, het draagnetje wordt hekwerk rond een tennisbaan en de barcode een zebrapad.

Alles wijst naar iets anders en als we maar lang genoeg goed genoeg kijken kunnen we zien wat die andere dingen zijn. Het echte Land van Melk en Honing wees naar hoe de wereld ooit weer zou zijn, na Armageddon. Dat heet Voorafschaduwing. Vader zegt dat Voorafschaduwing op kleine schaal laat zien wat er op grote schaal zal gebeuren; het is alsof je hoog boven de dingen vliegt en alles ziet. Maar we kunnen de mogelijkheden alleen maar zien met de Ogen van het Geloof. Sommige Israëlieten zagen niet langer met de Ogen van het Geloof en zij stierven in de wildernis. Geloof verliezen is de ergste zonde van allemaal.

Er is een keer een meisje in mijn kamer geweest en ze zei: 'Wat is dat allemaal voor rommel?' Want voor haar zag het er zo uit. Maar het geloof ziet andere dingen door de kieren heen die popelen om gezien te worden. Elke dag worden de kieren in deze wereld groter. En elke dag komen er nieuwe bij.

Sneeuw

Die middag plantte ik de mosterdzaadjes in een pot op de vensterbank in de keuken. Ik vroeg aan vader of ze zouden gaan groeien en
hij zei dat hij het niet wist. Toen zette hij de elektriciteit uit om geld te
besparen en ging naar de middelste kamer voor Rust en Vrede. Rust
en Vrede is ook noodzakelijk. Ik verdween naar boven en ging op de
grond zitten. De wekker stond op 14 uur 33. Nog minder dan negentien uur voordat Neil me zou verdrinken.

Ik stelde me voor dat ze mijn lichaam op de grond in de wc op school
zouden vinden, mijn haar uitgespreid als bij een zeemeermin en met
starende ogen en lippen zo blauw alsof ik bosbessensap had gedron-
ken. Neil zou ook staan toekijken; hij zou degene zijn die alarm had
geslagen; niemand zou het weten. Ik zag de begrafenis voor me. Elsie
en May zouden huilen. Stan zou bidden. Alf zou zeggen dat de Rampspoed me in ieder geval bespaard was gebleven. Gordons nek zou die-
per dan gewoonlijk in de kraag van zijn pak zijn weggezonken. Ik kon
me niet voorstellen wat vader zou doen.

Ik wist wel dat Broeder Michaels had gezegd dat ik moest geloven
dat God me zou helpen, dat dingen die wij voor onmogelijk hielden bij
God mogelijk waren. Maar ik zag niet hoe, tenzij de school of Neil
Lewis weggetoverd zou worden. Als ik God was zou ik met een orkaan
of met een plaag of een vloedgolf komen die de stad en de school zou
wegvagen. Ik zou met Armageddon komen, of met een asteroïde die
een gat in de aarde zou maken waar de school had gestaan of die alleen
maar Neil Lewis zou pletten als die asteroïde heel klein was en precies
op de juiste plek terechtkwam. Maar ik wist dat die dingen niet zouden gebeuren.

Ik begon me net zo te voelen als eergisteravond toen die wolk me
opslokte. Ik ging bij het raam staan en leunde met mijn hoofd tegen
het glas, en door mijn adem bleef het steeds beslaan en ik bleef het
steeds wegvegen. Buiten stond een rij huizen. Daarboven was nog een
rij en daarboven nog een. Boven de huizen was de berg. Boven de berg

was de hemel. De huizen waren bruin. De berg was zwart. De hemel was wit.

Ik keek naar de hemel. Die was zo wit dat het leek alsof hij er helemaal niet was. Hij was als papier, als veren. Als sneeuw. 'Het zou kunnen gaan sneeuwen,' zei ik hardop.

Er was één keer eerder een heleboel sneeuw geweest en toen hadden we geen school gehad. Ik keek naar de hemel. Die zou op dit moment vol sneeuw kunnen zitten, klaar om naar beneden te vallen. Het zóú kunnen gaan sneeuwen; het was zelfs behoorlijk koud. Broeder Michaels had gezegd dat als we maar een klein beetje geloof hadden andere dingen vanzelf zouden volgen, soms meer dan we konden dromen, en volgens mij hád ik een klein beetje geloof, en misschien was een klein beetje wel genoeg.

Ik begon aan sneeuw te denken, ik begon heel hard te denken, aan het knerpen ervan en aan de frisse geur ervan, aan de manier waarop het alles dempt en de wereld nieuw maakt. Aan hoe de lucht tot leven komt wanneer de aarde slaapt en dingen luisteren en hun adem inhouden. Ik zag voor me hoe de stad zich uitstrekte onder een deken van sneeuw, de huizen slapend en de fabriek bedekt en de Samenkomstzaal en de berg wit, omhoogstekend in een hemel die ook wit was, terwijl uit de hemel nog meer wit viel. En hoe meer ik dacht, hoe zwaarder de hemel leek te worden en hoe kouder het glas onder mijn vingers werd.

Ik draaide me weer om naar de kamer. Ik had een idee maar ik kon het niet verklaren. Ik wist niet eens waar het vandaan kwam, behalve dat het was alsof een reusachtige hand 'Sneeuw' had geschreven op een stuk wit papier. Ik kon zien hoe de 'S' geschreven was, met het staartje dat terugliep naar de 'n' zodat het meer op een '8' leek. En de hand schreef ook andere dingen en ik begon zo snel mogelijk te doen wat hij zei voordat het papier weer werd leeggemaakt.

Ik liep naar de koffer die van mijn moeder was geweest in de hoek van mijn kamer. Er zitten materialen en kralen en garens in die ze had en alle dingen die ik heb gevonden. Ik zocht en haalde er witte katoen uit. Ik knipte de katoen in stukken en drapeerde die over de velden en de heuvels van het Land van Melk en Honing.

'Goed zo,' zei een stem. 'Meer!'

Er streek iets heets langs mijn ruggengraat. Mijn hoofdhuid prikte. 'Wie is dat?' zei ik. Niemand gaf antwoord.

Mijn handen trilden. Ik voelde mijn hart in mijn keel. Ik pakte suiker en meel en strooide die over sponzen boomtoppen en papieren gras en heggen van hei.

'Sneller!' zei de stem. En hoewel ik niet wist waar de stem vandaan kwam wist ik dit keer wel dat hij echt was, en voor mij bedoeld, en het kon me niet schelen wie of wat er sprak.

Ik rende naar de badkamer. Ik rende terug. Ik spoot scheerschuim op vensterbanken en dakranden en dakgoten. Ik liet lijm helder opdrogen in kleine druppels langs dakranden en aan takken en aan muziektenten en lantaarnpalen.

'Meer!' zei de stem.

Het bonsde in mijn hoofd. De hele kamer trilde. Van goudkleurige snoeppapiertjes maakte ik een vuur in een karamelblik aan de kant van het meer waar hoge sparren stonden. Ik maakte knakworstjes en marshmallows aan stokjes van stukjes klei. Ik maakte een sneeuwpop van piepschuimballen en een rij witte papieren ganzen. Ik hing ze aan een touwtje voor de maan. Ik haalde wat dons uit mijn kapotte dekbed en strooide het uit en het viel over de steden en zeeën en heuvels en meren.

Ik liet huizen en winkels en postkantoren en scholen insneeuwen. Ik bedekte wegen en bruggen met ijs en bond witte pijpenragers aan telegraafdraden. Ik zette kartonnen schaatsers op een meer van aluminiumfolie en op de heuvel een wollig groepje sleeërs.

Ik schaafde mijn hand en voelde het niet.

Mijn voet begon te slapen.

Ik liep stampend rond en ging weer zitten.

Toen ik mijn ogen opendeed was het avond geworden en lichtte het Land van Melk en Honing wit op in het donker. De ganzen op een rij waren kleine pijlen aan de hemel. Ik lag ineengedoken op mijn zij aan de rand van de zee. Mijn wang deed pijn want hij drukte tegen de rand van de spiegel. Ik ging rechtop zitten. Toen hoorde ik vader roepen. Ik hield mijn adem in. Ik hoorde hem beneden naar de trap komen.

Mijn hart klopte zo snel dat het pijn deed en ik wist niet waarom. Hij riep nog een keer en ik deed mijn ogen stijf dicht. Uiteindelijk ging vader terug naar de keuken en deed de deur achter zich dicht. Hij dacht waarschijnlijk dat ik naar bed was gegaan.

Ik zat te trillen. Ik stond op en liep naar het raam. Ik kon de berg nu niet zien en de hemel was donker. Achter me was de kamer roerloos. Ik kon de roerloosheid overal om me heen voelen, als water. Ik haalde diep adem, draaide me om naar de kamer en zei: 'Sneeuw.' Ik keek naar de hemel en ik zei: 'Sneeuw.'

Er kwam een auto voorbij. Hij verlichtte me even en liet me toen in duisternis achter. Het geluid van die auto trok me achter zich aan. Ik dacht dat het weg was maar het kwam weer terug. Ik luisterde naar het geluid tot het verdwenen was en daarna deed ik de gordijnen dicht en stapte in bed.

Ik hoorde de klok in de hal negen keer slaan. Ik hoorde Mrs. Pew Oscar roepen voor zijn avondeten. Ik hoorde Mr. Neasdon thuiskomen van de Labour Club en de hond van nummer 29 blaffen. Ik hoorde de bel van de fabriek gaan voor de avonddienst en vader naar boven komen. Zijn voetstappen klonken hol op de planken van de overloop.

De steen en het boek

Die nacht had ik een prachtige droom. Ik droomde dat ik in het Land van Melk en Honing liep. Ik kwam langs ijspaleizen van mentholsnoepjes en fonteinen van zilverslingers en een Rolo-Giant's Causeway en bomen van ongebleekte katoen waarin trossen fonkelende vruchten hingen en vogels met lange staartveren zongen. Ik wenste dat ik tijd had om stil te staan en het allemaal te bekijken maar een stem riep me. Die stem voerde me naar een veld.

De lucht was warm en rook naar zomer. Ik ging lopen en liet een spoor achter in het gras. Soms ging ik de ene kant op en dan weer de andere kant. Soms scheen de zon in mijn gezicht en dan weer scheen hij op mijn rug. De heggen zaten vol fluitenkruid van servetjes. Papieren vogels vlogen vlak voor mijn neus op. Paisleyvlinders fladderden weg. Er waren muggen van snoepwikkels en donzen paardenbloempluizen en glinsterende hoedenspeldlibellen die wegschoten en dan stilhielden en roerloos in de lucht bleven hangen.

Midden in het veld stond een boom. Onder de boom stond een oude man met een baard. Zijn huid was als karamel en zijn haar was heel zwart. Hij droeg een wit gewaad en hield zijn handen achter zijn rug. Hij zei: 'Welkom, kind. Dit is een grote dag. Je bent uitgekozen om een cadeau van onschatbare waarde in ontvangst te nemen.' En zijn stem was als pure chocola.

'Dank u wel,' zei ik. En toen zei ik: 'Wat betekent "onschatbaar"?'

'Iets waarvan de waarde niet kan worden geschat,' zei hij. 'In mijn ene hand heb ik een steen die meer macht bevat dan ooit iemand heeft bezeten en de vruchten ervan zijn zoet maar de nasmaak is bitter. In de andere hand heb ik een boek dat de wijsten willen lezen en de vruchten ervan zijn walgelijk maar het geeft de lezer vleugels.'

Ik zei: 'Waarom houdt u ze achter uw rug?'

'Omdat de aanblik ervan je zou kunnen beïnvloeden,' zei de man. 'Nu moet je kiezen. Denk goed na want er hangt veel van je beslissing af.'

Het was moeilijk. Want ik wilde graag alle macht van de wereld hebben, en Neil Lewis laten verdwijnen, en nooit meer naar school gaan. Maar ik wilde er ook achter komen wat het geheim was dat zelfs de wijsten wilden lezen. En ik zou zeker graag vleugels hebben gehad. En toen kwam er een moment waarop ik dacht dat ik misschien helemaal niet moest kiezen en weg moest gaan door het lange gras en niet achterom moest kijken.

Maar dat deed ik niet. Ik zei: 'Ik wil graag de steen.' En toen de oude man zijn rechterhand achter zijn rug vandaan haalde en de steen aan me gaf fonkelde hij met vele kleuren in mijn hand en ik voelde mezelf opzwellen en zwaar worden en toen ik sprak dacht ik dat het geonweerd had.

Het kan een lange tijd zijn geweest en het kan een korte tijd zijn geweest die voorbijging, ik zou het niet weten maar ik weet wel dat ik zei: 'Mag ik het boek zien?'

De oude man tuitte zijn lippen. Ik dacht dat hij het me niet zou laten zien. Maar uiteindelijk zei hij: 'Goed dan. Maar je mag er niet aan komen,' en hij haalde een klein bruin boek tevoorschijn. De rug liet los en de bladzijden hadden ezelsoren en toen hij het opendeed stond het vol letters die ik nooit eerder had gezien.

Ik zei: 'Waarom zijn de bladzijden zo gerimpeld?'

En de man zei: 'Ze zijn nat van de tranen van al diegenen die geprobeerd hebben het te lezen maar daar niet in zijn geslaagd.'

Opeens kreeg ik het koud. 'Zou het mij gelukt zijn?' vroeg ik.

Hij glimlachte. 'Dat zullen we nu nooit weten.'

En toen werd ik wakker. Maar het was geen ochtend. Het was donker en ik rilde. De lucht bewoog en was vol van het geluid van vleugelslagen.

Ik trok de dekens hoger en wurmde me naar beneden. Ik deed mijn ogen dicht en probeerde de oude man te vinden. Ik wilde hem vragen naar de nasmaak van de steen. Maar de lucht was niet langer vol muggen en paardenbloempluizen. Hij was vol veren, alsof iemand ergens boven mijn hoofd een gigantisch kussen had uitgeschud, en terwijl ik ernaar keek werden de veren dikker.

Het was niet makkelijk om iets te zien met al dat gewervel in de lucht. Toen het kouder werd zocht ik beschutting onder de boom midden in het veld. De steen werd heet in mijn zak en ik warmde er mijn handen aan, maar hij werd algauw te heet om vast te houden en ik moest hem op de grond leggen en hij begon meer en meer te stralen terwijl overal om me heen de wereld wit werd.

Toen ik wakker werd was het ochtend. De lucht was roerloos en hij was zwaar. Hij lag boven op me als een deken en de deken was koud. Ik stapte uit bed. Ik schoof de gordijnen opzij. En de hele wereld was wit.

Het eerste wonder

Ik keek naar de sneeuw en vroeg me af of ik nog steeds droomde. Maar de huizen waren niet van karton en de mensen waren niet van klei: Mr. Neasdon probeerde zijn auto te starten, Mrs. Andrews gluurde door de gordijnen, kleine kinderen waren een sneeuwpop aan het maken en de hond van nummer 29 tilde zijn poot op tegen een berg sneeuw en liep toen naar de volgende. Ik knipperde met mijn ogen en het was er allemaal nog steeds. Ik kneep mezelf en het deed pijn. Ik ging op het bed zitten en keek naar mijn knieën. Daarna stond ik op en keek weer uit het raam. Toen trok ik mijn kleren aan en rende naar beneden en deed de voordeur open.

De sneeuw was niet van watten of pijpenragers of vilt. Hij was echt. Ik hief mijn gezicht naar de hemel. Het wit verzegelde mijn ogen en mijn lippen. De kou was als stilte om me heen. Ik ging weer naar binnen.

De achterdeur ging met een klap open en vader kwam binnen. Zijn wangen waren rood en zijn snor was borstelig. Hij zette een emmer kolen neer en schonk thee voor zichzelf in. 'Pak je maar dik in,' zei hij. 'Het is steenkoud zolang het huis nog niet is opgewarmd.'

'Gaat u niet werken?'

'Er is geen werk,' zei hij. 'De fabriek zit zonder stroom. Er is ook geen school voor jou. De weg is afgesloten; zelfs de strooiauto komt er niet doorheen.'

Toen ging ik aan tafel zitten en ik hield me doodstil want er bruiste iets in me. Vader zei: 'Ik heb nog nooit zoiets gezien. Niet in oktober,' en het was alsof hij heel ver weg was en alsof alles opeens nieuw en vreemd was, de klap van het kacheldeksel, het schuiven van de kolenbak, het puffen en ploffen van de havermoutpap. Ik stond op een hoge plaats, maar ik wilde niet omlaag. Ik wilde nog hoger. Ik zei: 'Misschien is de sneeuw een teken van het einde! Dat zou spannend zijn.'

Vader zei: 'Het enige spannende hier is dat ons ontbijt koud wordt.' Hij zette twee kommen havermoutpap op tafel, ging zitten en boog zijn hoofd. Hij zei: 'Dank u voor dit voedsel dat ons kracht geeft en dank u voor deze nieuwe dag van leven die we goed zullen besteden.'

'En dank u voor de sneeuw,' fluisterde ik en ik legde mijn hand op de zijne.

Vader zei: 'Door Jezus' naam. Amen.' Hij haalde zijn hand weg en zei: 'Het gebed is om je te concentreren.'

'Ik was me aan het concentreren,' zei ik. Ik stopte mijn hand in mijn mouw.

'Eet op,' zei vader. 'Ik wil naar de winkels toe voordat het brood is uitverkocht.'

We trokken laarzen en jassen aan. We liepen op de straat, in het roze spoor dat de strooiauto had achtergelaten. Het sneeuwde niet meer; de hemel was vurig en zonlicht blikkerde in alle ramen. En alle dingen die we normaal gesproken zagen, de hondenpoep en sigarettenpeuken en kauwgum en rochels, waren weggespoeld. Auto's waren ingestopt onder dekbedden van sneeuw. Er was niets behalve mensen die tassen droegen of sneeuw schepten of in hun handen bliezen.

Boven op de heuvel spreidde het stadje zich voor ons uit. Ik wist dat het er allemaal was maar vandaag moest je heel goed kijken om er zeker van te zijn. We kwamen langs de parkeergarage en het busstation en de hoofdstraat, en die lagen ook onder een dik pak sneeuw. Ik zei: 'Ik vind dit leuk. Ik hoop dat we nog meer krijgen.'

Vader zei: 'Er komt niet meer.'

'Hoe weet u dat?'

'De voorspelling is duidelijk.'

'Ze hebben dit toch ook niet voorspeld?'

Maar hij luisterde niet.

Het was druk in de Co-op. Er waaide warme lucht en mensen duwden. 'Heb je ooit zoiets gezien?' zeiden ze. 'Het was niet voorspeld,' en: 'In oktober nog wel.' Er lagen geen kranten bij de kassa's en er waren niet veel broden meer. We betaalden voor de boodschappen. Vader nam vier tassen en ik nam er één en we begonnen weer naar huis te lopen.

Halverwege op weg naar boven zei ik: 'Vader, hoe weet je of er een wonder is gebeurd?'

'Wát?' Hij hijgde en zijn gezicht was rood.

'Hoe zouden we het weten als er een wonder was gebeurd?'

'Een wonder?'

'Ja.'

'Waar heb je het over?'

'Ik denk dat de sneeuw misschien een wonder is.'

'Het is gewoon sneeuw, Judith!'

'Maar hoe weet je het?'

Vader zei: 'Luister eens even, we willen niet een hele discussie, oké?'

'Maar hoe weet je nou dat een heleboel dingen niet eigenlijk wonderen zijn?' zei ik.

Ik holde om hem bij te houden. Ik zei: 'Ik denk niet dat mensen het zouden geloven als er een wonder was gebeurd, zelfs al stonden ze er met hun neus bovenop, zelfs al zou iemand het tegen ze zeggen. Ze zouden altijd denken dat het door iets gewoons veroorzaakt was.'

Vader zei: 'Judith, waar wil je heen?'

Ik deed mijn mond open en deed hem toen weer dicht. 'Dat kan ik nog niet zeggen,' zei ik. 'Ik heb eerst meer bewijs nodig.'

'Bewíjs?'

'Ja.'

Vader bleef staan. 'Wat heb ik nou net gezegd?'

'Maar...'

Vervolgens fronste vader zijn wenkbrauwen. Hij zei: 'Hou erover op, Judith. Hou er nou maar gewoon over op, oké?'

Bewijs

Tussen de keuken en de huiskamer ligt de middelste kamer. De middelste kamer is de kamer van vader. Hij is donker en ruikt naar leer en schapenvacht. Er hangt een mottig wandkleed met klimplanten en slangen, er staat een klok zonder slinger en een chaise longue zonder veren. Er ligt een versleten langharig tapijt en er hangt een schilderij van engelen en er staat een kapstok gemaakt van een boom. Er is een grote zwarte schoorsteen met paradijsvogeltegels. En aan weerszijden van de schoorsteen staat een kast.

In de ene kast staan foto's van vader en moeder van voordat ik geboren was, er liggen stapels kaarten en brieven, en een heleboel foto's van mensen die ik niet ken – de familie van moeder en vader voordat ze in het geloof kwamen. Nu spreekt de familie niet meer met ons, geen van allen behalve tante Jo, de zus van vader, die ons elk jaar een zelfgemaakte kerstkaart stuurt en ons uitnodigt om bij haar op bezoek te komen in Australië. Vader ergert zich eraan want ze weet dat we geen Kerstmis vieren, maar hij kan het niet over zijn hart verkrijgen om ze weg te gooien.

In de andere kast staan een heleboel boeken. Er staan boeken in over de aarde en het heelal met plaatjes van superclusters en zwarte gaten en cellen en dat soort dingen die vader soms tevoorschijn haalt, maar de meeste boeken zijn geschreven door de Broeders en hebben titels als: *Dan zullen zij het weten*, *De dag des Heren en u* en *U kent het uur niet*. Ik wist dat ik in een van die boeken meer over wonderen te weten kon komen.

Het probleem was dat de kasten van vader waren en dat ik het hoorde te vragen voor ik daar naar binnen ging.

Ik wachtte de hele middag tot hij naar buiten zou gaan maar hij ging niet. Hij stookte het vuur op en bakte een omelet. Hij las de krant. Hij maakte eten klaar. Hij waste af. Daarna kreeg hij die blik die hij krijgt als hij iets wil gaan maken en ging naar de garage. Na een tijdje hoorde ik hem zagen en toen ging ik naar de middelste kamer en deed de deur dicht.

Mijn hart bonsde toen ik de glazen deuren opendeed. Dit was een zonde, maar een zonde in dienst van een groter goed, dus eigenlijk kon het door de vingers worden gezien.

Het eerste boek dat ik pakte heette *De tijden der heidenen zijn geëindigd*. Er stonden allemaal kaarten en getallen in en ik legde het opzij. Het volgende boek heette *Gog van Magog: de aartsbedrieger*. Daarin werd ook niet over wonderen gesproken. Ik pakte een ander boek. Naast me op het tapijt begon zich een stapel te vormen. Ik kon vader nog steeds horen zagen. Af en toe klonk het geluid van de blokken die op de grond vielen. Mijn hart bonkte zo luid dat de kamer ervan trilde.

Ik begon al te denken dat ik nooit iets over wonderen zou vinden toen ik bij een boek kwam met een donkergroen stofomslag en een lichtgroene, brandende struik in de kaft gedrukt. Het heette: *Gaven in mensen*. Er stonden plaatjes in van mensen die op water liepen en doden die tot leven kwamen. Een man zat te bidden in de buik van een vis. Een andere in een vurige oven. Een andere in een leeuwenkuil. In het boek werd gesproken over 'gaven' en 'tekenen' en over 'boodschappers' en 'roepingen'. Wonderen, stond er, waren het visitekaartje van God, Zijn geloofsbrieven, zegels van goddelijke missie. Er stond: *Want waar wonderen zijn, daar is zeker God*. Ik ging in kleermakerszit op de grond zitten.

Wat mogelijk is bij God is zelden mogelijk bij mensen, stond er in het boek. *Gelovigen weten dit al sinds vroeger tijden. God kent geen moeilijkheidsgraad. Er zijn geen grenzen aan Zijn vermogen om in te grijpen ten behoeve van Zijn getrouwen. Leeftijd is geen belemmering voor het verwezenlijken van Gods plan. Denk aan de Midianitische maagd die ver van huis de genezing van Naämans melaatsheid mogelijk maakte en aan het kind Samuel dat avond aan avond Gods stem in de tempel hoorde waarschuwen voor de ondergang van het huis van Eli. Het valt niet te zeggen wie door God geschikt bevonden zal worden om als voertuig te dienen voor de manifestatie van Zijn macht, noch hoe Hij zal verkiezen die te tonen.*

Mijn hart bonkte nog steeds maar mijn bloed zong nu en ik voelde me heel licht, alsof ik een paar centimeter boven het tapijt zweefde. De grootste periode van miraculeuze activiteit deed zich voor toen Christus op aarde was, las ik, maar ook de Dag des Heren biedt onbeperkte mogelijkheden voor Gods uitdrukking van Zijn Koningschap. Christenen dienen bedacht te zijn op tekenen in de zon, de maan en de sterren en op andere bovennatuurlijke aanwijzingen dat het einde nabij is. Dit zal een tijd zijn waarin voor opmerkzame ogen de hand van God aan het werk te zien zal zijn in de levens van Zijn dienaren.

Het is bekend dat God meer dan eens in een leven heeft ingegrepen wanneer de smekeling oprecht was en er waarachtig geloof werd getoond. Bedenk wel dat daden van God door sceptici altijd zullen worden toegeschreven aan aardse bronnen. Dit moet gelovigen er niet van weerhouden moed te vatten. Zij zijn lichten die schijnen in de duisternis, en de duisternis is bang voor het licht. Ik hield het boek tegen mijn borst en sloot mijn ogen.

Ik weet niet hoelang ik daar heb gezeten maar na een tijdje besefte ik dat ik geen gezaag meer hoorde. Ik deed één oog open. Er stond een paar benen voor me. Ik deed ook het andere oog open. De benen zaten vast aan vaders schoenen. De stem van vader zei: 'Wat ben je aan het doen?'

'Aan het lezen,' zei ik en ik stond op.

Vader zei: 'Hoe vaak heb ik niet gezegd dat je het moet vragen als je die boeken uit de kast wilt halen?' Hij bukte zich en begon de boeken op elkaar te stapelen. Hij deed de kastdeuren open en zette ze weer op hun plaats, tsjak, tsjak, tsjak.

'Vader.'

Tsjak.

'Vader.'

Tsjak.

Mijn adem stokte en deed pijn vanbinnen. 'Vader, er staat hier dat we tegenwoordig nog steeds wonderen kunnen zien.'

Hij zuchtte hard. 'Wat is dat allemaal voor onzin over wonderen?'

Ik beet hard op mijn lip en toen zei ik: 'Ik denk dat er iets is gebeurd zondag. Ik bedoel gisteravond. Ik denk dat de sneeuw een wonder is geweest.'

Vader pakte het boek uit mijn handen en blies op de bladzijden. Hij sloeg het met een klap dicht en zette het terug bij de andere.

Ik zei: 'In het boek staat dat we met ongeloof te maken kunnen krijgen, dat we ons niet moeten laten ontmoedigen. Er staat dat de meeste mensen niet weten dat ze een teken hebben gezien...'

'Téken?'

Vader deed de kast dicht, pakte me bij mijn elleboog, nam me mee de kamer uit en sloot de deur. Hij zei: 'Ik begin hier een beetje genoeg van te krijgen. Het heeft gesneeuwd omdat dat nu eenmaal soms gebeurt. Zelfs hier. Zelfs in oktober. En nu hou je er verder over op.'

Mijn hart maakte het moeilijk om te ademen. 'Ik heb ook een stem gehoord!' zei ik opeens. 'Net als Samuel in de tempel. Hij heeft gezegd wat ik moest doen.'

'Ik begin nu toch echt boos te worden, Judith. Je weet hoe ernstig het is om te liegen.'

'Ik lieg niet!' zei ik. 'Ik weet niet waar die stem vandaan kwam maar ik heb hem wel gehoord!'

Vaders gezicht was rood en zijn ogen waren heel zwart. Hij zei: 'Judith, jij haalt je altijd van alles en nog wat in je hoofd. Je leeft volkomen in een fantasiewereld.'

'Nou, dit is echt,' zei ik.

Vader keek me even aan. Toen zei hij zachtjes: 'Ik wil er niets meer over horen, heb je dat begrepen?' en hij liep de keuken in en de deur ging achter hem dicht. Ik keek een hele tijd naar de deur. Daarna verdween ik naar boven en ik ging in mijn kamer op de grond zitten en ik keek naar het Land van Melk en Honing.

En hoewel ik in het begin verdrietig was omdat vader me niet geloofde was ik na een tijdje blij dat ik niet meer gezegd had want het was beter om te wachten tot ik meer bewijs had en daarvoor zou ik een test doen, om erachter te komen of de sneeuw toeval was.

'En dan zullen we zien,' zei ik tegen niemand in het bijzonder.

'Dat zullen we zeker,' zei niemand terug.

Waarom zien echt geloven is

Mensen geloven niet zoveel. Ze geloven politici niet en ze geloven advertenties niet en ze geloven geen dingen die op verpakkingen van levensmiddelen staan in de Co-op. Een heleboel mensen geloven ook niet in God. Vader zegt dat dat komt doordat de wetenschap zoveel dingen heeft verklaard dat mensen denken dat ze moeten kunnen weten hoe alles gebeurt voordat ze het geloven, maar ik denk dat er een andere reden is.

Ik denk dat mensen dingen niet geloven omdat ze bang zijn. Geloven betekent soms dat je het mis kunt hebben en als je het mis hebt kan het pijn doen. Bijvoorbeeld: ik dacht dat ik mijn hele kamer rond kon klimmen zonder de grond te raken en het deed pijn toen ik naar beneden viel. Alle belangrijke dingen, zoals of iemand van je houdt of dat iets goed zal aflopen, zijn niet zeker, dus die proberen we te geloven, maar alle dingen waar je niet over na hoeft te denken, zoals zwaartekracht en magnetisme en het feit dat vrouwen anders zijn dan mannen, daar kun je vergif op innemen ook al hoeft dat niet.

Ik maakte me vroeger altijd zorgen als vader zei dat we niet blindelings in God moeten geloven omdat het bewijs voor God óf te veel is (de apostel Paulus zegt dat het 'niet te verontschuldigen' is) óf niet genoeg (Richard Dawkins, een wetenschapper met wie de Broeders het graag oneens zijn, zegt dat het 'bijgelovige kletskoek' is). Ik was bang dat dat betekende dat ik eigengereid was. Maar geloven draait niet alleen maar om bewijs en ik zal vertellen waarom.

Mensen kunnen hetzelfde zien maar er toch verschillende conclusies aan verbinden. Mr. Williams, het hoofd van de school, zei dat ik 'buitengewoon slim' was voor mijn leeftijd, wat de reden is dat ik een jaar jonger ben dan alle andere kinderen in mijn klas, en Mr. Davies zegt dat hij nog nooit iemand van tien heeft meegemaakt die zo goed in taal is als ik. Maar Neil Lewis zegt dat ik een 'lijpo' ben. Mr. Davies heeft ons over fossielen verteld en hij zei: 'Zo zijn levende wezens geëvolueerd,' maar vader zegt: 'Mutaties blijven nooit leven.' Mr.

Davies vindt dat godsdienst een illusie is. Op de laatste ouderavond hadden vader en hij een discussie. Mr. Davies zei dat ik de feiten moet leren over hoe de wereld is ontstaan en vader zei dat dat alleen maar de feiten waren zoals Mr. Davies die ziet.

Er bestaan ook illusies in de ruimte, kruisen en bogen en cirkels die de weerspiegelingen zijn van sterrenstelsels die miljarden jaren geleden bestonden en die ons laten zien wat er in het verleden is gebeurd, en vader zegt dat wetenschappers net zo goed dingen willen zien als religieuze mensen; hij zegt dat ze voortdurend de sprong van het geloof maken. Het bewijs voor de evolutie op basis van fossielen is helemaal niet zo goed maar de wetenschappers hadden al besloten dat de schepping geen optie was dus maakten ze nepfossielen en stopten die in de grond. En je zou denken dat ze dat als wetenschappers niet zouden doen. Maar wetenschappers maken voortdurend de sprong van het geloof want het is heel vaak een kwestie van gissen en wachten en soms worden de beste ontdekkingen, zoals die van Albert Einstein, op die manier gedaan. Vader zegt dat agnosten de enige mensen zijn die nooit de sprong maken.

Wetenschappers zeggen dat wonderen niet kunnen gebeuren omdat er dan sprake is van iets miraculeus, maar dat slaat nergens op want er zijn genoeg 'miraculeuze' dingen waar ze wel in geloven, zoals dat het heelal uit niets is voortgekomen, en dat is iets wat eigenlijk onmogelijk is. Jaren geleden dachten mensen dat een zonsverduistering betekende dat God boos op ze was maar nu is dat verschijnsel geen wonder meer omdat we het begrijpen, net als radioactiviteit of een vliegtuig of ziektekiemen, maar dingen als bijen zijn wel een wonder omdat we nog steeds niet begrijpen hoe ze kunnen vliegen. Op een dag zal iemand dat verklaren en dan zijn bijen ook geen wonder meer.

Als je erover nadenkt zijn een heleboel dingen miraculeus, zoals de kans dat ik met mijn tandenborstel precies hetzelfde stukje in mijn mond raak als een paar seconden ervoor of dat er onder het eten een straaltje sap uit mijn tomaat op vaders neus spuit, of de kans dat ik ik ben in plaats van miljoenen andere mensen. Maar dat zijn gewoon heel kleine kansen en een bij is ook geen wonder, alleen maar iets wonder-baarlijks, want wonderen worden *verricht*.

Geloven draait niet zozeer om bewijs, en ook niet om de vraag of je het kunt verklaren. Zelfs als mensen iets niet kunnen verklaren – zoals een spook zien of genezen worden – en ze hebben het wel mee-gemaakt, dan geloven ze het toch. Ook al hebben ze misschien hun hele leven gezegd dat het onzin was. En dat betekent dat mensen die zeggen dat iets onmogelijk is het waarschijnlijk alleen maar nog nooit hebben meegemaakt.

Het kan natuurlijk zijn dat ze het toch nog willen wegredeneren en op zoek gaan naar een rationele verklaring. Maar dan doen ze wat vader ook doet en begrijpen ze niet waar het om gaat. Namelijk dat wonderen iets zijn wat je ziet als je ophoudt met denken, en dat ze gebeuren omdat iemand ze heeft verricht, en omdat iemand, ergens, geloof heeft gehad.

De test

Toen ik dinsdag wakker werd was de hemel blauw en leeg en schitterde de zon in de ramen. De sneeuwhopen bij de voordeuren en langs de straat werden al zachter. Ik zei: 'En nu mijn test.'

Ik ging naar de koffer en ik haalde mijn materialen eruit. Ik rolde de hemel van het Land van Melk en Honing op en ik hing er verbandgaas voor in de plaats. Ik haakte de wolken los en hing er een sneeuwstormkoker van metaalgaas met kleine piepschuimballetjes voor in de plaats. Ik haalde de katoen weg en legde watten op huizen en torenspitsen, spoorlijnen, bergen en viaducten.

'Kouder!' zei een stem, en weer had ik het gevoel dat er licht op me scheen.

Ik stopte de kleine mensjes in hun huizen. Ik wikkelde ze in dekens en jassen. Ik gaf ze bekers warme chocolademelk in hun handen. Ik stak stormlampen aan. Ik spoot rijp op de ramen en maakte ijs voor de straten van dun perspex.

'Kouder!' zei de stem.

Ik verscheurde de papieren lichtbundel van de vuurtoren en legde stukken drijvend plastic ijs op de golven. Ik lijmde ijspegels aan de masten van de schepen en zette de ventilator aan zodat vlagen papieren hagel de handen en gezichten van de zeelieden geselden. Sneeuwpoppen niesden. IJsberen rilden. Pinguïns dansten om warm te blijven.

Toen zei ik: 'Sneeuw,' net als de vorige keer. En ik zag de stad en de staalfabriek en de berg bedolven onder de sneeuw, bergen sneeuw, meer dan iemand ooit gezien had of ooit nog zou zien.

Ik zei: 'Nu moet ik wachten.'

Ik wachtte tot na het ontbijt. Ik wachtte tot na het middageten. Ik wachtte terwijl vader en ik het laatste hout onder het afdak te drogen legden en nadachten over Jezus die gestorven was om de wereld te redden. Ik wachtte terwijl we bij de kachel zaten die avond en vader naar Nigel Ogden luisterde die op het orgel speelde. Ik wachtte de hele avond en keek af en toe naar buiten naar de sterren en de witte wildernis van de maan. Ik rende de volgende ochtend naar het raam maar de zon scheen zo fel dat het pijn deed aan mijn ogen en van boven mijn raam vielen er de hele tijd druppels naar beneden.

Ik voelde me misselijk en ging op het bed zitten. Ik zei: 'Wat heb ik anders gedaan?' Ik zei: 'Misschien moet ik gewoon geduld hebben.'

Die ochtend gingen we prediken. Vader zei dat het er een ideaal moment voor was. Wat hij bedoelde was dat de mensen thuis zouden zijn. Mensen thuis treffen is een probleem voor ons want hoewel we mensen proberen te redden doen ze er alles aan om dat te voorkomen. Ze doen de deur niet open, ze vertellen leugens ('Mijn oma is net overleden', 'Ik heb een oorlogswond en ik kan niet zo lang staan', 'Ik ben op weg naar de kerk'), ze doen lelijk (beginnen te schreeuwen, laten de hond los, dreigen dat ze de politie zullen bellen), ze rennen weg (alleen in geval van nood maar het gebeurt wel; één keer nam iemand de benen toen hij ons bij zijn deur zag staan en toen liet hij wat boodschappen op straat vallen). Vader noemt dit ontwijkingstactieken. Wij hebben onze eigen tactieken, zoals vragen stellen die tot nadenken stemmen, en opmerkingen die bedoeld zijn om een eind aan het gesprek te maken gebruiken om juist een gesprek te beginnen, en twee keer op dezelfde ochtend aanbellen (hoewel op een gegeven moment iemand een emmer water over vaders hoofd heeft gegooid toen we dat deden dus dat is misschien toch niet zo'n effectieve tactiek).

We troffen de groep op de hoek van King Street. Er lagen kleine heuveltjes van sneeuw aan weerskanten van de straat. Elsie en May waren er, en Alf en Josie, Stan, Margaret en Gordon. Josie droeg een bontmuts en een cape en een gebreid pak aan één stuk dat tot haar schenen kwam. Ze zei: 'Ik heb je gezocht zondag. Ik heb iets voor je meegenomen.'

Ik ging aan de andere kant van vader staan. 'We zijn elkaar zeker misgelopen,' zei ik.

'Wat vind je van die sneeuw?' zei oom Stan. 'Toch niet te geloven, hè?'

'De Rampspoed is nabij!' zei Alf.

Elsie zei: 'Mijn gewrichten zijn er niet blij mee.' Ze bood me een tic tac aan.

'En mijn wintervoeten ook niet,' zei May. Ze bood me een Werther's Original aan.

'Nou,' zei vader, 'we laten ons in ieder geval niet klein krijgen.'

Oom Stan zei het gebed en toen begonnen we. Elsie werkte samen met Margaret, Stan werkte samen met Gordon, Josie werkte samen met May, Alf werkte alleen en ik werkte samen met vader. Het was koud. Onze voetstappen klonken op het trottoir. Vader zei voorbijgangers gedag. Sommigen knikten. Sommigen zeiden gedag. De meesten bogen hun hoofd en liepen door. Ondanks de ideale omstandigheden deden er niet veel open. Soms bewoog er een gordijn. Soms kwam er een kind dat zei: 'Er is niemand thuis,' en als dat gebeurde klonk er gelach.

De lucht was ongelofelijk blauw. Die blauwheid zat me dwars. 'Het kan nog steeds gebeuren,' zei ik tegen mezelf. 'Het kan nog steeds gaan sneeuwen.' Maar twee uur later toen we elkaar weer op de hoek troffen was de lucht nog even blauw als daarvoor. 'We hebben niet zoveel succes, geloof ik,' zei oom Stan. Ik was het roerend met hem eens.

Vader en ik zeiden de groep gedag en gingen Herbezoekjes afleggen. Herbezoekjes zijn mensen bij wie we altijd langsgaan; die verstoppen zich niet voor ons. Mrs. Browning straalde verrast met krulspelden in haar haar en vroeg ons binnen voor thee en cakejes. Er zaten hondenharen en vettigheid op het bord en de kopjes waren bruin vanbinnen. Meestal kan ik die thee niet drinken want er gaat gecondenseerde melk in en hij is amper warm, maar vandaag klokte ik hem naar binnen zonder erbij na te denken. Daarna vroeg vader me om uit de Schrift te lezen en Mrs. Browning zei: 'Zo'n slim kind! Je kijkt er vast naar uit om weer naar school te gaan.'

Vader trok zijn wenkbrauwen op. 'Daar zou ik niet van uitgaan.'

We namen afscheid van Mrs. Browning en gingen bij Joe en zijn hond Watson langs. Joe leunde tegen de portiek zoals hij altijd deed.

Er zat een vlek op de muur, zo lang deed hij het al. Watson schuurde met zijn achterwerk over het stoepje.

Vader zei: 'Elk moment nu, Joe.'

En Joe zei: 'Ik geloof het pas als ik het zie.'

Vader zei: 'Je moet het geloven anders zúl je het niet zien.'

Joe lachte en er rammelde een ketting in zijn borst. We lieten wat tijdschriften bij hem achter en toen zei vader dat we terug moesten anders ging de kachel uit.

Het hele stuk dat we de straat uit liepen zag ik mijn benen onder me naar binnen en naar buiten gaan. Er lag een lollystokje in de goot. Daar maakte ik meestal tuinhekjes van maar dit keer stapte ik eroverheen. 'Ik ga nooit meer iets maken,' zei ik tegen mezelf. 'Ik had die sneeuw beter helemaal nooit kunnen maken als het alleen maar toeval was.' Teruggaan naar hoe het vroeger was geweest was opeens te erg om over na te denken.

We liepen over de bergweg naar boven in de sporen die de auto's hadden gemaakt en het zonlicht viel stotterend en brabbelend door de takken van de sparren. Vader nam lange passen. Zijn laarzen spetterden sneeuwtroep opzij. Ik luisterde naar het kraken van laarzen en het flapperen van schapenleer en mijn Bijbeltas die op mijn rug heen en weer hobbelde en ik wilde dat alles ophield. Vader zei: 'Kom op! Wat loop je te treuzelen?'

'Ik loop niet te treuzelen,' zei ik. 'Ik ben moe.'

'Nou, hoe sneller je loopt, hoe eerder we thuis zijn.'

De berg leek hoger dan ik me herinnerde. We kwamen bij een bocht in de weg en het ging weer omhoog. Toen kwam er nog een en het ging nog verder omhoog. Hoe hoger we kwamen, hoe witter het werd. De witheid kwam in mijn kleren. Ze drong door de naden, de knoopsgaten, de wol van mijn maillot. Ik deed mijn ogen dicht maar ze prikte door mijn oogleden en maakte daar patronen.

We kwamen bij de top. Vader liep door maar ik bleef op de weg staan. Ik luisterde naar zijn voetstappen die wegingen en heel even kon het me niet schelen als ze nooit meer terug zouden komen. Ik hield mijn handen voor mijn ogen en bleef doodstil staan en het enige wat ik hoorde was de leegte om me heen en een hele tijd dacht ik helemaal niets. Toen sloeg er een koude windvlaag tegen me aan en deed ik mijn ogen open.

De lucht was niet helder meer. Hij was bewolkt en hij wervelde. Er zweefde iets vlak voor me. Er landde iets heel zachtjes op mijn jas en mijn neus en mijn wangen, het raakte me aan en verdween weer en dat ging maar door. Ik bleef heel stil staan en ergens binnen in me gleed een grendel op zijn plaats.

Ik had tranen in mijn ogen maar niet van de kou. En toen rende ik over de steile bergweg naar beneden, ik rende en ik riep: 'Wacht op mij!'

Ik rende hem voorbij en draaide me meteen om, en ik gleed uit en moest lachen en bleef nog maar net staan. 'Het sneeuwt!' riep ik.

'Dat was me niet ontgaan.'

'Is het niet geweldig?'

'Het is een ellende.'

Ik begon weer te rennen en ik knipperde met mijn ogen en spreidde mijn armen als een vogel. Vader zei: 'Kijk uit dat je niet valt!' En ik rende nog harder om hem te laten zien dat dat niet zou gebeuren.

Sneeuwvlokken en mosterdzaadjes

Wonderen hoeven niet groot te zijn, en ze kunnen op de gekste plaatsen gebeuren. Soms zijn ze zo klein dat de mensen het niet eens merken. Soms zijn wonderen verlegen. Ze strijken langs je mouw, ze landen op je wimpers. Ze wachten tot je ze opmerkt, en dan smelten ze. Veel dingen beginnen met klein te zijn. Dat is een goede manier om te beginnen omdat niemand dan aandacht aan je schenkt. Je bent gewoon een klein dingetje dat een beetje rondscharrelt, zijn eigen gang gaat. En dan word je groter.

Hoog in de hemel worden sneeuwvlokken geboren. Als ze naar de aarde vallen zijn ze zo licht dat ze zijwaarts vallen. Maar vlokken vinden broeders en wanneer dat gebeurt blijven ze aan elkaar vastzitten. Als er genoeg aan elkaar vastzitten beginnen ze te rollen. Als ze maar ver genoeg rollen nemen ze hekpalen mee, en bomen, een mens, een huis.

Een mosterdzaadje is een piepklein zaadje maar wanneer het gegroeid is nestelen de vogelen des hemels in zijn takken. Een zandkorrel wordt een parel, en gebeden die beginnen met heel weinig of helemaal niets worden toch uitgesproken, want als er maar genoeg van iets is begint het te groeien, en als er meer dan genoeg is zal er iets groots gebeuren, dat er op een piepkleine manier van het begin af aan al is geweest.

Wat was er het eerst, het gebed of de deeltjes? Hoe kan het kleinste dingetje het grootste van allemaal worden, en iets wat gestopt had kunnen worden niet meer te stoppen zijn, en iets waarvan je nooit gedacht had dat het iets te betekenen zou hebben alles te betekenen hebben? Misschien komt het doordat wonderen het beste werken bij gewone dingen, hoe gewoner hoe beter. Misschien komt het doordat ze met een druppel op de gloeiende plaat beginnen. Hoe kleiner de druppel, hoe groter het wonder.

Een scepticus

Die middag werd de lucht donker door het gewicht van de sneeuw. Die bleef maar naar beneden dwarrelen, zonder te weten welke kant hij opging. Ik zat ernaar te kijken. Ik had er voor altijd naar kunnen kijken. Ik at geen avondeten. Mijn handen voelden warm of andere dingen voelden koud en mijn huid tintelde helemaal. Vader vroeg of ik verhoging had; ik zei tegen hem dat ik me nog nooit zo goed had gevoeld.

De volgende ochtend sneeuwde het nog steeds. Het was opgewaaid tot aan de vensterbanken, auto's waren kleine witte heuvels, mijn adem vormde wolken en de vloerplanken kraakten van de kou. Vader zat bij het Rayburn-fornuis in zijn handen te wrijven toen ik beneden kwam. Hij zei dat hij een tunnel had moeten graven om de achterdeur uit te komen.

Ik besloot dat het tijd was om hem te vertellen wat er aan de hand was. Ik haalde diep adem. 'Weet u nog dat ik over wonderen begon?'

Hij deed de fornuisdeur met een klap dicht en zei: 'Niet nu, Judith. Ik moet meer hout zagen en ik moet nog kijken hoe het met Mrs. Pew gaat. Trouwens, dat mag jij wel voor me doen.'

'Maar ik moet met u praten!' zei ik. 'Het is belangrijk.'

'Straks,' zei vader. Hij nam zijn laatste slok thee.

Ik keek hem aan. 'Moet ik echt naar Mrs. Pew toe?'

'Nou, het zou me wel helpen.'

'En als ik niet meer terugkom?'

'Doe niet zo mal, Judith. Er is niks aan de hand met Mrs. Pew.'

'Haar hoofd wiebelt.'

'Jouw hoofd zou ook wiebelen als je parkinson had.'

Er kwam sneeuw over de bovenkant van mijn laarzen toen ik door het hek van de voortuin waadde. Mrs. Pew woont in het huis naast ons. Tegen de tijd dat ik haar voordeur had bereikt waren mijn benen nat. De bel bleef een tijdje gaan. Ik schommelde heen en weer van de ene voet op de andere. De kinderen uit de straat zeggen dat Mrs. Pew kinderen binnen vraagt in haar huis en dat je dan nooit meer iets van ze hoort, ze zeggen dat dat met Kenny Evans is gebeurd. Hoewel sommige mensen zeggen dat hij bij zijn vader is gaan wonen. Ik keek links en rechts de straat in om te zien of er getuigen waren als Mrs. Pew iets zou proberen.

Ik hoorde het slot omdraaien. De deur ging open op een kier en ik rook iets sterks en mufs, als oude hoeden en handschoenen uit tweedehandswinkels. Vervolgens zag ik een zwarte jurk, een hoge kraag en een wit gezicht met rode lippen, getekende wenkbrauwen en kleine zwarte krulletjes die trilden en vettig glommen. Spinnenogen keken me aan. Er zaten rimpels om haar mond en daar liep het rood van haar lippen in. Het zag eruit alsof ze bloedde. 'Ja?' zei Mrs. Pew met haar stem van gebarsten porselein.

Ik slikte en zei: 'Dag Mrs. Pew. Vader zei dat ik moest gaan kijken of u iets nodig had.'

Ze zette haar gehoorapparaat harder en boog zich dichter naar me toe en ik deinsde achteruit en zei: '*Vader zei: hebt u iets nodig?*' Ik wilde het net een derde keer zeggen toen ze haar hoofd schudde, mijn mouw beetpakte en me de hal in trok. Ik draaide me om terwijl de deur dichtging. Mijn hart begon echt heel snel te kloppen.

Door de deuropening zag ik een televisie die keihard aanstond. Er stond een vrouw voor een vrachtwagen op een snelweg en ze zei: 'Het plotseling opgekomen winterweer heeft gisteren voor de tweede keer deze week een groot deel van het land opgezadeld met sneeuw en ijs. De eerste winterse bui deed zich twee dagen geleden voor toen een dik pak sneeuw van twintig centimeter een einde maakte aan wat tot dan toe een milde oktobermaand was geweest. Het weer veroorzaakt problemen op de wegen en op zee. Vier zeilers, onder wie een vijftienjarige jongen, moesten gisteren worden gered nadat hun jacht was omgeslagen voor de kust van Plymouth. Beide sneeuwbuien hebben weersvoorspellers volkomen verrast...'

Mrs. Pew zette het geluid uit, kwam weer terug en zei: 'Nou, wat is er? Praat eens wat harder, kind!'

'*Vader* zei: HEBT U IETS NODIG?'

'O,' zei ze. 'Je hoeft niet zo te schreeuwen! Dat is aardig van je vader. Maar je mag tegen hem zeggen dat ik van alles voorzien ben; ik heb genoeg blikjes in de voorraadkast om een heel leger te voeden.'

'Mooi,' zei ik en ik draaide me om om de deur open te doen.

'Wacht even, jongedame! Heb jij Oscar gezien?'

'Wat?'

'Heb jij Oscar gezien?'

'Nee.'

'Hij is gisteravond niet binnengekomen voor zijn kattenbrokjes,' zei ze. 'Dat is niets voor hem. Meestal is hij met geen stok naar buiten te krijgen als er maar een spatje regen valt. Dan kruipt hij ergens in een hoekje. Als je hem ziet, wil je het dan laten weten?'

Mijn benen voelden slap toen ik naar het hek liep. Ik draaide me om om gedag te zeggen en bleef toen staan. Mrs. Pew depte haar ogen droog met haar zakdoek maar haar hoofd wiebelde te erg om het goed te doen. Ze zei: 'Ik denk steeds maar dat er iets ergs met hem gebeurd is.'

Ik sloeg mijn ogen neer. Ik zei: 'Ik moet nu gaan.'

Vader zat boven op de muur opzij van het afdak en schraapte de sneeuw eraf. 'Mrs. Pew heeft genoeg blikjes om een heel leger te voeden,' riep ik, 'maar Oscar is verdwenen. Kan ik nu met u praten?'

'Zie je niet dat ik bezig ben?'

'Ja.'

'Straks.'

Maar nadat hij het dak had schoongemaakt was hij bezig met sneeuwruimen, en daarna was hij bezig met houthakken, en daarna was hij bezig met de krant lezen, het weerbericht luisteren en eten koken. Ik maakte een sneeuwkat en een sneeuwpop en een sneeuwhond, en toen was de dag bijna voorbij. Tijdens het avondeten was hij alleen maar bezig met eten dus legde ik mijn mes en mijn vork neer en zei: 'Vader, ik moet u iets vertellen.' Ik wachtte tot hij iets zou zeggen maar hij zei niets dus ging ik verder: 'Zondag heb ik sneeuw gemaakt voor het Land van Melk en Honing.'

Ik zei: 'Ik wilde dat het zou gaan sneeuwen.'

Hij bleef doorkauwen. Ik zag de spieren in zijn kaak bewegen. Hij deed waarschijnlijk net alsof het hem niet interesseerde.

Ik zei: 'Vader, ik heb sneeuw gemaakt voor het Land van Melk en Honing en daarna gebéúrde het ook. Het was een wonder! Het is twee keer gebeurd, precies zoals ik wilde. Maar u mag het tegen niemand zeggen want dan worden ze misschien bang en ik heb het zelf net pas ontdekt.'

Vader keek me aan, volgens mij langer dan hij me ooit eerder had aangekeken. Toen begon hij te lachen. Hij bleef maar lachen. Toen hij klaar was met lachen zei hij: 'Je bent me wel een portret. Dus daar ging al dat gedoe over wonderen over?'

'Ja,' zei ik. Ik hoopte dat dat lachen door de schrik kwam. 'Ik wilde het al eerder vertellen. En ik heb het een tweede keer gedaan, om er zeker van te zijn – en toen gebeurde het weer! Ook al zei u dat het niet zou gebeuren. Omdat ik geloof had!'

Vader zei: 'Het komt doordat je te veel tijd in die kamer doorbrengt.' Toen zuchtte hij.

'Judith, wat je voor je modelwereld maakt heeft niets te maken met de echte wereld – je bent altijd wel iets aan het maken. Het is tóéval.'

'Niet waar!' zei ik en ik voelde me raar, alsof ik koorts kreeg. 'Zonder mij zou het niet gebeurd zijn.'

Vader zei: 'Heb je wel geluisterd naar wat ik zei?'

'Ja,' zei ik. Maar ik begon weer een vol gevoel in mijn hoofd te krijgen net als op de dag dat ik sneeuw gemaakt had, alsof er te veel dingen in zaten.

Vader zei: 'Judith, meisjes van tien verrichten geen wonderen.'

Ik zei: 'Hoe weet je of je geen meisje van tien bent?'

Vader kneep zijn ogen dicht met zijn duim en wijsvinger. Toen hij ze weer opendeed zei hij dat hij genoeg had van dit belachelijke gesprek. Hij pakte mijn bord hoewel ik het nog niet leeg had en zette het boven op zijn eigen bord, liep naar de gootsteen, draaide de kraan open en begon af te wassen.

Ik stond op. Ik probeerde rustig te spreken. 'Ik weet dat het moeilijk te geloven is,' zei ik. 'Maar het was niet maar één keer…'

Hij stak zijn hand omhoog. 'Ik wil er niets meer over horen.'

'Waarom niet?'

Vader hield op met afwassen. 'Dáárom niet! Omdat het gevaarlijk is!'

'Gevaarlijk voor wie?'

'Het is gevaarlijk om te denken dat je dat soort macht hebt. Dat is… hovaardig… het is godslásterlijk.' Hij staarde me aan. 'Wie denk je wel niet dat je bent? Het was toeval, Judith.'

Ik hoorde wel wat hij zei maar mijn hoofd werd te warm om te bedenken wat de woorden betekenden. Ik sloeg mijn ogen neer en zei zachtjes: 'Het is niet zo.'

'Pardon?'

Ik keek hem aan. 'Het was geen toeval.'

Vaders arm ging omhoog en hij sloeg het kastdeurtje hard dicht. Toen leunde hij op het aanrecht en zei: 'Je brengt veel te veel tijd in die kamer door!'

'Ik heb een gave!' zei ik. 'Ik heb een wonder laten gebeuren!'

Toen kwam vader naar me toe en zei: 'Ik wil dat je er nu over ophoudt, heb je dat begrepen? Je hebt géén gave. Je kunt géén wonderen laten gebeuren. Is dat duidelijk?'

Ik hoorde onze ademhaling en het druppelen van de kraan. Ik voelde een pijn in mijn borst. Vader zei: '*Is dat duidelijk?*' Heel even was de pijn in mijn borst te erg om adem te halen. En toen was het alsof er een knop was omgedraaid en toen had ik het niet meer warm. De pijn ging weg en ik had het koel en voelde me losstaan van de dingen.

'Ja,' zei ik. Ik liep naar de deur.

'Waar ga je naartoe?'

'Naar mijn kamer.'

'O nee, mooi niet. Hoe minder tijd je op die kamer doorbrengt hoe beter. Je mag afdrogen en daarna zijn er nog wel een paar dingen die je kunt doen.'

Dus ging ik afdrogen en Bijbeltijdschriften sorteren. Ik legde de oudste boven op de stapel en de nieuwste onderop. Ik bracht vier emmers hout naar binnen en twee emmers kolen en stapelde alles op naast de Rayburn.

Vader zei dat ik het hout mooi had opgestapeld, maar dat was alleen maar omdat hij zich schuldig voelde dat hij had geschreeuwd, dat is altijd zo. Ik zei niets terug want ik wilde niet dat hij er zo gemakkelijk vanaf kwam.

Ik wachtte tot negen uur en toen zei ik welterusten en ik ging naar boven en haalde mijn dagboek tevoorschijn en schreef dit allemaal op, alles wat er gebeurd was sinds zondag. Want het was te belangrijk om dat niet te doen, en als ik er niet over mocht praten dan moest ik het maar ergens opschrijven.

Een geheim

Ik heb een geheim. Dat geheim is dit: vader houdt niet van me.

Ik weet niet wanneer ik voor het eerst dat idee kreeg maar ik weet het nu al een tijdje zeker. Hij zegt bijvoorbeeld: 'Dat is een goed antwoord,' of: 'Ik vond het mooi zoals je dat citaat gebruikte,' of hij komt naar mijn kamer en blijft in de deuropening staan en zegt: 'Alles goed?' Maar hij klinkt alsof hij de woorden van een blaadje papier afleest en daarna zegt hij hoe ik de presentatie beter had kunnen doen, en ik zeg wel dat hij in mijn kamer mag komen maar dat doet hij nooit.

Dit zijn de redenen waarom ik weet dat vader niet van me houdt.

1) Hij vindt het niet fijn om naar me te kijken.
2) Hij vindt het niet fijn om me aan te raken.
3) Hij vindt het niet fijn om met me te praten.
4) Hij is vaak boos op me.
5) Hij is verdrietig vanwege mij.

1) Vader kijkt niet naar me als het niet hoeft en als hij wel kijkt zijn zijn ogen zwart. Ze zijn eigenlijk groen maar ze lijken zwart omdat hij boos is. Er is een Bijbelvers waarin staat dat de geest van God scherper is *'dan een tweesnijdend zwaard en hij dringt door, zó diep, dat hij vaneenscheidt ziel en geest, gewrichten en merg, en hij oordeelt de overleggingen en gedachten van het hart.'* Zo voelt het als vader naar me kijkt. Het is net alsof hij het niet prettig vindt wat hij ziet.

2) Vader raakt me niet aan. We geven elkaar geen kus voor het slapengaan en we knuffelen niet en we lopen niet hand in hand en als we te dicht bij elkaar zitten heeft hij dat ineens in de gaten en dan schraapt hij zijn keel of hij schuift een stukje op of hij staat op. Soms als we bij elkaar zijn verandert er iets in de lucht en dan is het net alsof wij de enige mensen in het heelal zijn maar in plaats van dat er dan heel veel ruimte is, zoals het geval zou zijn als het echt zo was, zitten we opgesloten in een heel kleine ruimte en is er niets om over te praten.

3) Vader vindt het niet fijn om met me te praten. Dat komt misschien doordat ik een heleboel dingen vraag, zoals: 'Hoe zal het zijn in de nieuwe wereld?' en 'Weet God alles wat er in de toekomst gaat gebeuren?' Waarop vader zei: 'God kan beslissen wat Hij wel en wat Hij niet wil weten.' Waarop ik zei: 'Dan moet Hij weten wat er gaat gebeuren als Hij niet wil dat Hij het weet,' en vader zei: 'Het ligt iets ingewikkelder.'

Dus toen zei ik: 'Laat God erge dingen gebeuren omdat Hij ze niet kan zien of omdat Hij niet wil zorgen dat ze niet gebeuren?'

'God laat erge dingen gebeuren om te bewijzen dat mensen zichzelf niet in de hand kunnen houden. Als God zou zorgen dat alles wat erg was niet zou gebeuren dan zouden de mensen niet vrij zijn. Dan zouden het kleine marionetten zijn.'

Ik zei: 'Waarschijnlijk wel, ja. Maar als alles wat we doen al ergens geschreven staat zijn we dan vrij om te doen wat we willen of denken we dat alleen maar?'

Vader zei: 'We kunnen God niet begrijpen, Judith. Zijn wegen zijn ondoorgrondelijk.'

'Waarom denken we er dan over na?'

Vader trok zijn wenkbrauwen op en deed zijn ogen dicht.

Ik zei: 'Misschien kun je ook te veel nadenken.'

En vader zei dat hij dacht dat dat waarschijnlijk wel zo was.

Maar meestal zeg ik niet veel tegen vader en hij zegt ook niet veel tegen mij en dat is het grootste probleem dat we hebben want al die tijd dat we geen dingen zeggen hangen er allemaal dingen in de lucht die we zouden kunnen zeggen. Ik probeer altijd een van die dingen naar me toe te halen maar ze zijn meestal buiten bereik.

4) Vader is vaak boos op me. Dat komt doordat er een lijst is van dingen die hij goedvindt die op een bepaalde manier moeten worden gedaan, zoals:

a) spreken (niet mompelen)
b) zitten (niet hangen)
c) lopen (niet rennen)

d) denken (niet dagdromen)

e) sparen (niet uitgeven)

en een nog langere lijst van dingen die helemaal niet moeten worden gedaan, zoals:

a) huilen

b) spelen met eten

c) eten laten liggen

d) rondrennen (inclusief hinkelen in de hal waarmee ook een andere regel wordt overtreden, zie f)

e) sloffen

f) geluid in het algemeen

g) deuren open laten staan

h) niet opletten

En vroeg of laat is het altijd zo dat ik het ene doe en het andere vergeet te doen.

Maar soms weet ik niet waarom vader boos op me is. Eén keer vroeg ik aan hem wat ik verkeerd gedaan had.

Hij zei: 'Jíj?'

'Ja.'

'Waarom zeg je dat?'

'U lijkt altijd boos.'

'Ík?'

'Ja.'

'Ík ben niet boos.'

'O.'

'Als ik boos was zou je het wel merken!'

'Dan is het goed.'

Hij zei: 'Bóós!' En hij was nog kwader dan hij in het begin was geweest.

5) Maar erger, veel erger dan als vader boos is, veel erger dan als vader niet met me praat of niet naar me wil kijken of me niet wil aanraken, is als hij verdrietig is.

Toen ik jonger was kwam ik 's avonds soms naar beneden om iets te drinken en dan was het licht aan onder de keukendeur. Dan zag ik vader door het glazen paneel aan tafel zitten, zonder iets te doen. Hij zat daar alleen maar. Ik stond bij de deur te wachten tot hij zich zou bewegen en als hij zich dan bewoog was het alsof ik in warm water stapte. Als hij zich niet bewoog ging ik weer terug naar bed met pijn in mijn borst en dan beloofde ik dat ik me beter zou gedragen en wachtte tot het licht werd.

Toen dacht ik nog dat ik ervoor kon zorgen dat vader van me zou houden maar nu niet meer. Want de reden dat hij niet van me houdt is iets wat lang geleden is gebeurd en daar kan ik nu niets meer aan doen, ook al zou het zonder mij helemaal nooit gebeurd zijn.

Een stem in het donker

Toen ik klaar was met in mijn dagboek schrijven stopte ik het onder de losse plank onder mijn bed. Ik zou het voorlopig moeten verstoppen. Totdat vader tot bezinning kwam en zag wat zo klaar als een klontje was.

Ik vroeg me opeens af wat broeder Michaels zou zeggen als hij wist wat er gebeurd was, en ik wou dat ik hem kon vertellen hoezeer hij gelijk had gehad, dat ik dingen kon laten gebeuren precies zoals hij zei.

Ik ging in bed liggen. Mijn hoofd was nog steeds warm en ik voelde me nog vreemder dan daarvoor. Ik kon mezelf in bed zien liggen alsof ik niet in mijn lichaam zat. Ik ben één keer flauwgevallen en dat voelde net zo. Ik dacht aan vader en aan de ruzie en bedacht hoe verbaasd hij zou zijn als hij er uiteindelijk achter kwam dat ik wel degelijk wonderen kon verrichten, maar het was nu net alsof het allemaal met iemand anders was gebeurd, alsof dat kleine lichaam dat in bed lag en het huis en onze straat en de stad en het hele universum mijn hoofd binnenstroomden en mijn hoofd was er groot genoeg voor, maar het bleef warmer en warmer worden, en het was allemaal zo vreemd dat ik maar gewoon achterover bleef liggen en het liet gebeuren. Toen hoorde ik iets.

'Zo, jij kunt het dus laten sneeuwen,' zei een stem. 'Wat kun je nog meer, vraag ik me af?' Er schoot iets langs mijn ruggengraat omhoog mijn haar in en het voelde alsof er iets binnen in me was gesmolten.

'Hallo?' zei ik, maar er gaf niemand antwoord. Ik wachtte.

Toen zuchtte er iemand. Ik wist het zeker.

Ik ging overeind in bed zitten. Mijn ademhaling ging heel hard. Ik trok de dekens om me heen en haalde diep adem. 'Wie is daar?' fluisterde ik.

Alles was weer stil. Toen zei de stem: 'Ik zei: "Wat kun je nog meer?"'

Ik schrok. 'Wie bent u?' zei ik.

'Dat is een goeie vraag.'

Ik opende mijn mond. Ik deed hem weer dicht. 'Waar komt u vandaan?'

'Dat ook.'

Ik zei: 'Ik wil weten...'

'Je weet het al,' zei de stem. Hij klonk heel dichtbij.

Ik schudde mijn hoofd. 'Waar bént u?' zei ik.

'Ik ben overal,' zei de stem. 'In dingen en ook erbuiten. Ik was, ik ben, en ik zal zijn.'

Toen sloeg mijn hart één keer heel hard en ik zei: 'U bent God, hè?'

'Sst,' zei de stem.

Ik slikte. 'Kunt U me zien?'

'Natuurlijk,' zei God. 'Ik hou je al een tijdje in de gaten. Je zou Me heel goed van dienst kunnen zijn.'

Ik ging rechtop zitten. 'Hoe bedoelt U?'

'Nou,' zei God, 'je hebt een geweldige fantasie. Ik heb iemand als jij nodig om Mijn Instrument te zijn.'

'Uw Instrument?' zei ik.

'Ja.'

'Waarvoor?'

'Wonderen, dat soort dingen.'

Ik hield mijn handen voor mijn gezicht en haalde ze toen weer weg. Ik zei: 'Ik wíst wel dat ik voorbestemd was voor iets belangrijks!'

'Sst!' zei God. 'Niet zo hard. We willen je vader niet wakker maken.' Hij zweeg even. 'Maar er is één voorwaarde: je moet absoluut geloof hebben, je moet bereid zijn alles te doen wat Ik vraag, zonder te twijfelen, zonder te mopperen, zonder te vragen waarom.'

'Oké,' zei ik. 'Dat is goed.'

'Meen je dat?'

'Ja!'

'Goed dan,' zei God. 'We praten later nog wel. Nu moet ik eerst een paar andere dingen doen.'

'Wat voor andere dingen?'

'Nou, het is momenteel nogal druk in de hemel. Vier ruiters die staan te trappelen, er zijn een paar winden die erg onrustig zijn en er zijn een heleboel sprinkhanen die bij iedereen onder de voeten kruipen. O, en er zijn nog wat zegels die geopend moeten worden. Ondertussen mondje dicht, oké?'

'Mag ik wel mijn krachten blijven gebruiken?'

'Ja,' zei God. 'Ik zal je er een beetje aan laten wennen.'

'Denkt U dat ik ook dingen kan laten gebeuren met mensen en dieren?'

God zei: 'Judith, het is allemaal een kwestie van geloof.'

'Het mosterdzaadje!'

'Precies.'

'Ik zal niets meer tegen vader zeggen.'

'Heel verstandig.'

'Maar hij zal me uiteindelijk wel geloven?'

'Ja.'

'Omdat ik steeds meer dingen ga doen en dan moet hij het wel zien. Dan moet hij wel zien dat ik iets speciaals aan het doen ben.'

'Zonder enige twijfel,' zei God.

Toen ging God weg, waarheen dat ook moge zijn, en ik ging liggen en ik dacht twee dingen. Het eerste was dat het dom van me was geweest om te verwachten dat vader het zou begrijpen van de wonderen maar dat ik me geen zorgen hoefde te maken omdat het uiteindelijk allemaal goed zou komen.

Het tweede wat ik dacht was vreemd. Namelijk dat dit erop gewacht had om met me te gebeuren, en die gedachte maakte me blijer dan alles wat ik daarvoor in mijn hele leven had gedacht. De wonderen hadden al die tijd gewacht, en ik ook. En nu was het wachten voorbij, en kon het beginnen.

Het interlokale gesprek

Vader zegt dat God de stem in het hoofd van iedere christen is die hem helpt het goede te doen. Hij zegt dat de Duivel hem precies het tegenovergestelde wil laten doen. Dat betekent dat we goed moeten uitkijken naar wie we luisteren. Tot gisteren had ik nog nooit de stem van God gehoord maar ik had wel tegen Hem gepraat. Ik denk dat ik dingen moet hebben opgespaard om te zeggen want ik heb een hele tijd helemaal niet gepraat.

Toen ik klein was is vader met me bij een dokter geweest omdat ik niets anders deed dan voor me uit staren. Er is een foto van me die vader in die tijd heeft genomen. Het is een warme dag en ik zit onder de kersenboom die hij voor moeder in de voortuin heeft geplant. Het gras is bezaaid met bloesem. Ik draag een blauw T-shirt en een korte broek die tot mijn knieën komt. Er zit een korst op de rechterknie. Mijn benen steken recht voor me uit. Mijn handen liggen in mijn schoot. Ik zie eruit als die poppen die je op Guy Fawkes-dag ziet, die jongens in winkelportieken neerzetten.

Ik kan me niet voorstellen dat vader het een goed idee vond om met me naar de dokter te gaan want hij gaat er zelf nooit naartoe, maar hij heeft het toch gedaan. Ik weet nog dat de kamer van die dokter vreemd rook. Ik weet nog dat er een stoel stond met een leren zitting en in de hoek had je een doos met plastic blokken en een grote rode bus. Ik speelde met de bus en vader praatte met de dokter.

De dokter onderzocht me en maakte een plan en kwam tot een conclusie. De conclusie was dat we allebei moeder misten en het plan was dat vader me moest voorlezen. Dat deed hij dus, en ik kwam van alles te weten over de reuzen op aarde, en de Ark des Verbonds, en waarom de besnijdenis op de achtste dag moet worden uitgevoerd, hoe een besmet huis moet worden gereinigd van melaatsheid, wat je niet moet zeggen tegen een farizeeër en hoe je de angel van een horzel moet verwijderen. En toen ik begon te lezen begon ik ook te praten, en na een tijdje praatte ik net zoveel als ieder ander – alleen misschien niet over dezelfde dingen.

Er waren niet veel mensen om tegen te praten behalve vader dus begon ik tegen God te praten. Ik heb altijd aangenomen dat het alleen maar een kwestie van tijd was voor Hij zou antwoorden. Ik beschouwde het als een interlokaal telefoongesprek. De lijn was slecht, er zaten vogels op, het was zwaar weer dus ik kon niet verstaan wat er door de ander gezegd werd, maar ik twijfelde er nooit aan dat ik het uiteindelijk zou horen. En op een dag vlogen de vogels weg, de regen hield op en toen hoorde ik het.

Het derde en vierde wonder

Ik besloot mijn macht te gebruiken om mensen te helpen en boven aan mijn lijstje stond Mrs. Pew. Ik had veel aan haar gedacht sinds ik haar had zien huilen. Het leek me niet dat zij het soort mens kon zijn dat kinderen ontvoerde als ze zo verdrietig was over Oscar; het was wel een teleurstelling om te bedenken dat Kenny Evans waarschijnlijk toch bij zijn vader was gaan wonen.

Oscar is een grote rode kat die bij Mrs. Pew in de huiskamer voor het raam zit tussen een schaal met hyacinten en een gele hond van porselein. Ik wist niet waarom hij besloten had om te verdwijnen. Misschien had hij genoeg van die hond die niets anders deed dan een beetje wezenloos grijnzen of misschien had hij genoeg van het uitzicht. Hoe dan ook, het enige waar het om ging was dat ik hem terugbracht. Dus op donderdag toen de sneeuw met vlagen naar beneden kwam maakte ik van oranje wol een kat. Vader riep: 'Wat ben je aan het doen?' en ik riep terug: 'Aan het lezen!' Die leugen was gerechtvaardigd: ik was nu het Instrument van God en ik had werk te doen.

Ik gaf de kat een blauwe halsband en één witte poot en haalde een stukje van zijn oor af, net als bij Oscar, hoewel ik niet meer wist welk oor het was en hoopte dat dat niet uit zou maken. Ik maakte een oude vrouw in een zwarte jurk en gaf haar een hoge kraag van kant en kleine zwarte laarsjes en drukte heel kleine kraaltjes in de zijkanten van de klei als knopen. Ik gaf het dametje zwart krullend haar en lijmde stukjes van doorgeknipte nietjes in haar haar als haarspelden, en ik verfde haar gezicht wit en haar lippen rood. Ik maakte kattensporen in de sneeuw die naar het oude dametje liepen en legde de kat op haar schoot en zorgde ervoor dat hij goed opgerold lag en eruitzag alsof hij niet weer zou opstaan. Ik naaide zijn ogen dicht en duwde zijn pootjes naar binnen. Toen zei ik: 'Kom thuis, Oscar.'

Toen ik klaar was vroeg ik me af wat er eigenlijk zou kunnen gebeuren als het wonder werkte. Zouden Oscars snorharen verschroeid zijn als hij met de snelheid van het licht was teruggevlogen vanaf de plek waar hij was of zou zijn vacht overeind staan als hij met een bliksemflits weer tot leven was gewekt? Hoe dan ook, ik ging naar Mrs. Pew toe en klopte op de deur. Ik zag haar wiebelende hoofd en rook de tweedehandswinkelgeur en voelde me een beetje misselijk maar ik bleef staan waar ik stond en toen ze de deur opendeed zei ik: 'Maakt u zich maar geen zorgen over Oscar, Mrs. Pew. Ik heb het gevoel dat hij heel gauw thuis zal komen.'

Ze zette haar gehoorapparaat harder en ik zei het nog een keer en toen zei zij: 'O, ik hoop het echt. Ik hoop het echt!'

Ik zei: 'Heb geloof, Mrs. Pew.'

Toen zei zij: 'Pardon?'

En ik zei: 'HEB GELOOF!'

Haar hand wapperde bij de onderkant van haar keel en ze zei: 'O. Dat zal ik zeker hebben.'

Ze keek me na terwijl ik het tuinpad af liep. Toen ik bij het hek kwam zei ze opeens: 'Jij heet Judith, hè?'

'Ja.'

Ze zei: 'Dank je wel, Judith. Het was aardig van je om langs te komen.'

Ik zei: 'Graag gedaan, Mrs. Pew.'

Toen ik terugkwam schreef ik het wonder op in mijn dagboek, daarna sloeg ik drie bladzijden om en schreef: 'Is Oscar al thuisgekomen?' en daarna schreef ik hetzelfde op de volgende bladzijde.

Ik wachtte die hele dag op Oscar en ook de volgende dag maar het bleef maar sneeuwen. Ondertussen besloot ik dat hoewel ik niet terug naar school wilde vanwege Neil Lewis de sneeuw moest verdwijnen. Vader had het steeds maar over het werk dat hij misliep en er gebeurden ongelukken op de wegen en oude mensen als Joe werden ziek. Vader zei dat hij in het ziekenhuis lag en dat een buurman voor Watson zorgde. Dus op vrijdagmiddag haalde ik het gaas weg en ruimde ik de watten op, en ik blies het meel weg en brak de ijspegels van de huizen. Ik rolde de katoen op en ontmantelde de sneeuwstorm en pakte de sneeuwpoppen in en veegde het scheerschuim weg en hing het blauw weer in de lucht en deed de zon aan.

Op vrijdagavond ging de wind liggen. De volgende ochtend verscheen er een blauwe hemel. 's Middags was de zon behoorlijk warm geworden. IJspegels dropen buiten voor het raam alsof iemand potjes water leeggoot. De sneeuw op straat werd modderig en viel uiteen in bloedplaatjes van ijs. Vader zei: 'Ik wist wel dat het niet kon voortduren!' Ik zei niets maar ging buiten op de stoep staan en luisterde naar het water dat in de putten stroomde aan de rand van de stoep en zei: 'Dank U wel, God. U hebt me weer gehoord.'

Maar er kwam geen Oscar. Ik wachtte de hele dag en ik wachtte de hele avond. Ik zei: 'Heb ik het goed gedaan, God?' Maar God had Zijn handen waarschijnlijk nog steeds vol aan de vier ruiters of zo want Hij gaf geen antwoord.

Die nacht bleef ik in bed naar de wolken zitten kijken die voor de maan langs dreven en het Land van Melk en Honing verhulden en onthulden. Ik zag de zon boven de berg opkomen en knipperend met een slaperig rood oog de hemel roze en geel strepen als een zuurstok. Maar Oscar was nog steeds nergens te bekennen.

Ik stond de volgende dag na de samenkomst met vader in de tuin toen het vierde wonder gebeurde.

Vader was de paden sneeuwvrij aan het maken en ik hielp hem. Vogeltjes hadden hier en daar op het voederplankje en boven op de muren sporen achtergelaten. Vanaf de garagedeuren liep een spoor van grotere pootafdrukken de tuin in. De vlinderstruiken en de goudpalm bogen door onder schuimige sneeuw en de takken van de kersenboom waren zwart en druppelden. Hier en daar vertoonde de grond open plekken waar aarde en een beetje nat gras te zien was.

Vader dronk thee en keek om zich heen met zijn hand in zijn zij, zijn adem een roze wolk in de lucht. Hij zei: 'Ik denk dat het mooi wordt in het voorjaar als je moeders kersenboom in bloei staat. En nog een paar weken en dan hebben we de eerste kerstrozen.' Op dat moment hoorden we kloppen en zagen we Mrs. Pew voor het keukenraam staan. Ze wenkte me.

Toen ik bij het muurtje kwam deed ze de achterdeur open en wees. Aan haar voeten, gebogen over een bak met kattenbrokjes, die hij met zijn tanden kraakte terwijl hij zijn kop naar links en naar rechts draaide en hongerige geluidjes maakte, zat Oscar. Mrs. Pew zei: 'Ik keek naar buiten en daar zat hij op de vensterbank!' Haar hoofd wiebelde twee keer zo snel als normaal. Ze zei: 'Ik dacht dat hij dood was maar hier is hij weer, zo gezond als een vis, en hij eet me de oren van het hoofd!'

Ik klom over het muurtje, liep naar Mrs. Pew toe en bukte me om Oscar over zijn kop te aaien. Ik was blij om te zien dat er geen stukje vacht verschroeid was en dat al zijn snorharen nog kaarsrecht waren. 'Ik zei toch dat hij thuis zou komen,' zei ik. Mrs. Pew glimlachte en knikte. Haar ogen stonden waterig. Op dat moment was ik helemaal niet bang voor haar.

Opeens zei ze: 'Judith, zouden jij en je vader misschien wat jamkoekjes willen?'

In een flits zag ik voor me hoe vader en ik naar onze buik grijpend over de grond rolden met jamvegen en koekkruimels op ons gezicht. Vervolgens zei ik tegen mezelf: Doe niet zo raar. Hardop zei ik: 'Graag, Mrs. Pew.'

Ze wikkelde een bord in een theedoek en gaf het aan me. 'Kom eens een keer theedrinken 's middags,' zei ze.

Toen ik terugkwam was vader naar binnen gegaan. Ik zag hem door het keukenraam thee inschenken. Ik ging zelf niet meteen naar binnen. Ik bleef op het pad staan en keek naar de hemel die rood werd, en ik rook de aarde en voelde het warme bord in mijn handen.

Ik zag opeens voor me hoe alles steeds beter zou worden, en vroeg me af waarom God me zo had geholpen. En ook al gaf Hij geen antwoord en was Hij verdwenen naar waar het ook is dat Hij naartoe gaat, toch moet Hij geweten hebben wat Hij gedaan had, om mij opeens zo gelukkig te maken, en ervoor te zorgen dat alles begon te veranderen.

BOEK II

Het sneeuwbaleffect

Maandag

Op maandag regende het. De daken galmden, de regenpijpen zongen en kleine stukjes sneeuw dreven door de goten als eilandjes op weg naar zee. Er vielen druppels van de muts van Sue de Klaar-over toen ze me bij school naar de overkant van de straat bracht. Ik vroeg me af of ze wist wie ze eigenlijk hielp oversteken maar ik zei niets want God had gezegd dat ik niet mocht vertellen dat ik Zijn Instrument was.

Sue zei: 'Ik ga naar de Bahama's. Nog even, kind, dan ga ik het ticket halen.' Ik vroeg of ik met haar mee mocht en ze zei dat ze me in haar koffer zou verstoppen.

In de klas ging ik zitten wachten tot ze binnenkwamen na de ochtendbijeenkomst. Ik ga niet naar de ochtendbijeenkomst want vader zegt dat ze voor valse goden zingen. De geur van het lokaal maakte me misselijk dus ik dwong mezelf om aan de sneeuw te denken die ik gemaakt had. En nu veranderde die in water. Twee emmers vingen druppels op van het plafond en de regen sloeg tegen het raam. De druppels die uit de hemel vielen glinsterden bleek in het licht van de tl-buizen. Het leken net kleine vonken, die verschenen en verdwenen. Ik probeerde ze te volgen terwijl ze vielen maar daar werd ik duizelig van en uiteindelijk legde ik mijn hoofd maar op tafel en deed mijn ogen dicht.

De deur knalde tegen de muur en ik schrok op. Ze stroomden allemaal het lokaal binnen en er kwam een golf van geluid met ze mee. Ze waren aan het lachen en aan het duwen. Neil sprong op Gavins rug en schreeuwde. Ik zakte onderuit op mijn stoel. Vervolgens ging ik weer rechtop zitten. 'Ik hoef nergens bang voor te zijn,' zei ik. 'Niet meer.'

Gemma, Rhian en Keri gingen aan de tafel zitten. Ze zeiden geen gedag. Ze keken naar een tijdschrift dat Gemma bij zich had. Toen Gemma mij zag kijken hield ze het omhoog zodat ik het niet kon zien.

Gemma heeft blond krullend haar en een huid die het hele jaar bruin is. Ze heeft twee paar gouden oorbellen in elk oor, gouden ringen aan haar vingers, draagt hoge sportschoenen met enkelsokken, en heeft een glinsterend gympakje. Ik heb nog nooit een gympakje gehad. Ik ben niet goed in gym. Ik draag laarzen en lange sokken. Ik heb één keer sportschoenen aangehad naar school maar die waren met klittenband en toen zei Gemma: 'Ik heb ook wel eens dat soort schoenen gehad – toen ik víér was,' en toen moest iedereen lachen. Gemma is er goed in om mensen te laten lachen. Maar Gemma was gewoon jaloers op mijn schoenen omdat ze langer meegingen dan die van haar. En ik zou nog niet dood gevonden willen worden in een gympakje, ook al zaten er glinsterdingetjes op.

Gemma en Keri begonnen te giechelen. Ik haalde mijn leesboek uit mijn tas om te laten zien dat het me niet interesseerde. Toen vloog er een pasteitje langs ons hoofd. Er kwam een zakje chips achteraan, en een paar seconden later een paar voetbalschoenen. Ik draaide me om en zag Gavin over de grond kruipen om dingen op te rapen terwijl Neil zijn tas leegschudde. Opeens ging de deur met een klap dicht. Mr. Davies zei: 'Wat denk jij in godsnaam dat je aan het doen bent?'

Er klonk gelach en geschraap van stoelpoten. Neil ging zitten, stond toen weer op en nam een handvol van de achterkant van Gavins trui mee. Mr. Davies schreeuwde: 'NEIL LEWIS! Denk jij dat wat ik zeg voor iedereen geldt behalve voor jou?' Neil ging zitten en grijnsde alsof Mr. Davies hem een compliment had gemaakt.

Mr. Davies haalde zijn hand over zijn ogen en liep naar zijn bureau. Toen hij halverwege was tilde hij zijn voet op. Hij zei: 'Wat is…?' Daarna werd zijn gezicht donker en schreeuwde hij: 'Dit kan toch niet! Dit is toch te gek om los te lopen! Hoe komt dat pasteitje hier terecht?'

Neil zei: 'Gevlogen, meneer.'

Lee zei: 'Gavin heeft het gegooid, meneer.'

Mr. Davies schreeuwde: 'Dit soort gedrag pik ik niet! Ik pík het niet, horen jullie me?'

Hij trok zijn schoen uit en liep naar de gootsteen en pakte twee papieren handdoekjes. Toen hij terugkwam struikelde hij over de emmer die de druppels opving. Hij stond op en zijn bril was beslagen.

'Nu gaat iemand onmiddellijk een paar papieren handdoekjes pakken en DIE ROTZOOI OPRUIMEN!' Hij ging aan zijn bureau zitten, maakte zijn stropdas los en sloeg de map met de namenlijst open. 'Goed,' zei hij. 'Goed! Scott! Robert! Stacey! Paul...'

Mr. Davies was bij 'Rhian' gekomen toen er gekrijs achter in de klas klonk. We draaiden ons om en zagen Neil Gavin bij zijn das over de rand van zijn tafel trekken. Mr. Davies stond op. 'NEIL LEWIS,' brulde hij. 'LAAT GAVIN LOS!'

Neil liet Gavin zo plotseling los dat hij van zijn stoel viel. Mr. Davies ging zitten en veegde zijn hoofd af met zijn zakdoek. Zijn hand trilde. Hij ging met zijn hand naar de la van zijn bureau. Hij leek even ergens over na te denken en ging toen verder met de namenlijst.

Toen hij klaar was zei Mr. Davies: 'Bladzijde 70 in jullie Engelse boek! Oefening 11!' Er klonk gekreun en er gingen lades open en dicht en er werden boeken op tafels gekwakt. Mr. Davies zei: 'Is het mogelijk om dat stil te doen alsjeblieft?'

Om tien voor halfelf gaf Mr. Davies een klap op zijn bureau, de la schoot naar voren en hij haalde er iets uit. Hij stond op en zei: 'Ik ben even vijf minuten weg. Als ik terugkom verwacht ik dat jullie je oefening af hebben.'

'Vijf minuten!' zei hij, terwijl hij zijn hoofd nog even om de deur stak.

Zodra de deur dicht was werd het lokaal overspoeld door een waterval van geluid. Stoelen piepten, er werd op kasten geslagen, iemand begon op het bord te tekenen, iemand anders ging op een tafel staan. Gemma legde haar pen neer en gaapte. Ze liet zich tegen Rhians schouder vallen en giechelde. Toen ging ze weer rechtop zitten en keek me slaperig aan. Tegen Rhian zei ze: 'Neil Lewis is de allerbeste in seks.' Maar ze keek naar mij.

Iemand zei tegen Gemma: 'Alles oké, schat?' en ik voelde een golf van hitte over mijn lichaam gaan. Neil stond achter Gemma. Hij zei: 'Hé, lijpo. Mag jij ook weer loslopen?'

Ik keek naar mijn boek. 'Je bent het Instrument van God,' zei ik tegen mezelf. 'Je hoeft nergens bang voor te zijn.'

Gemma rekte zich achterwaarts uit in haar stoel. Ze zei: 'Judith, je vader is gek. Ik zag hem laatst bij mensen aankloppen.'

Ik zei: 'De wereld zal vergaan; dat moeten we de mensen vertellen.'

Gemma zei: 'Jij bent ook gek.' Ze wendde zich tot Neil. 'Haar vader is bij mij thuis langs geweest en toen vroeg hij aan mijn moeder of ze dacht dat God iets zou doen aan de ellende in de wereld!'

'Hij is ook een keer bij ons geweest en toen zei mijn vader dat hij moest opsodemieteren,' zei Keri. 'Hij had een hoed op. Die hoed draagt hij altijd.' Opeens lachte ze. 'Die zal wel behoorlijk stinken!'

Neil zei: 'Als hij ooit bij mij thuis langskomt schopt mijn vader hem helemaal verrot.'

Ik kneep hard in mijn pen. Ik zei: 'We hebben een opdracht. De mensen moeten worden gewaarschuwd.'

'O God,' zei Gemma. 'Daar begint ze weer.'

Toen gebeurde er iets heel snel. Neil trok mijn hoofd naar achteren en stopte iets in mijn mond. Het ding had randen. Neil duwde het zo ver naar binnen dat ik dacht dat ik stikte. Hij hield mijn armen vast.

Gemma, Rhian en Keri barstten in lachen uit. Ik voelde de hitte in mijn gezicht. Ik wilde mijn gezicht dichtdoen en opbergen maar dat kon niet en ze bleven lachen. Toen rende er iemand naar binnen die zei: 'Hij komt eraan!' Neil gaf een tik tegen mijn achterhoofd en slenterde naar zijn plaats.

Ik haalde het ding uit mijn mond. Het was papier. Het papier vormde een natte prop op de tafel. Ik schoof het in mijn la en boog me over mijn boek.

'Hebben jullie je allemaal gedragen?' zei Mr. Davies. Hij maakte de la van zijn bureau open en deed hem weer dicht. Zijn stem klonk krachtiger nu. Hij zei: 'Laten we maar eens naar de antwoorden kijken.'

Maar ik kon niet aan antwoorden denken. Er kroop iets langs mijn armen omlaag naar mijn vingers en langs mijn nek omhoog naar mijn haar. Mijn hoofd voelde weer warm en vol, net als op de dag van de sneeuw, en het lokaal ging een beetje heen en weer. Er waren vlekjes voor mijn ogen verschenen.

Ik wist niet goed of ik bang was of boos; als ik boos was dan was dat nog nooit eerder gebeurd.

Dinsdag

Toen ik die middag thuiskwam maakte ik een boterham en gaf ik mijn mosterdzaadjes water. Ik dacht dat ze misschien meer licht nodig hadden dus zette ik ze op de andere vensterbank en duwde de aarde een beetje aan. Daarna ging ik naar boven en ging ik op de grond zitten voor het Land van Melk en Honing.

Ik dacht erover om een model van Neil te maken en spelden in hem te steken maar uiteindelijk maakte ik een bananenboot met een heleboel peddels en zes kleine mannetjes met botjes door hun neus. Het was de bedoeling dat ze er gelukkig uitzagen maar ze zagen er allemaal nogal woest uit.

Op dinsdag deed Neil zijn mond naar me open en rolde met zijn ogen. Hij bewoog zijn tong op en neer in zijn wang en slurpte. Hij gooide met propjes papier en die stuiterden van mijn hoofd af.

Ik dacht aan hagelstenen en ballen van vuur die door de straten rolden. Ik dacht aan aardbevingen en bliksem. Ik dacht aan gillende mensen en gebouwen die omvielen en rivieren van gesmolten lava. Toen hoorde ik iemand zeggen: 'Hallo! Hier Aarde voor Judith!'

'Goed,' zei Mr. Davies toen ik opkeek, 'nu we er allemaal weer zijn…'

Neils lip krulde en zijn ogen glimlachten.

Om elf uur liep ik naar het bureau om mijn werk te laten nakijken. Ik zag het leger van zwarte haren heen en weer gaan in Mr. Davies' neus en rook de scherpe tabaksgeur die ervandaan kwam en wachtte tot hij klaar was. Hij gaf het schrift terug en zei tegen de klas: 'Luister eens allemaal, we hebben hier iemand die al klaar is.' Toen ik terugging naar mijn plaats volgde Neil me met zijn ogen.

Een voor een kwamen de anderen naar het bureau om hun schrift te laten nakijken. Om halftwaalf zei Mr. Davies: 'Jullie drieën daar achterin – de rest van de klas zit op jullie te wachten.' Toen kwamen Neil, Lee en Gareth met hun schrift naar voren sloffen en vormden een ongeïnteresseerd rijtje.

Neil stond vlak achter onze tafel. Ik hoorde het geruis van zijn nylon winterjack en het zijdeachtige geluid van zijn joggingbroek en ik rook de weeë geur van zijn huid. Gemma lachte maar ik kon niet zien waarom. Even later hoorde ik een geluid als van een kleine trompet en landde er iets op mijn hand. Ik keek ernaar en zag een kogelronde klodder snot, lichtgroen en omcirkeld met rood. Hij moest precies in Neils neus gepast hebben.

Gemma zei: 'Wat is dat?'

Keri zei: 'Gadverdamme!'

Rhian zei: 'O mijn God.'

Mijn hoofd begon heet te worden. Ik keek of ik iets zag om het weg te halen maar ik kon niets vinden dus veegde ik mijn hand af aan de onderkant van de stoel, boog me over mijn boek en begon heel snel te schrijven maar ik weet niet meer wat.

Mr. Davies was klaar met het schrift van Gareth en begon het schrift van Lee na te kijken. De rij schoof op naar voren. Neil bleef staan waar hij stond. Ik hoorde hem zijn neus ophalen. Toen voelde ik iets in mijn haar.

'O mijn God,' zei Gemma. 'Judith, wat zit er in je háár?'

Ik ging met mijn hand naar mijn hoofd en toen ik keek zat er groen slijm aan mijn vingers.

Ik voelde me duizelig. Ik probeerde een bladzijde uit mijn schrift te scheuren maar mijn handen trilden en hij scheurde overdwars.

Neil zei: 'Judith heeft haar schrift gescheurd, meester.'

Mr. Davies keek op. 'Judith, waarom heb je je schrift gescheurd?'

Neil maakte een hakkend gebaar met zijn hand.

'Het was niet mijn bedoeling,' zei ik.

'Ze liegt, meester,' zei Neil. 'Ze deed het expres.'

'Hou je mond, Neil,' zei Mr. Davies.

'Het is echt zo, meester,' zei Gemma. 'Ik heb het gezien.'

Mr. Davies fronste zijn wenkbrauwen. 'Judith, dat had ik niet van je verwacht. We beschadigen hier geen eigendommen van school.' Hij ging weer verder met het nakijken van Lee's schrift.

Mijn hoofd was nu heel heet. Even later probeerde ik het snot weg te vegen maar het papier verspreidde het alleen maar. Gemma zei: 'Meester, ik wil niet naast Judith zitten.'

Mr. Davies zei: 'Wat is daar toch aan de hand aan die tafel?'

Rhian zei: 'Judith heeft een zakdoekje nodig, meester.'

Mr. Davies zei: 'Judith, als je een zakdoekje nodig hebt, dan ga je naar het toilet en pak je wat wc-papier. Ik had niet gedacht dat ik je dat zou hoeven vertellen.'

Toen ik bleef zitten zei hij: 'Nou, toe dan.'

Ik stond op en Neil glimlachte.

'En was je handen!' riep Mr. Davies me na.

De andere wang

Ik bleef die middag langer dan een uur voor het Land van Melk en Honing zitten. De kleine mensjes keken me aan met hun geverfde glimlach. Ik kende ze allemaal. De twee mensjes die ik het eerst had gemaakt, jaren geleden, een pijpenragerpoppetje met een groene trui en een vlieger en een stoffen poppetje met bruin haar, een tuinbroek en bloemen, keken me het meest aan van allemaal. Het was net of ze iets vroegen maar ik wist niet wat.

'God,' zei ik, 'ik vind het heel moeilijk om die macht te hebben en hem niet te gebruiken om mensen te straffen.' Maar God gaf geen antwoord.

Om tien over halfzes hoorde ik de voordeur dichtslaan. Vader riep naar boven naar mij en ging toen de keuken in. Ik hoorde Mike bij hem. Mike is niet gelovig dus we horen eigenlijk niet met hem om te gaan maar vader zegt dat hij een goed mens is en dat het dus niet erg is.

Mike en vader werken samen in de fabriek. De meeste mensen in het stadje werken er. In de fabriek maken ze staal voor dingen die vliegen. Mike zegt dat het er vergeleken met andere fabrieken wel meevalt. In de volgende vallei is een fabriek waar ze kippen doodmaken en daar kreeg iemand er zo genoeg van om kippen dood te maken dat hij zijn hand in de machine stak. En niet zo lang geleden zag ik in de krant een fabriek waar mensen ziek begonnen te worden omdat hun handschoenen geen bescherming boden tegen de chemicaliën die ze gebruikten, ook al zei de fabriek dat dat onzin was. Maar vader heeft nooit veel van onze fabriek moeten hebben en hij heeft altijd een slecht humeur als hij thuiskomt behalve als Mike bij hem is.

Ik stond op en liep de overloop over. Toen ik onder aan de trap kwam bleef ik staan om mijn veter vast te maken. En toen hoorde ik Mike zeggen: 'Doug is tuig van de richel. Ik zou maar bij hem uit de buurt blijven als ik jou was. Ik weet wel dat dat makkelijker gezegd is dan gedaan.'

Iemand verschoof een stoel en vader zei iets wat ik niet kon verstaan en toen zei Mike: 'Ja, ik heb het gehoord.'

Vader zette iets op het fornuis. 'Jim en Doug hebben allebei een uitkering. Zo zijn ze.'

'Ja. Nou ja,' zei Mike. 'Ik hou mijn mond maar.'

'Het komt door die kortere werktijden,' zei vader. 'Sommige mensen trekken het niet meer.'

'Extra vergaderingen voor de bond.'

Vader zei: 'De bond is een lachertje.'

Toen zei Mike: 'Het is misschien een lachertje maar als ze inderdaad gaan staken kijk ik daar niet naar uit.' Hij zuchtte. 'En als het dit niet is dan is het wel wat anders. Ze lossen dit heus wel op, maar dan duikt er weer wat anders op, het zijn net molshopen.'

Vader zei: 'Ik heb mijn contract niet goed gelezen,' en ik kon horen dat hij glimlachte.

Toen waren ze stil en ik ging naar de deur en deed hem open en Mike zei: 'Een hele goeie morgen.' Dat zegt hij altijd, ook als het middag is. En ik zei: 'Hoe vaart het schip?' want dat zeg ik altijd terug.

Hij zei: 'Wat heb je allemaal gedaan, Fred?'

Ik dacht even na en zei toen: 'Dingen gemaakt.'

Mike zei: 'Goed zo. Waarom stak de kip vierhonderdachtenzeventig keer de straat over?'

'Ik weet het niet.'

'Omdat hij met zijn bretels aan de lantaarnpaal vastzat.'

'Goeie,' zei ik. Ik ging aan tafel zitten en pelde een mandarijntje.

Ze gingen door met praten, maar niet over de fabriek. Na een tijdje zei ik: 'Wat is tuig van de richel?'

Mike keek vader aan en zei toen: 'Tuig van de richel zijn mensen bij wie je uit de buurt moet blijven.'

Ik stopte een stukje mandarijn in mijn mond. 'Wat is de bond?'

Vader zei: 'Judith, je weet toch wel dat je geen gesprekken van andere mensen af mag luisteren?'

Mike lachte. 'De bond is een groep mensen die met elkaar optrekken.'

'O,' zei ik. Ik dacht aan Gemma en Rhian en Keri, en aan Neil en Gareth en Lee. Ik wist wat een kliek was. 'Waarom is het een lachertje?'

Vader schudde zijn hoofd en stond op. Mike zei: 'Ik denk dat ze gewoon niet zo goed zijn in wat ze doen.'

'Wat doen ze dan?'

Mike zei: 'Het lijkt wel een derdegraadsverhoor! Nou, ze organiseren dingen zodat wij arbeiders eerlijk worden behandeld; in theorie tenminste.'

Later toen vader en ik zaten te eten zei ik: 'Waarom is de bond niet goed?'

Vader zei: 'Je geeft het niet op, hè?'

Ik wilde het net nog een keer vragen toen hij zei: 'De bond is te slecht georganiseerd om iets te kunnen doen.'

'O.'

Hij at snel. Ik zag een stuk aardappel door zijn keel naar beneden zakken. Hij zei: 'Het is niet iets waar jij je zorgen over hoeft te maken.'

Ik drukte aardappel door mijn vork heen om te kijken hoe hoog ik het kon maken voordat het omviel. 'En waarom willen ze dan staken?'

'Ze vinden dat onze werktijden niet verkort moeten worden.'

'En moet dat wel?'

De spiertjes in vaders kaak en slaap gingen op en neer. 'Het is niet belangrijk wat ik vind, Judith. Wat belangrijk is is dat we het wereldlijk gezag erkennen als vertegenwoordiger van God op aarde. Jezus zei: "Geef aan de keizer wat van de keizer is, en aan God wat van God is."'

'Maar is het oneerlijk om de werktijden te verkorten?'

'Jezus zei: "Keer de andere wang toe." We moeten alles aan God overlaten,' zei vader. 'De meeste dingen zijn het niet waard om je over op te winden. De meeste dingen zijn kleinigheden.'

Ik streek mijn aardappel plat. 'Kleinigheden zijn ook belangrijk,' zei ik.

Vader legde zijn mes neer. Hij zei: 'Zit je met dat eten te spelen of ben je aan het eten?'

Ik hield op met wat ik aan het doen was.

'Aan het eten,' zei ik.

Het cadeau

Op woensdag stopte Neil Lewis een worm in mijn curry en gooide hij me in de vuilcontainer en moest ik bonzen tot Mr. Potts de conciërge me hoorde. Toen vader mijn kleren zag was hij boos en zei hij dat hij genoeg te doen had zonder dat dat er ook nog eens bij kwam maar ik zei niets over Neil want ik wilde niet dat vader naar school zou hoeven gaan. Ik ging gewoon naar mijn kamer en vertelde een verhaal in het Land van Melk en Honing.

Op donderdag trok Neil mijn stoel onder me vandaan en probeerde hij op het schoolplein mijn tas in brand te steken. Toen vader mijn tas zag zei hij: 'Verdomme, Judith, het geld groeit me niet op de rug!' en ik wist dat hij heel erg boos was want hij had gevloekt. Ik ging naar boven en speelde met het Land van Melk en Honing en vertelde een verhaal over een paraplu met een patroon van flamingo's erop en als die geopend werd zouden alle flamingo's wegvliegen maar hij werd nooit geopend omdat het meisje van wie hij was hem zo mooi vond dat ze niet wilde dat hij nat werd.

Op vrijdag bleef ik over mijn werk gebogen zitten en keek ik niet één keer op want als ik Neil gezien had zou ik niet hebben kunnen verbergen hoe boos ik was. En het was vreemd dat ik me niet kon herinneren ooit boos te zijn geweest voordat ik mijn macht ontdekte, alleen maar bang, maar nu ik die ontdekt had was ik bozer dan ik in mijn hele leven was geweest en ik had het gevoel dat er binnen in me iets heen en weer racete, net als Road Runner, wat eruit probeerde te komen.

Het gezicht van Mr. Davies had de kleur van stopverf die ochtend. Hij zette zijn bril recht en zijn hand trilde. Er glinsterde zweet op zijn voorhoofd. Om tien voor elf gaf hij een klap op zijn bureau, rommelde in de la, stopte de fles in zijn zak en stond op. Hij zei: 'Ik ben over vijf minuten terug. Ga rustig door met jullie werk en denk erom: ik kijk spelling en grammatica na!'

Toen hij weg was brak de hel los. Ik boog me over mijn boek en liet mijn hoofd op mijn hand steunen. We moesten een opstel maken in ons ik-boekje. Ik vind het leuk om opstellen te maken maar het onderwerp was 'Cadeaus' en dat was voor mij moeilijk om over te schrijven. De Broeders vieren geen Kerstmis en geen verjaardagen en vader kocht geen cadeaus want hij zei dat de wereld vergeven was van materialisme en dat wij daar niet aan bij hoefden te dragen. Ik had waarschijnlijk wel over een van de cadeautjes van Josie kunnen schrijven maar dat wilde ik niet.

Gemma zei: 'Ik krijg een pony met Kerstmis.'

'Ik krijg een trampoline,' zei Keri.

'Ik krijg skeelers,' zei Rhian.

Toen zei Gemma: 'Jullie vieren geen Kerstmis, hè?'

'Nee,' zei ik, 'want het is niet de geboortedag van Jezus. Het is de geboortedag van de Romeinse zonnegod.'

Rhian zei: 'Jullie hebben ook geen verjaardagen.'

'Nee, want dat waren heidense feestdagen en op de enige verjaardagen die in de Bijbel genoemd worden werden mensen onthoofd.'

Keri zei: 'Jullie hebben ook geen televisie.'

'Nee,' zei ik, 'want toen mijn vader en moeder gingen trouwen zei mijn vader: "Het is óf ik óf de tv." Mijn moeder heeft de verkeerde keus gemaakt.'

Ze snapten het grapje niet. Ze keken me aan alsof ik gek was, dat is met één wenkbrauw omhoog, kin ingetrokken en een frons. Toen zei Keri: 'Jij hebt geen moeder, hè?' En ik zei niets.

Gemma zei: 'Trouwens, Jezus is wél op eerste kerstdag geboren. Dat weet iedereen.' En ze draaide haar rug naar me toe en ging op haar arm leunen, en drong mij zo naar de rand van de tafel.

Maar het kon me niet schelen want ik wist opeens waar ik over ging schrijven: ik ging over de sneeuw schrijven. Dat was verreweg het mooiste cadeau dat ik ooit gehad had, mooier dan wat voor kerstcadeau of verjaarscadeau ook, en het was ook niet erg om erover te schrijven want vader had alleen maar gezegd dat ik niet over de wonderen mocht praten en niemand zou mijn ik-boekje lezen behalve Mr. Davies die overal 'Goed werk' onder schreef – één keer had ik geschreven dat ik liever doodging dan naar school te gaan en daar had hij ook 'Goed werk' onder geschreven.

Ik trok een kantlijn met mijn liniaal. Ik schreef de datum op. Ik deed mijn ogen dicht en het lawaai van de klas stierf weg. Ik hoorde de wind aanzwellen. Ik voelde de lucht kouder worden. Mijn ogen vulden zich met witheid. Alles werd donkerder.

Ik weet niet hoelang ik had zitten schrijven toen ik iets achter me voelde. Toen ik me omdraaide stond Neil Lewis daar. Hij keek verheugd, alsof hij net iets gevonden had waar hij helemaal niet meer aan had gedacht. Hij zei: 'Wat ben je aan het doen, lijpo?'

'Niks,' zei ik.

Ik deed de la open om mijn ik-boekje weg te leggen maar hij was sneller.

Ik probeerde het boekje te pakken maar Neil hield het hoger. Ik probeerde het nog een keer te pakken en hij hield het boven mijn hoofd. Toen bleef ik heel stil zitten en keek naar mijn handen.

Neil vond de bladzijde waarop ik had zitten schrijven. Hij las op luide toon voor: 'Ik heb een heel mooi cadeau gekregen ik heb ontdekt dat ik een gave heb het was ma- ma-gisch het is zondag gebeurd ik heb het laten sneeuwen...' Hij fronste zijn wenkbrauwen. Toen begon hij te lachen en riep: 'Hé! Moet je horen! Judith heeft magische krachten!'

Er werd gejouwd. Er werd geschreeuwd. Ze kwamen om ons heen staan.

Neil begon weer te lezen. 'Ik heb het laten sneeuwen ik heb het wit gemaakt in mijn kamer ik heb het gedaan met watten en suiker...'

Er werd geschreeuwd.

'God heeft me laten zien hoe ik het moest doen...'

Er werd gejouwd.

'Het was echt mi- mi-ra mira-cu mira... een wonder... dat is de enige pl- plau- plau-si...' Neil schraapte zijn keel. 'Plau... plausi... verklaring...' Neil fronste zijn wenkbrauwen. 'Door de na-bij... na-bij-heid van Ar- Ar- Armag- Armag- Armaged...' Hij begon rood te worden. 'Door de na-bij-heid van Ar- Armag- Armaged... zien we een toe- toename van bo-... bo-ven-na... boven-na-tuur... fe- feno-...'

De kinderen stonden ons aan te staren. Neil zei: 'Wat is dat godverdomme?' en hij gooide het ik-boekje naar mijn borst.

'Dank je wel!' zei ik, alsof het allemaal een grote grap was, maar mijn handen trilden te erg om de la open te kunnen doen.

Neils gezicht stond donker. Hij boog zich dicht naar me toe en ik zag weer hoe blauw zijn ogen waren. Hij zei op zachte toon: 'Dus jij hebt magische krachten. En jij hebt het dus laten sneeuwen.'

Ik probeerde te glimlachen maar mijn glimlach beefde.

Hij kwam dichterbij. Zijn stem werd harder. 'Maar eigenlijk ben je bang, hè? Nu ben je bang. Je schijt in je broek.' Zijn lip krulde. 'Het einde van de wereld. Ooo. Ik ben bang.'

Er werd gelachen en geschreeuwd. Neil ging weer rechtop staan en grijnsde. Toen slenterde hij weg. En terwijl hij dat deed kwam er iets in me omhoog. Het stroomde door mijn armen naar mijn vingers. Het kroop langs mijn nek omhoog naar mijn haar. Ik hoorde een stem zeggen: 'Dat zul jij ook zijn.' Ik geloof dat ik het was.

Neil zei: 'Wat?'

Iemand anders zei: 'O mijn God.'

Ik zei: 'Dat zul jij ook zijn.' En dit keer wist ik dat ik gesproken had.

Neils gezicht trok samen van iets, alsof hij iets vies geroken had, zoals wanneer Gareth een van zijn scheten laat. Hij kwam vlak bij me staan en zei zachtjes: 'Jij bent helemaal niks waard.' En al die woorden waren zwaar en traag alsof ze te immens waren om uitgesproken te worden.

Mijn hoofd was te heet om te kunnen denken. Het was te heet om te kunnen zien. Ik zei: 'Ik kan tenminste lezen.'

Eén seconde lang was het volkomen stil. Toen begon er iemand te lachen. Het geluid stuiterde omhoog alsof het door een springveer was losgelaten. Het pruttelde nog even ergens onder de tl-buis voordat de stilte zich uitrekte en het de nek omdraaide.

Neils gezicht deed heel vreemd. Het veranderde en veranderde daarna nog een keer terwijl ik ernaar keek, alsof er iets doorheen ging. Hij zei: *Jij bent zo'n loser.*

Ik ging staan en er klonk een bulderend geluid en mijn lichaam zat vol trillend bloed. Ik zei: 'Jij bent zelf een loser. Je bent de grootste loser die ik ooit heb gezien. Laat me met rust, Neil Lewis, anders zul je er spijt van krijgen.'

'Wat ga je dan doen?' riep iemand. 'Ga je hem in een kikker veranderen?'

'Misschien wel,' zei ik. 'Als ik dat wil.' Ik keek Neil aan en ik zei heel rustig: 'Ik kan alles doen wat ik wil.'

Toen gebeurden er drie dingen. Neil dook naar voren, ik stapte naar achteren en de deur ging open.

Mr. Davies zei: 'Waarom is iedereen van zijn plaats?' Neil en ik keken elkaar aan. Mr. Davies zei: 'Misschien hebben jullie tweeën me niet gehoord!'

Neil liep naar zijn tafel. Mr. Davies zei: 'Dánk je wel.'

Ik ging zitten en daar was ik blij om want mijn benen voelden niet zo stevig meer.

Gemma zei: 'O mijn God.'

Keri zei: 'Hij vermoordt je.'

Rhian zei: 'Kun jij echt toveren?'

Ik boog me over mijn ik-boekje. Ik probeerde mijn bladzijde te vinden. Maar er zaten twee onzichtbare draden aan mijn rug. Elke keer als ik bewoog bewogen die draden mee. Toen ik me omdraaide zat Neil naar me te kijken. En ik zag hoe hij met één hand een potlood pakte en dat doormidden brak terwijl hij me aan bleef kijken.

Er sloeg een golf van hitte over me heen en ik had het gevoel dat ik viel. Maar ik voelde ook iets anders. Ik voelde mijn hele lichaam tintelen alsof er licht op scheen, net zoals toen Broeder Michaels ons had verteld over het mosterdzaadje en net zoals toen ik de sneeuw had zien vallen.

En toen ik me weer omdraaide naar voren moest ik aan de sneeuw denken, aan hoe die eerst zachtjes naar beneden was gekomen, aan hoe de vlokken waren gesmolten zonder een spoor achter te laten. Maar hoe hij algauw wegen en huizen had bedekt en het stadje had schoongeveegd en greppels had gladgestreken en de berg had laten

verdwijnen en de fabriek had platgelegd en de stroom had uitgeschakeld en met grote koppen op de voorpagina's van alle kranten had
gestaan. Aan hoe hij uit het niets was komen opzetten, terwijl ik lag
te slapen, en de wereld wit had gemaakt.

Een besluit

Toen ik die middag uit school kwam gebeurde er iets wat nog nooit eerder was gebeurd. Neil en Lee en Gareth stonden me bij de poort op te wachten met de fiets; ze volgden me helemaal naar huis.

Ik ging expres langzaam lopen en keek niet om. Toen ik onze straat in liep begonnen ze rondjes te fietsen en Neil reed zo vlak langs mijn voeten dat er steentjes opspatten. Ze wachtten om te zien welk huis ik binnenging en toen fietsten ze weg. Ik ging naar boven en ging op de grond liggen om naar het plafond te kijken.

Ik hou van het plafond in mijn kamer. Er zitten kleine vlekjes op, en grijze pluizige bolletjes in de hoek waar spinnen leven die eruitzien als een kleine verzameling hutjes. Er zitten oude spinnenwebben aan die als vermoeide serpentines naar beneden hangen. En er hangt een luchtballonlamp aan. Mijn moeder heeft die lamp gemaakt. Zij vond het ook fijn om dingen te maken. Als ik naar die luchtballon kijk dan denk ik aan haar en dan denk ik aan ergens naartoe reizen en deze stad achter me laten. Ik keek er nu ook naar maar voor het eerst zag ik hem niet echt. 'God,' zei ik, 'ik wou dat ik iets kon doen.'

'Zoals wat?' zei God, en ik was zo blij dat Hij weer tegen me had gesproken. Ik had weer het gevoel van vuur over mijn rug en in mijn haar, alsof iemand een knop had omgedraaid.

Ik ging overeind zitten. 'Nou, wat heeft het voor zin om die macht te hebben als ik hem niet gebruik?' zei ik.

'Je vader zei dat het gevaarlijk was,' zei God.

'U gebruikt Uw macht ook.'

'Ja,' zei God. 'Maar Ik ben de Almachtige.'

'Ik heb mijn macht tot nu toe toch alleen maar voor goede dingen gebruikt?'

'Ja,' zei God. 'Tot nu toe…'

'Maar hier wilde ik hem eigenlijk voor hebben,' zei ik. En ik trilde opeens. '*Ik haat hem!*'

'Vergeet je nu niet dat er zoiets is als vergiffenis?' zei God.

'Ja.'

We waren een tijdje stil.

Toen zei God: 'Er is natuurlijk ook een andere manier…'

'Wat dan?'

'We hebben ook nog het Oude Testament, zoals je weet. Ken je de uitdrukking "oog om oog"?'

'Dat is de Wet.'

God zei: 'Ik merk dat je goed hebt opgelet. "Leven om leven, oog om oog, tand om tand, hand om hand." Op een gegeven moment was Ik het beu om alles maar te pikken. Als mensen Mij pijn doen doe Ik hun pijn terug. Dat is Mijn Fundamentele Wet. Maar dat hoef Ik jou niet te vertellen; dat weet jij allemaal al.'

'Wat wilt U hiermee zeggen?'

'Dat iemand zijn verdiende loon moet krijgen,' zei God.

'Denkt U?'

God krabde op zijn hoofd, of misschien was het in Zijn baard. Ik hoorde Hem ergens krabben. 'Ja,' zei Hij uiteindelijk.

'*Echt waar?*'

'Ja,' zei God. Hij klonk zekerder van Zijn zaak. 'Er moet iets aan gedaan worden.'

'Ik ben zo blij dat U dat ook vindt!' zei ik. 'Maar vader dan?'

'Die gelooft toch niet dat je iets kunt doen,' zei God. 'Daar zou Ik Me niet druk om maken. Wat had je willen doen?'

'O, iets kleins,' zei ik. 'Niet zoveel. Om te beginnen.'

'Dat bevalt Me wel,' zei God. 'Je stijl bevalt Me wel.'

Mijn hart begon te bonzen. 'En het is dus in orde?' zei ik.

'Natuurlijk,' zei God. 'Tenminste, Ik denk het wel. Zoals je al zei, het is iets kleins. Daar zie Ik geen problemen van komen. Een koekje van eigen deeg zal die jongen goeddoen.'

'*Hoera!*' Ik sprong op.

'Ik zeg er alleen wel bij dat Ik niet kan garanderen dat het allemaal gaat zoals je verwacht had.'

'Oké.'

'Dus je gaat ermee door?'
'Ja!'
God lachte. 'Waar wacht je dan nog op?'

Hoe je een mens maakt

Zo maak je een mens. Je hebt nodig:

mohair
katoen
paraplustof/nylon
hobbylijm
boetseerklei
pijpenragers
verf (acryl)
Tipp-Ex
tandenstokers
wol

1) Maak schoenen en schenen en handen en armen en een hoofd en een nek van boetseerklei. Gebruik daarbij de tandenstokers. Maak er met de tandenstokers gaatjes in voor ijzerdraad.

2) Lijm pijpenragers in de gaatjes en buig ze tot een figuurtje. De ruggengraat moet dun genoeg zijn om te kunnen buigen maar niet zo dun dat hij breekt.

3) Geef het mensje een neus (een wipneus, in dit geval), twee ogen (blauw, bijvoorbeeld), een mond (grote tanden) en wat je verder maar wilt (sproeten).

4) Geef het mensje haar van mohair (geel, spuuglok). Geef hem een humeur (een frons, tranen).

5) Wikkel wol om de pijpenragers. Knip de wol op de juiste lengte af.

6) Verf de schoenen (of gympen). Geef het mensje een broek (of een joggingbroek: zwarte katoen met een Tipp-Ex-streep). Geef hem een jas (of een nylon jack: paraplustof).

7) Blaas adem in zijn longen en wek hem tot leven.

Een klop op de deur

Ik zette het mannetje dat ik gemaakt had midden in een groep mensen. De mensen stonden om hem heen en wezen. Het mannetje probeerde door de kring heen te breken maar de mensen wilden hem er niet door laten. Hij ging zitten en hield zijn handen voor zijn oren. Alleen maar door naar hem te kijken voelde ik me al beter. Ik had nog geen idee wat er zou gaan gebeuren maar wat het ook was Neil Lewis zou het volgens mij niet leuk vinden.

Daarna werkte ik mijn dagboek bij. Toen ik de voordeur dicht hoorde gaan verstopte ik het onder de losse plank en rende naar beneden. Mijn benen voelden aan alsof ik net een wedstrijd had gelopen en mijn hart klopte in mijn oren.

Die avond stak vader de kachel in de huiskamer aan en dat betekende dat hij in een goede bui was. In de huiskamer staan alle dingen van moeder, de zwarte piano met de gouden kandelaars, de Singer-naaimachine met de pedaal eronder, het wit-roze bankstel waar ze overtrekken voor heeft gemaakt, de gordijnen met lupines en stokrozen, de kussens die ze heeft geborduurd. Ik mag moeders naaimachine gebruiken als ik ouder ben.

Het was fijn in de huiskamer, alsof je in een boot zat. Donkerte en regen sloegen tegen de ramen maar konden niet binnenkomen. De wind loeide en de golven werden hoger en het water spatte tegen de zijkanten maar we zaten veilig en droog. Vader dronk van zijn bier en schonk limonade voor me in en luisterde naar Nigel Ogden terwijl ik op mijn buik in de halve lichtkring van het vuur lag.

Ik was een tekening aan het maken van de engel die op de aarde stond uit het boek Openbaring die de apostel Johannes het boekje gaf dat eerst zoet was en daarna bitter. Dat had de oude man in de droom ook gezegd over de steen die ik had gekozen en ik wist nog steeds niet wat hij bedoelde. Ik vroeg me af of het iets uitmaakte of je eerst de zoetheid kreeg of eerst de bitterheid en probeerde me te herinneren hoe het ook alweer was maar wist het niet meer.

Ik hield van Openbaring. Dat ging voornamelijk over het einde van de wereld en de laatste paar hoofdstukken gingen over hoe het daarna zou zijn, in het Land van Melk en Honing. 'Hoe zal Armageddon zijn?' zei ik.

'De grootste gebeurtenis die de wereld ooit heeft meegemaakt,' zei vader, en zijn stem was kalm en goedgehumeurd. Hij zat diep weggezakt in de stoel met zijn benen voor zich uitgestrekt.

Ik ging op mijn knieën zitten. 'Zal er donder en bliksem zijn?'

'Misschien.'

'Aardbevingen?'

'Zou kunnen.'

'Hagelstenen en ballen van vuur die door de straten rollen?'

'God zal gebruiken wat Hem goeddunkt.'

'Maar het is eigenlijk wel vreemd, hè?' zei ik. 'Al die mensen doodmaken...'

'Niet echt,' zei vader. 'Ze zijn dan al jarenlang gewaarschuwd, moet je rekenen.'

'Maar stel dat er één of twee de boodschap niet hebben gekregen,' zei ik, 'en dat daar niets aan te doen was. Stel bijvoorbeeld dat ze niet geluisterd hebben omdat iemand tegen ze zei dat dat niet mocht? Zou God ze dan laten gaan?'

Ik keek naar mijn tekening. Het gezicht van de engel stond streng. Hij had dikke spieren op zijn armen. Hij zag er niet uit alsof hij iemand zou laten gaan.

'God ziet wat er in de harten omgaat, Judith,' zei vader. 'We moeten die dingen aan Hem overlaten.' Ik voelde me beter toen ik dat weer voor ogen had en ging verder met de tekening van de engel.

Toen ik klaar was liet ik haar aan vader zien. De engel had blauwe ogen en haar als de zon. Hij had één voet op Egypte en één voet op Algerije – 'Daar is de Grote Riftvallei,' zei ik voor het geval dat vader het niet zag.

Vader zei: 'Heel goed.' Daarna zei hij: 'Waarom staan allebei de voeten van de engel op het land?'

'Wat?'

'Eén van zijn voeten hoort in de zee te staan.'

'O ja?'

Ik keek in Openbaring, hoofdstuk 10. Vader had gelijk. Maar als ik Algerije zou overkleuren met blauw zou het paars worden en dan zou de vorm ook niet meer kloppen. Ik zei: 'Maakt dat veel uit?' Maar ik wist dat het een heleboel uitmaakte want de engel was niet zomaar een gelijkenis maar symbolisch, en dat betekende dat hij een grotere betekenis had, net als bij Voorafschaduwing, zelfs het kleinste detail had een veel grotere betekenis. Dus pakte ik de gum. En toen maakte de brievenbus lawaai. Drie korte klappen.

Vader liep naar de deur. Hij deed open maar ik hoorde geen stemmen.

'Wie was dat?' zei ik toen hij terugkwam.

'Niemand.' Hij legde nog wat hout op het vuur en nam een slokje bier.

'Niemand?'

'Nee.'

'O,' zei ik.

Ik begon de voet van de engel uit te gummen maar daardoor werd de tekening eronder alleen maar lelijk.

Ik zuchtte. 'Misschien heeft de engel een beetje rondgelopen. Misschien werd zijn voet koud in de zee.' En terwijl ik dat zei maakte de brievenbus weer lawaai, drie korte klappen.

Dit keer hoorde ik vlak voordat vader de deur opendeed het hek dichtklikken en gelach. Ik gluurde door de gordijnen maar zag niemand.

Toen hij terugkwam zei ik: 'Wie was dat?'

'Jongens die een geintje uithalen.' Hij legde nog wat hout op het vuur.

'O,' zei ik.

Vader deed heel kalm maar ik wist dat hij boos was; hij vond het vreselijk als mensen hard op de deur klopten of als die werd dichtgegooid, want de deur had een mooie afbeelding van een boom in het glas-in-loodraam dat moeder had gerestaureerd. Hij zei vaak dat hij die zo mooi vond.

Ik pakte een nieuw vel papier en tekende het hoofd van de engel. Ik wilde niet meer denken aan wat vader had gezegd. Ik was net begonnen het gezicht te kleuren toen de brievenbus opnieuw klepperde.

Dit keer liep vader naar de achterdeur. Ik hoorde een schreeuw en het geluid van rennende voeten, en daarna de klik van het tuinhek.

Even later kwam vader lachend de huiskamer binnen. Hij zei: 'Ik had ze mooi te pakken!'

'Wie?'

'Die jongens.'

Er ging een golf van hitte over mijn lichaam. 'Wat deden ze?'

'Klieren.'

'Zijn ze weg?'

'Ja. Ze renden gauw weg toen ze me zagen. Ze hadden niet verwacht dat ik over het achterpad zou komen.'

Ik keek naar de engel. 'Hoe zagen die jongens eruit?' zei ik.

'Gewoon jongens. Niet ouder dan jij, denk ik. Eentje had blond haar. Grote knul. Ken je iemand die er zo uitziet?'

Ik had het warm gehad maar nu had ik het koud. De blauwe ogen van de engel keken me aan. 'Nee,' zei ik. 'Ik ken helemaal niemand die er zo uitziet.'

Zondag

Er zíjn dingen waar zelfs wonderdoeners niet aan ontkomen. Vandaag kwam ik erachter dat Josie een poncho voor me heeft gebreid.

May zei: 'Nee, het is een sjaal.'

'Nee, nee,' zei Elsie. 'Het is een poncho.'

'Oranje met schelpjes en kwastjes,' zei May.

'Waren dat schelpjes?' zei Elsie. 'Ik dacht dat het parels waren.'

'Schelpjes,' zei May. 'Van die kleintjes die je kunt rijgen.'

'Maar goed, ze is op zoek naar je,' zei May.

'Bof jij even,' zei Elsie.

De rest van de tijd voor de samenkomst hield ik me schuil in de wc's.

Alf hield de voordracht. Zijn tong was goed in vorm en fladderde in zijn mondhoeken. 'Wat wil God dat wij dóén, Broeders?' zei hij en hij keek woest om zich heen. Zijn gezicht was rood en zijn ogen puilden uit. Na een halfuur kreeg ik hoofdpijn van het luisteren naar hem, maar het kon ook door de lucht zijn gekomen die van tante Nel af kwam; die was vanochtend sterker dan normaal. Zelfs de gele plastic rozen leken er last van te hebben.

Alfs stem werd luider. Hij maaide met zijn armen. Ik was bang dat ze in het microfoonsnoer verstrikt zouden raken. 'Wat wil God dat wij dóén?' zei hij nog een keer. Toen hij het voor de derde keer zei kon ik er niet meer tegen en stak ik mijn hand op en zei: 'Onze rapportkaarten invullen?' want dat is meestal het goede antwoord. Maar iedereen begon te lachen. Vader legde na afloop uit dat wat Alf vroeg een retorische vraag was, die gewoon in de lucht moet blijven hangen en waar niemand antwoord op hoeft te geven.

Alf zei dat ik natuurlijk gelijk had, dat God inderdaad wilde dat we onze rapportkaarten invulden, maar dat Hij ook wilde dat we geloofden.

Ik drukte met mijn nagel in de zijkant van mijn bijbel. Ík geloofde. Meer dan iedereen wist. Ik had dingen laten gebeuren die zij zich niet eens konden voorstellen. Als ze dat wisten zouden ze niet om me lachen. Als ze dat wisten zouden ze versteld staan.

Ik vond het toch wel vreemd dat niemand had gemerkt dat ik het Instrument van God was. Ik had verwacht dat dat ondertussen te zien zou zijn. Ik nam me voor om aan oom Stan het adres van Broeder Michaels te vragen. Ik was ervan overtuigd dat híj me in elk geval serieus zou nemen.

Na de samenkomst ging ik naar oom Stan toe en tikte hem op zijn arm. Ik zei: 'Ik vroeg me af of u me misschien het adres van Broeder Michaels zou kunnen geven. Of zijn telefoonnummer.'

'Broeder Michaels?'

'Ja.'

'Hoezo dat, schat?'

'Ik moet hem iets vertellen over het mosterdzaad en dat er een wonder is gebeurd.'

Hij glimlachte. 'Komt voor mekaar.'

'Wat?'

'Nou, ik zal het voor je meenemen.'

'O...'

'Help me maar herinneren als ik het de volgende keer niet bij me heb,' zei Stan. Hij begon papieren in zijn tas te doen.

Misschien had hij niet gehoord wat ik zei. 'Oom Stan,' zei ik, 'ik heb een wonder laten gebeuren! Ik heb het laten sneeuwen!'

'O ja?' zei hij.

Ik zei: 'Hoe bedoelt u "O ja"?' De hitte kwam weer terug.

'Judith...' zei hij en hij legde een hand op mijn hoofd.

'Ik zuig het niet uit mijn duim!' zei ik. 'Ik was niet van plan om het tegen u te zeggen maar het floepte er gewoon uit – daarom heb ik het adres van Broeder Michaels nodig. Ik meen het serieus. Ik wil graag weten wat ik nu moet doen. Met mijn macht.'

'Nou, Broeder Michaels zal je vast wel advies kunnen geven, lieverd. Nu moet ik even iets met Alf bespreken...'

Maar hij had zich geen zorgen hoeven maken; ik zag een knalroze hoed met perzikkleurige veren op ons afkomen. Josie speurde de zaal af.

'Ik moet ook gaan,' zei ik en ik schoof naar het einde van de rij. Als Josie me niet gauw te pakken kreeg zou ze straks waarschijnlijk de hele gemeente mobiliseren.

Het vijfde wonder

Toen ik op maandag de klas binnenkwam stond er een vrouw bij het bureau van Mr. Davies. Het was moeilijk te zeggen hoe oud ze was want ze was vrij klein maar volgens mij moet ze ongeveer van vaders leeftijd zijn geweest. Ze had rood haar dat met een haarband naar achteren werd gehouden en een ronde bril en kleine handen die er rauw uitzagen. Haar handen waren net zo rood als haar haar. Ik vond haar haar mooi. Ik bedacht dat het leuk zou zijn om het voor een van mijn kleine mensjes te maken. Dan zou ik feloranje wol gebruiken en de draden uit elkaar rafelen.

De vrouw probeerde de la open te krijgen en het hele ding kwam naar voren. 'U moet een klap op het blad geven,' zei ik.

'O.' Ze fronste haar wenkbrauwen, gaf een harde klap en de la ging open. Ze lachte naar me. 'Dank je wel. Wie ben jij?'

'Judith.'

'Ik ben Mrs. Pierce,' zei ze. 'Ik kom Mr. Davies voorlopig vervangen.'

'O,' zei ik. 'Wat is er met hem gebeurd?'

'Hij is een beetje ziek. Maar het komt wel weer goed.' Ze glimlachte weer. Ze had heel kleine tanden en aan beide kanten lag er een boventand dwars waardoor de randjes naar buiten staken. Ik vond de tanden van Mrs. Pierce wel mooi. Ik vond haar stem ook wel mooi. Die deed me aan groene appels denken.

Ze zei: 'Ga jij niet naar de ochtendbijeenkomst, Judith?'

'Nee. Ik moet gescheiden van de Wereld blijven.'

'O,' zei Mrs. Pierce. Ze knipperde met haar ogen. 'Wat is er mis mee dan?'

'Het is een Poel van Verderf,' zei ik.

Mrs. Pierce keek me nog eens goed aan, snoof toen en zei: 'Nou, je mist er niet veel aan.' Ze gaf opnieuw een klap op het bureau en de la schoot naar buiten en kwam tegen haar elleboog. Ze deed haar ogen dicht en zei iets binnensmonds. Hardop zei ze: 'Dit zal even wennen worden.' Op dat moment ging de deur open en kwam iedereen de klas in.

Ze keken naar Mrs. Pierce. Ze ging boven op het bureau van Mr. Davies zitten en sloeg haar benen over elkaar. 'Goedemorgen, groep acht,' zei ze. 'Mijn naam is Mrs. Pierce. Ik ga jullie een tijdje onder mijn hoede nemen.'

'Waar is Mr. Davies?' zei Anna.

'Die is ziek,' zei Mrs. Pierce. 'Maar ik weet zeker dat hij gauw weer beter zal zijn. Tot die tijd zullen wij het met elkaar moeten doen. Ik doe de dingen op mijn eigen manier, dus er zal hier wel het een en ander veranderen.'

Achter in de klas klonk wat geschuifel. Er kwam een tweede papieren vliegtuigje op mijn hoofd terecht. Er stond 'LOSER' op. Mrs. Pierce snoof en pakte de namenlijst. 'Om te beginnen,' zei ze, 'zullen we jullie drieën – ja, jullie, jongens – vooraan laten zitten. Willen jullie even zeggen hoe je heet?'

'Matthew, James en Stephen, juf,' zei Neil.

Mrs. Pierce glimlachte. 'Gelukkig heeft Mr. Williams een klassenplattegrond voor me gemaakt; is het niet toevallig Gareth, Lee en Neil?'

'Ja, juf,' zei Matthew. 'Ik ben Matthew en dat is James, en dat is Stephen.'

Mrs. Pierce sprong van het bureau. 'Kom op, jongens.' Ze begon twee tafels tegen elkaar aan te schuiven. 'Sta eens op!'

'Dat gaat niet, juf,' zei Neil.

'Hoezo niet?'

'Ik kan mijn tas niet vinden, juf.'

'O,' zei Mrs. Pierce. 'Wanneer ben je die kwijtgeraakt?'

'Weet ik niet, juf,' zei Neil. Er kroop een lachje over zijn gezicht. Er werd gelachen.

'Nou, je mag evengoed hier komen zitten,' zei Mrs. Pierce.

Neil deed net of hij bleef vastzitten aan de stoel en trok links en rechts aan zijn jas. 'O jee,' zei Mrs. Pierce. 'Het valt niet mee om op te staan, hè? Kan iemand Neil een handje helpen?' Iedereen begon weer te lachen maar dit keer om wat Mrs. Pierce zei.

Neil maakte zich los van zijn plaats en slenterde op zijn gemak naar voren. Mrs. Pierce trok een stoel onder de tafel vandaan en hij ging achterstevoren zitten met zijn gezicht naar de klas. Iedereen begon weer te lachen.

Mrs. Pierce glimlachte. 'Je bent een echte komiek, hè, Mr. Lewis? Er is alleen één probleem. Je zit nu bij mij in de klas en ik heb geen tijd voor grapjes. Wil je nu je boeken pakken? We zitten namelijk te wachten tot jij begint.'

Neil wreef over zijn hoofd. 'Dat gaat niet, juf.'

'Hoezo dat?'

'Ik ben ze kwijt, juf.'

'Je boeken?'

'Ja, juf.'

'Wat, allemaal?'

'Ja, juf.'

'Raak je vaak dingen kwijt, Neil?'

'Weet ik niet, juf.'

Er klonk weer gelach.

Mrs. Pierce liep naar achteren en haalde een tas uit de hoek. 'Ze zitten zeker niet toevallig in je tas?'

'Nee, juf. Dat is mijn tas niet.' Neil draaide zich om naar Lee en grijnsde.

'O,' zei Mrs. Pierce. 'Nou, in dat geval hou ik die tas en alles wat erin zit maar bij me tot de eigenaar zich meldt. Ondertussen verwacht ik wel dat jij je boeken en de spullen die je nodig hebt aan het eind van de week hebt vervangen.' Ze gooide Neils tas in de tekenkast, deed de deur met een klap dicht, draaide de sleutel om en stopte die in haar zak.

Neil zei: 'Hé!'

'Ja?'

Neil keek chagrijnig en draaide zich om naar voren. Hij gaf de tafel een zet. 'Ik wil niet hier op die rotplaats zitten!'

'Kop op, Neil!' zei Mrs. Pierce. 'Op deze manier kun je het bord beter zien.'

Ik moest hardop lachen. Ik deed mijn hand voor mijn mond maar het was al te laat. Neil draaide zich om en zijn ogen schoten vuur. Maar om de een of andere reden keek ik niet een andere kant op maar keek ik gewoon terug.

'Goed, dat is dus geregeld,' zei Mrs. Pierce, 'laten we maar eens met de les beginnen. We gaan vandaag poëzie lezen.'

'Poëzíé?' zei Gemma.

'Jazeker, Gemma,' zei Mrs. Pierce. 'Geen betere manier om wakker te worden dan met een goed gedicht. Dat komt doordat dichters nooit precies zeggen wat ze bedoelen – althans de beste niet. Ze bedenken andere manieren om het te zeggen. Ze schetsen een beeld of ze praten erover alsof het iets anders is – wij gebruiken zelf ook beelden als we praten, we zeggen bijvoorbeeld "de poot van een tafel", "een zonnig humeur", "ik zou er niet op rekenen", "een ijskoude blik", "kokend-heet".' Ze schreef de uitdrukkingen op het bord.

'Kijk maar eens of jullie kunnen zien hoeveel beelden er in dit gedicht worden gebruikt om de zon te beschrijven. Het is van Robert Louis Stevenson en het heet "Wintertijd":

De winterzon ligt nog laat onder de wol
een ijzige, vurige ragebol
hij schijnt een paar uur, 't is een wonder,
en gaat dan, bloedrode sinaasappel, gauw weer onder

Zo,' zei Mrs. Pierce toen ze klaar was met lezen, 'heeft iemand de beelden gezien?'

'Ja,' zei Anna. 'De zon onder de wol.'

'Goed zo. En wat zou de dichter daarmee proberen te zeggen?'

'De zon komt 's winters later op,' zei Anna.

'Goed zo,' zei Mrs. Pierce. 'Ja. Er is minder daglicht. Verder nog iets?'

'De zon is een bloedsinaasappel,' zei Matthew.

'Heel goed,' zei Mrs. Pierce. 'En waarom is dat van toepassing?'

'Door de kleur.'

'Ja,' zei Mrs. Pierce. 'Is het jullie wel eens opgevallen dat de zon in de winter veel roder kan zijn? Er zijn ook fellere zonsondergangen. Verder nog iets?'

'De wind als peper,' zei Rhian.

'Ja,' zei Mrs. Pierce. 'Dat is eigenlijk wel vreemd. Waarom denken jullie dat de dichter dat zo heeft geschreven?'

'Omdat het pijn doet aan je neus in de kou?' zei Rhian.

'Ja. Uitstekend,' zei Mrs. Pierce. 'Ik kan wel zien dat er allemaal dichters in de dop in deze klas zitten! De wind kriebelt soms ook, is dat jullie wel eens opgevallen? En ik denk dat de dichter zelfs ook op hagel zou kunnen doelen. Zien jullie nou hoe die beelden het gedicht rijker maken, interessanter?'

'Er is ook nog het beeld van zijn adem als ijsbloemen,' zei Stephen.

'Ja, de patronen die zijn adem in de lucht maakt lijken op ijsbloemen.' Mrs. Pierce glimlachte. 'Er is nog één ander beeld dat de dichter gebruikt om het ons duidelijker te laten zien.'

'Het land geglazuurd als een bruidstaart,' zei Luke.

'Uitstekend,' zei Mrs. Pierce. 'En hoe helpt dat ons om duidelijker te zien wat de dichter zegt?'

'De sneeuw is net glazuur,' zei Luke.

'Ja,' zei Mrs. Pierce. 'Of het kan ook rijp zijn. Soms heb je heel veel rijp en dan is die net zo dik als sneeuw.' Ze draaide zich om naar het bord en schreef elke zinsnede op. 'Zo,' – ze draaide zich weer om naar ons – 'en weet iemand hoe die beelden die de dichter gebruikt heten?'

Ze wachtte, pakte toen een krijtje en draaide zich weer om naar de woorden op het bord.

'Metafoor,' zei Gemma. Ze keek naar mij en glimlachte.

'Goed zo!' zei Mrs. Pierce. 'Ja. We noemen het een metafoor als we over iets praten alsof het iets anders is. Weet iemand nog een ander voorbeeld van een metafoor?'

'De sprong van het geloof,' zei ik. Ik keek naar Gemma.

'Uitstekend!' zei Mrs. Pierce. 'Hoewel dat misschien een beetje moeilijk uit te leggen is. Als je zegt dat het geloof net zoiets is als een sprong dan zeg je eigenlijk dat het net zoiets is als in het niets stappen, van de ene naar de andere plek springen zonder dat je je pijn doet. Zou je het zo kunnen omschrijven, Judith?'

Ik knikte.

'Oké,' zei ze. 'Maar als we nu weer even teruggaan naar ons gedicht – eigenlijk zijn maar vier van de vijf "beelden" die Robert Louis Stevenson gebruikt metaforen. Het laatste beeld, waarin de dichter het winterse landschap vergelijkt met een taart met glazuur, is eigenlijk een "vergelijking".' Ze schreef het woord 'vergelijking' op het bord. 'Ziet iemand het verschil tussen de metaforen en de vergelijking?' zei Mrs. Pierce.

Ik keek naar het gedicht. Ik zag niet wat Mrs. Pierce bedoelde. En toen opeens zag ik het wel. Ik stak mijn hand op.

'Ja, Judith.'

'Het land is áls een bruidstaart,' zei ik. 'Het ís geen bruidstaart.'

'Inderdaad,' zei Mrs. Pierce. 'Kun je dat voor ons verduidelijken, Judith?'

'De zon ligt onder de wol, hij ís een bloedsinaasappel, de wind is peper. Maar het land is alleen maar áls een bruidstaart.'

Ik kon Gemma's blik voelen.

De wangen van Mrs. Pierce waren behoorlijk roze. 'Heeft iedereen dat begrepen?' zei ze. 'In een vergelijking is iets "als" iets anders. Maar in een metafoor "is" iets echt datgene waarmee je het vergelijkt. Dus, we hebben vergelijkingen en metaforen, allebei beelden, allebei interessante manieren om dingen te zeggen. Maar,' – en nu werd haar stem zachter – 'het ene is sterker dan het andere, het ene is veel krachtiger. Welke van de twee denken jullie dat dat is?' Ze trok bemoedigend haar wenkbrauwen op. 'Wees maar niet bang, ik verwacht heus niet dat jullie dit weten.'

Was het ene wel krachtiger, vroeg ik me af. De vergelijkingen en de metaforen leken allebei hetzelfde. Maar ik keek nog eens goed en de regel waar stond dat de zon een bloedsinaasappel was had iets wat de regel waar stond dat het als een bruidstaart was niet had en toen wist ik wat het was: het klonk niet zo goed.

Mrs. Pierce lachte toen ze mijn hand zag. Ze zei: 'Ja, Judith.'

'De metafoor is sterker,' zei ik.

'Waarom zeg je dat?'

Ik bloosde. Nu leek ik stom, alsof ik het gewoon geraden had, en dat was niet zo, ik kon alleen niet uitleggen waarom ik het zeker wist.

Ik voelde dat Gemma naar me keek. En Neil ook. Maar het lukte niet; ik kon het niet uitleggen. Mrs. Pierce draaide zich weer om naar het bord.

'Er zit een aanwijzing in het woord zelf. "Metafoor" is samengesteld uit twee Griekse woorden: *meta*, wat "tussen" betekent, en *phero*, wat "dragen" betekent. Dus metaforen drágen betekenis van het ene woord naar het andere.'

En toen moest ik denken aan iets wat iemand had gezegd: dat het niet genoeg was om ons voor te stellen hoe de nieuwe wereld zou zijn, maar dat we er moesten zijn. Dat was Broeder Michaels geweest. Hij had gezegd dat geloof dat voor ons kon doen. 'Omdat we er zijn,' zei ik opeens, zonder mijn hand op te steken. Iedereen draaide zich om en keek naar me. Ik bloosde. 'Ik bedoel: omdat hét er is. Ik bedoel... het is niet naast elkaar.' Mijn wangen werden heet. 'Een metafoor is niet iets wat je je voorstelt, het is het ding zelf.'

De ogen van Mrs. Pierce waren zo scherp dat ze pijn hadden moeten doen, maar dat was niet zo. Het was alsof er een elektrische stroom van haar naar mij ging, en die stroom vlamde op en verwarmde me.

'Ja,' zei ze uiteindelijk. 'De woorden praten niet óver iets; ze worden het ding zelf.' Ze legde het krijtje neer, en we keken elkaar even aan, en het was net alsof ik vloog. Vervolgens was dat moment voorbij en veegde ze het stof van haar handen en zei: 'Goed, jongens, ik wil graag dat jullie een gedicht schrijven waarin jullie metaforen gebruiken.'

Later die ochtend, terwijl Mrs. Pierce bezig was de papierkast te ordenen, landde er een propje papier naast Gemma's elleboog. Ik wist niet hoe het papiertje daar terechtgekomen was maar ik zag dat Gemma haar hand erop legde. Ze hield het propje een tijdje onder haar hand en rolde het toen uit. Ze giechelde en tekende iets, maakte er weer een propje van en gooide het naar Neil Lewis. Neil maakte het open en grijnsde. Hij gaf het papiertje aan Lee en Lee's schouders schokten. Lee gaf het aan Gareth.

Mrs. Pierce keek op. Ze zei: 'Is er iets grappig? Als dat zo is, dan denk ik dat de hele klas het graag wil horen.'

Een minuut of twee bleef alles rustig, daarna vloog het papiertje weer naar onze tafel. Dit keer piepte Gemma, zo erg moest ze haar best doen om niet te lachen. Ze schreef iets op, frommelde het in elkaar en gooide het weer naar Neil. Neil schreef ook iets en gooide het terug. Gemma sloeg te hard met haar hand op het papiertje en Mrs. Pierce zette haar handen in haar zij. Ze zei: 'Ik weet niet wat daar gebeurt, maar het kan maar beter afgelopen zijn!'

Er gebeurde vier hele minuten niets. Toen gooide Neil het papiertje naar Gemma. Hij gooide mis en het propje landde bij mijn voeten.

Mrs. Pierce legde de verftubes die ze in haar handen had neer. Ze zei: 'Raap dat papiertje eens op. Ja, jij, Judith! Lees maar voor alsjeblieft.'

Ik raapte het propje op en rolde het uit. Wat ik zag sloeg nergens op. Bovenaan stond het woord 'METAFOOR'. Eronder stond een tekeningetje van een meisje dat op haar knieën voor een man zat. Er kwam iets uit de broek van de man. Het leek op een slang. Er kwam een golf van hitte over me heen en na die golf misselijkheid. Onder het tekeningetje stonden vier woorden. Een ervan was mijn naam.

'Toe maar,' zei Mrs. Pierce. 'Lees maar voor.'

Ik keek haar aan.

'Lees voor, Judith!' zei ze. 'Ik wil geen geheimen in mijn klas!'

'"Judith kan goed pijpen",' zei ik.

Er ging een rimpeling door de klas.

Mrs. Pierce zag eruit alsof iemand haar een klap had gegeven. Ze kwam naar me toe en pakte het papiertje. 'Ga zitten, Judith,' zei ze rustig. Daarna liep ze naar haar bureau.

'Goed,' zei ze opgewekt. 'Laten we maar eens met die breuken aan de slag gaan. Wie durft er te beginnen met het antwoord op de eerste som?'

Staking

'Hoe was het op school?' zei vader toen hij binnenkwam.

'We hebben een nieuwe juf,' zei ik. 'Ze heeft poëzie met ons gedaan.'

'Mooi zo,' zei vader. Hij vulde de waterkoker.

'Ze heeft een gedicht voorgelezen over de winter.'

'O ja?' Hij deed het deksel dicht en zette de waterkoker aan.

'En we hebben over metaforen gepraat.'

'Mooi zo.'

'Daarna hebben we allemaal een gedicht geschreven en Mrs. Pierce vond mijn gedicht mooi.'

'Goed zo,' zei vader. 'Dat is mooi.' Hij legde zijn handen plat op het aanrecht en keek ernaar. Toen zei hij: 'Judith, ik kom volgende week later thuis. Dan word ik gebracht met een bus en dat kan misschien wat langer duren.'

'Een bus?'

'Ja.' Vader haalde zijn handen van het aanrecht. 'Ze gaan staken.'

'Maar u gaat evengoed naar uw werk toe?'

'Natuurlijk.' Hij haalde aardappels uit de bak in het gootsteenkast-je. 'Geef aan de keizer wat van de keizer is, en aan God wat van God is.'

'Maar waarom moet u met een bus thuisgebracht worden?'

'Alle mensen die niet gaan staken gaan met een bus naar het werk,' zei vader. Hij draaide de kraan open.

'Waarom?'

Vader draaide de kraan de verkeerde kant op dicht en het water spoot eruit. Hij begon de aardappels te wassen. 'Nou, sommige mensen vinden dat we niet moeten gaan werken,' zei hij. 'En die willen ons tegenhouden.'

'Jullie tegenhouden?'

'Ja, Judith! Luister, ik vertel dit alleen maar zodat je je niet hoeft af te vragen waarom ik misschien een beetje laat ben.'

Ik wist dat hij wilde dat ik ophield met vragen stellen maar ik wist ook dat er iets was wat hij voor zich hield. Ik zei: 'Hoe bedoelt u: "ons tegenhouden"?'

Vader zei: 'Ik bedoel gewoon… luister, het stelt helemaal niks voor, oké? Het is niet iets waar jij je zorgen over hoeft te maken.'

'Oké.' Ik keek naar vader. 'Bent u niet bang?'

Vader legde het aardappelschilmesje neer en keek naar de kranen. Hij zei: 'Nee, Judith. Er is niks om bang voor te zijn; die staking is over een week of twee voorbij en dan is alles weer normaal.'

'Gaat Doug staken?'

Vader zei zachtjes: 'Jij hebt ook een olifantengeheugen,' en toen harder: 'Ja. Doug gaat staken.'

Ik keek naar vader en ik wist dat ik niets meer mocht vragen. Ik slenterde naar de vensterbank. 'Er gebeurt niks met die mosterdzaadjes,' zei ik. 'Denkt u dat dat komt doordat ik niet geloof dat ze gaan groeien?'

'Nee, Judith,' zei vader. 'Het komt waarschijnlijk doordat je niet weet hoe je mosterdzaadjes moet laten groeien.'

Die avond ging de Bijbellezing over de Hoer die op de wateren zat. Vader zei dat de wateren een voorafschaduwing waren van heersers en naties en dat de Hoer maatschappelijke onrust veroorzaakte. 'Zoals de staking?' zei ik.

'Nou ja,' zei vader, 'het maakt allemaal deel uit van het teken van het einde.'

En toen klonk er lawaai bij de deur. Drie korte klappen net als de vorige keer. Vader ging naar buiten en ik hoorde een schreeuw op straat. Hij bleef twintig minuten weg.

Toen hij terugkwam hijgde hij en glommen zijn ogen en zijn gezicht alsof hij had gelachen. Hij zei dat het dezelfde jongens waren als laatst. Hij had ze achternagezeten de heuvel af. Hij had de blonde jongen boven aan de parkeergarage te pakken gekregen. Vader zei: 'Hij riep: "Doe me geen pijn, doe me geen pijn, meneer!" Alsof ik hem pijn zou doen! Maar ik heb hem wel flink laten schrikken. Hij is een van zijn schoenen kwijtgeraakt.'

'Wat hebt u met hem gedaan?'

'Ik heb gezegd dat hij moest maken dat hij wegkwam,' zei hij. Vader schudde zijn hoofd en lachte. 'Ik denk dat we verder geen last meer zullen hebben.'

Neil Lewis leert een lesje

De volgende dag toen de anderen op de ochtendbijeenkomst waren vroeg ik aan Mrs. Pierce wat het briefje betekende. Mrs. Pierce bladerde wat papieren op haar bureau door. Daarna zei ze: 'Het betekende niets, Judith. Het was onzin.'

Ik zei: 'Het moet toch íéts betekend hebben.'

'Weet je wie het geschreven heeft?'

'Ik denk dat het Neil was... en Gemma...'

Mrs. Pierce knikte. 'Dat dacht ik al.' Ze zuchtte en toen glimlachte ze naar me. 'Hoe zou je het vinden als we jou eens bij die tafel weghaalden?'

'Dat zou ik fijn vinden.'

Het was vreemd om bij Anna en Steffan en Matthew te zitten. Niemand fluisterde of giechelde of keek zijdelings naar me. Niemand fluisterde of duwde tegen mijn arm of verstopte mijn pen of nam alle ruimte in beslag of gooide dingen naar mijn hoofd of liet dingen in mijn haar vallen. Ik vroeg me af waarom Mr. Davies me nooit ergens anders had laten zitten.

Neil kwam die ochtend te laat binnen met een plastic tas over zijn schouder. Zijn voeten maakten een raar geluid op de grond en toen ik omlaagkeek zag ik dat hij een paar gympen aanhad, alleen waren ze hem te groot. 'Neil Lewis,' zei Mrs. Pierce, 'waar zijn je schoenen?'

Neil zei: 'Schoenen zijn voor eikels.'

Mrs. Pierce zei: 'Honderd strafregels.'

'Wat nou godverdomme?' zei Neil.

'Driehonderd strafregels,' zei Mrs. Pierce.

Neil deed zijn mond open.

Mrs. Pierce zei: 'Ik vroeg je iets: waar zijn je schoenen?'

Neil ging zitten en gooide zijn tas onder de tafel. Zijn gezicht was donkerrood. 'Kwijtgeraakt.'

Mrs. Pierce zei: 'Gisteren was je je tas kwijt, vandaag zijn het je schoenen. Heb je de boeken die je kwijt bent al vervangen?'

Neil keek zo boos dat zijn ogen achter zijn wenkbrauwen verdwenen. Opeens zei hij: 'Mijn vader heeft me op mijn sodemieter gegeven door u! U hebt het recht niet om mijn tas af te pakken!'

'O, dus het was tóch jouw tas,' zei Mrs. Pierce.

Neils gezicht werd paars. Hij zei: 'Mijn vader komt wel effe bij u langs!'

'Moet ik daar bang van worden?' zei Mrs. Pierce.

Neils been wipte op en neer. Het leek of hij ergens aan zat te denken.

Mrs. Pierce zuchtte, stond op en ging op haar vaste plek op de rand van het bureau zitten. 'Zo, wat doen jullie normaal gesproken op dinsdagochtend, groep acht?' zei ze.

'Grammatica,' zei Gavin.

'Nou, van nu af aan gaan we kunst doen.' Er klonk wat verrast gemompel. 'Kijk maar eens hier, allemaal.'

Ze hield een prentbriefkaart omhoog. Op de kaart stond een café waar geel licht scheen. Er hingen lampen aan het plafond en die lampen zagen eruit als kleine planeten. De lijnen in het schilderij waren kronkelig alsof ze geschilderd waren door iemand die dronken was maar Mrs. Pierce zei dat het interessante was dat de man die het geschilderd had heel goed kon tekenen. Hij had het expres op deze manier geschilderd, om 'de emotionele lading' van het schilderij te verhogen.

Toen vertelde ze ons van alles over hoe schilderijen ons blij konden maken of verdrietig, rustig of onrustig, opgewonden of slaperig. Ze zei dat schilderijen, net als gedichten, geladen waren met elektriciteit. Er werd gelachen. Mrs. Pierce zei: 'Nou ja, schilderijen roepen emoties bij ons op. Emoties zijn gewoon elektriciteit. Wat voor gevoel krijgen jullie bij dit schilderij?'

'Ik word er zeeziek van,' zei Gemma.

Mrs. Pierce keek Gemma aan. Ze tuitte haar lippen. 'Jij bent zelf ook een hele kunstenaar, nietwaar, Miss Butler?'

Gemma zei: 'Wat?'

'Ja,' zei Mrs. Pierce. 'Ik heb gisteren een voorbeeld van je tekenwerk gezien. Vertel eens, teken je vaak je klasgenoten?'

Gemma bloosde. 'Ik weet niet wat u bedoelt, juf.'

'Ik denk het wel,' zei Mrs. Pierce. 'Misschien was de tekening die ik gezien heb een gemeenschappelijk meesterwerk – samen met Mr. Lewis. Klopt dat?'

Neil fronste zijn voorhoofd.

'Ik neem aan dat jullie het allebei heel amusant vonden, maar ik vond dat niet, vrees ik. En jullie weergave van het menselijk lichaam schoot ernstig tekort.' Mrs. Pierce pakte een liniaal en liet zich van het bureau zakken. 'Willen jullie weten waar jullie tekening nu is?' Ze zei het een beetje harder: 'Ik zéí: willen jullie weten waar jullie tekening nu is?' Toen klonk er een klap als van een zweep en Neil schrok op. Hij hing niet meer over de tafel.

Neil was rood geworden. 'Mr. Lewis!' zei Mrs. Pierce. 'Die tekening ligt op een veilige plek,' zei ze. 'Waar die blijft totdat ik besloten heb wat ik ermee zal doen – en wat ik met de mensen zal doen die hem hebben gemaakt.' Ze fronste haar wenkbrauwen en ging met haar hand naar haar kin. 'Misschien,' zei ze, 'moet ik hem bij het werk stoppen dat ik op de ouderavond aan de ouders laat zien. Dat zou een interessante bezichtiging worden, denken jullie niet?'

Gemma's ogen liepen vol. Ze zei: 'Ik weet niet waar u het over hebt, juf!'

'Nog liegen ook!' zei Mrs. Pierce. 'Nou ja. De een is de ander niet. Nietwaar, Mr. Lewis? Ja,' zei ze terwijl ze terugliep naar haar bureau, 'de een is de ander niet.' Ze klonk opeens moe. 'Goed, jongens, laten we gaan schilderen.'

Ik schilderde het veld dat ik in de droom had gezien. Maar in plaats van mezelf en de oude man in het veld schilderde ik de eerste twee mensen die ik voor het Land van Melk en Honing had gemaakt, het pijpenragerpoppetje met de groene trui en het stoffen poppetje met de tuinbroek. Mrs. Pierce zei: 'Dat ziet er interessant uit.' Ik zei tegen haar dat het dat ook was, en dat het iets was wat ik zelf gemaakt had. 'Echt waar?' zei ze. 'Waarvan?'

'Rommel,' zei ik, en ik vertelde haar over het Land van Melk en Honing.

Mrs. Pierce zei: 'En wie moeten die twee mensen voorstellen?'

'Vader en ik,' zei ik. Dat had ik tot dan toe niet geweten maar nu zag ik dat het zo was. Ik zei: 'Er komt een dag dat we daar zullen zijn. Als de aarde een paradijs is.'

'Een paradijs?' zei ze.

'Ja. Na Armageddon.'

Ze zei: 'Je zal me echt eens meer over al die dingen moeten vertellen, Judith. Het klinkt fascinerend.'

Ik was de rest van de ochtend heel gelukkig. Toen ik klaar was gingen Anna en ik naar de gootsteen om onze kwasten schoon te maken. Ik was de pot aan het uitspoelen toen ik opeens Neil naast me zag staan. Hij zei: 'Heb je nog steeds magische krachten?' En toen kwam hij met zijn mond vlak bij mijn oor. 'Die zul je nodig hebben.'

Hij draaide zich om en terwijl hij dat deed stootte hij de pot uit mijn handen waardoor ik een plens geel water over mijn rok en mijn maillot kreeg. 'O, sórry,' zei hij. 'Ik gleed zeker uit.' Hij grijnsde. 'Ik had gedacht dat je nu toch wel te groot was om nog in je broek te plassen.'

Neil liep terug naar zijn plaats. Ik zag hem Lee en Gareth aanstoten. Lee zei: 'Judith heeft in haar broek geplast, juf.'

Mrs. Pierce keek op. 'Judith, wat is er gebeurd?'

Neil bewoog zijn lippen en zei geluidloos: 'Ik maak je dood.' Ik keek weer naar Mrs. Pierce.

'Judith?' zei ze.

Neil maakte heftige hakgebaren met zijn handen.

'Neil heeft water over me heen gegooid,' zei ik opeens. Het ging heel makkelijk.

Neil staarde me aan.

'Ja, juf,' zei Anna. 'Ik heb het gezien.'

'Kijk eens aan,' zei Mrs. Pierce op vlakke toon. 'Waarom verbaast dat me niet? Judith, ga maar naar de schoolzuster en vraag wat droge kleren. Neil, het lijkt wel of jij een probleem hebt met Judith. Wat is dat voor probleem? Kun je me dat vertellen?'

Toen ik twintig minuten later weer de klas in kwam was er iets vreemds aan de hand. Ik wist het zodra ik de deur dichtdeed. Het was net alsof er midden in het lokaal iets terechtgekomen was waar niemand naar mocht kijken. Mrs. Pierce liep tussen de tafels heen en weer met een opgewekte, harde uitdrukking op haar gezicht en iedereen zat over zijn boeken gebogen. Ik ging zitten en toen zag ik wat het vreemde was. Neil zat niet op zijn plaats. Hij zat met zijn rug naar ons toe aan een tafeltje voor in het lokaal dat er daarvoor niet was geweest.

Hij bleef daar de rest van de dag zitten, roerloos als een steen. Ik vroeg me af of hij in de gaten had dat ik naar hem keek, dat iedereen dat af en toe deed. Ik denk het wel; en of het nu kwam doordat hij niet bij ons zat of doordat Mrs. Pierce op het oorlogspad was, iedereen was rustiger.

Toen de school uitging zei Mrs. Pierce: 'Neil Lewis, waar ga jij naartoe, als ik vragen mag? Wij hebben een afspraak, weet je nog?'

Neils schouders zakten omlaag. Hij zei: 'Ah, juf, ik moet naar boksen! Mijn vader vermoordt me als ik er niet naartoe ga.'

Mrs. Pierce zei: 'Dat is dan jammer; daar had je aan moeten denken voordat je bij mij in de klas vloekte.'

'Maar juf!'

'Geen gemaar,' zei Mrs. Pierce. 'Pak je schrift maar.'

Ze liep naar het bord en schreef met grote krijtletters: IK ZAL GEEN GROVE TAAL GEBRUIKEN IN DE KLAS VAN MRS. PIERCE.

Neil keek haar aan. Toen gooide hij zijn plastic tas neer, liet zich boos op zijn stoel vallen en kwakte zijn schrift op tafel. 'Driehonderd regels. Zonder fouten,' hoorde ik Mrs. Pierce zeggen toen ik de gang in liep.

'Je kijkt alsof je net de loterij hebt gewonnen,' zei Sue toen ze me naar de overkant van de straat bracht.

'Ik heb iets beters gewonnen dan de loterij,' zei ik. Ik rende de rest van de weg naar huis. 'Het werkt!' zei ik en ik sprong omhoog en gaf een stomp in de lucht. 'Het werkt! En het is nog mooier dan ik gedacht had!'

'Hoe was het op school?' vroeg vader toen hij binnenkwam.

'Fantastisch!' zei ik.

Vader trok zijn wenkbrauwen op. 'De wonderen zijn de wereld nog niet uit,' zei hij.

Meer geklop

Nadat ik op zaterdagavond naar bed was gegaan begon het kloppen opnieuw. Vader ging naar buiten maar de jongens waren al verdwenen tegen de tijd dat hij bij de deur was. Hij ging nog vier keer naar de deur maar de jongens renden telkens weg. Ik keek toe vanachter het raam. Toen de brievenbus voor de zesde keer lawaai maakte ging vader de straat op en reden Neil Lewis en Lee en Gareth en nog een paar andere jongens rondjes om hem heen op de fiets.

Toen vader weer binnenkwam hoorde ik hem niet naar bed gaan hoewel ik nog ik weet niet hoelang wakker bleef. De jongens gingen met stokken langs de spijlen en gooiden steentjes naar de ramen. Ze lachten en reden met hun voorwiel in de lucht door de straat. 'Waarom gebeurt dit, God?' zei ik. Maar God gaf geen antwoord.

De volgende dag tijdens de samenkomst sloeg vader de bladzijden van zijn bijbel om met korte rukjes van duim en wijsvinger. Zijn hoofd zag er glimmend en warm uit, alsof er te veel bloed in zat. Oom Stan gaf de voordracht, over gescheiden van de wereld zijn. Hij zei dat de Broeders die niet gingen staken de steun van de gemeente verdienden en dat we geen geld aan de stakers moesten geven. Hij zei: 'Onze leider is Christus, niet de mensen.' Er werd een gebed uitgesproken voor de veiligheid van de fabrieksarbeiders en Stan zei dat we erop moesten vertrouwen dat God zou helpen en niet bang moesten zijn. Bang zijn was net zoiets als vertrouwen, zei hij, maar trok slechte dingen aan in plaats van goede. 'Als we bang zijn bidden we voor de verkeerde dingen,' zei hij.

Na afloop ging iedereen de nieuwe traktaatjes bekijken die het Hoofdkwartier had gestuurd. 'Het is een nieuw initiatief,' zei Alf. 'We zullen ze volgende week gebruiken.' Oom Stan zei dat we in de hoofdstraat gingen prediken.

Ik trok aan zijn mouw. 'Kan ik u spreken?'

Ik pakte zijn hand en nam hem mee naar opzij. Ik zei: 'Ik heb nog een wonder laten gebeuren. Ik wilde iemand straffen. Maar er is iets onverwachts gebeurd.'

Oom Stan schudde zijn hoofd. Hij zei: 'Wat is dat allemaal met die wonderen? Ik ben blij dat het goed met je gaat, schat, maar weet je vader wel dat je over dit soort dingen loopt te praten?'

Ik zei dat vader iets tegen me gezegd had, dat hij gezegd had dat het onzin was, maar dat ik dacht dat oom Stan me wel zou geloven.

'Ik geloof je ook, Judith,' zei hij. Zijn gezicht zag er tegelijkertijd vriendelijk en moe uit. 'Tenminste, ik denk dat jíj denkt dat je iets hebt laten gebeuren.'

Ik vroeg me af of ik hem moest vertellen dat God tegen me sprak. Ik had opeens het gevoel dat ik het geen seconde langer kon verdragen als niemand het wist. En toen gebeurde er iets vreemds. Ik hoorde God zeggen: 'NIET DOEN,' heel duidelijk. En het was raar, alsof er een stukje van mijn hersenen was afgesplitst van de rest.

Oom Stan fronste zijn wenkbrauwen. 'Gaat het wel?'

'Ja...'

'Weet je het zeker?'

Ik legde mijn hand op mijn ogen. 'Ja,' zei ik, en ik dwong mezelf naar hem te glimlachen.

Oom Stan zei: 'O, trouwens, lieverd, ik wou je nog vragen of het wel goed gaat met je vader. Met die staking en zo moet het toch behoorlijk moeilijk zijn op het moment. We denken allemaal aan hem maar hij praat nooit zoveel. Gaat het wel goed met hem?'

'Ja,' zei ik. 'Maar hij ergert zich wel aan dat geklop op de deur.'

'Wat?'

'Er zijn een paar jongens die bij ons op de voordeur kloppen.'

Oom Stan fronste zijn wenkbrauwen. 'Daar heeft je vader niets over gezegd. Toch niks ernstigs?'

'Ik weet het niet,' zei ik. 'Dat probeerde ik u net te vertellen, dat ik...'

En toen zei God: 'STOP!' Zo hard dat ik ervan schrok.

'Wat is er aan de hand?' zei Stan.

En toen schrok ik weer omdat een andere stem zei: 'Alles goed?' en ik keek op en daar stond vader.

Hij en Stan begonnen te praten en ik glipte weg. Toen ik omkeek had oom Stan zijn hand op vaders rug. Ik hoopte dat hij niet tegen vader zou zeggen dat ik het over wonderen had gehad. Toen schrok ik voor de derde keer want ik werd beetgepakt door twee dikke armen en een stem zei: 'Hébbes!'

Een besnord gezicht met een mond als een snee met romige kloddertjes spuug in de hoeken grijnsde naar me. 'Jij probeert me te ontlopen!'

'Nee, Josie! Echt niet!'

'Hmm.' Ze keek me argwanend aan en toen duwde ze een pakje in mijn armen. 'Cadeautje!'

'Dank je wel.'

'Nou, maak open dan!'

'Een poncho,' zei ik.

Hij had nóg meer schelpjes, hij had nóg meer kwastjes en hij was nóg oranjer dan ik ooit had kunnen denken.

Josies lichaam schudde van het lachen. 'Ach ja, ik weet hoe leuk je dat vindt, die kleine dingetjes. Ik ben zo druk bezig om dingen te maken voor Jan en alleman maar ik vind altijd wel een gaatje om voor jou iets extra speciaals te maken. Trek eens aan! Hij zou moeten passen maar ik heb hem voor alle zekerheid een beetje groot gemaakt.'

De zoom streek langs mijn enkels. 'Precies goed,' zei ik.

'Waarom doe je hem uit?'

'Ik wil hem mooi houden.'

Ik keek weer om naar waar vader en oom Stan stonden te praten. Oom Stan was aan het praten en vader keek ernstig.

'Ik wil volgende week zondag zien dat je hem aanhebt,' zei ze.

'Oké.'

'Kom op, een beetje vrolijk!' zei ze. 'Vind je hem niet mooi?'

Ik keek naar vader en oom Stan en ze waren aan het lachen. Opeens was de wereld lichter. 'Ja,' zei ik, 'jawel. Dank je wel, Josie, ik vind hem heel erg mooi.'

Eén goede gedachte

Die avond maakte de brievenbus weer lawaai. Ik weet dat het dat was want toen ik wakker werd hoorde ik de jongens lachen en het hek dichtklappen. Ik stond op en ging naast het raam staan en keek door de gordijnen. Ik kon niet veel zien zonder ze te bewegen dus sloop ik naar de andere slaapkamer aan de voorkant.

Neil en Lee en Gareth stonden beneden, en Neils broer Tom die ik wel eens bij het hek van de school zag staan, en een paar oudere jongens die ik nog nooit had gezien. Toen vader de deur opendeed fietsten ze weg. Maar ongeveer vijf minuten later kwamen ze weer terug. Een van de oudere jongens nam grote slokken uit een blikje, de anderen deden wheelies op hun fiets en spuugden op de grond. De telefoon ging in de hal en ik hoorde vader de keuken uit komen en de deur ging met een klap achter hem dicht. De telefoon hield op en toen hoorde ik hem zeggen: 'Mrs. Pew!'

'Ja,' zei hij. 'Dank u wel. Ik ben ermee bezig.'

Hij zei: 'Daar wordt allemaal voor gezorgd, Mrs. Pew. Maakt u zich alstublieft geen zorgen.'

Ik had het koud dus ging ik naar bed.

Toen de jongens terugkwamen riepen ze: 'Waar is die heks?' door de brievenbus en gooiden ze steentjes naar de ramen boven. Ik voelde het geluid in mijn borst als een regen van gloeiend hete hagel en ik vroeg me af of het zo voelde om neergeschoten te worden. Ik kon daar niet liggen want mijn lichaam stond in brand en ik trilde dus haalde ik mijn dagboek tevoorschijn en begon te schrijven. Maar het geluid ging door dus stopte ik het dagboek weer weg en ging tegen de muur zitten. Ik bleef daar een hele tijd zitten, tot het stil was op straat, tot de klok in de hal twaalf uur sloeg. Toen stond ik op en deed ik de gordijnen open.

Het was heel stil en heel licht. De volle maan wierp lange schaduwen vanaf de huizen en bomen in het Land van Melk en Honing. Die schaduwen strekten zich uit over de vloer. Ik vroeg me af waar ze me aan deden denken en toen bedacht ik dat de begraafplaats in de stad er zo uitzag wanneer er schaduwen vielen van de grafstenen.

'God,' zei ik zachtjes, 'waarom gebeurt dit?'

'Nou,' zei God, 'voor Neil is het net alsof jij de oorzaak van al zijn problemen bent op dit moment.'

'Ik kan het niet helpen dat Mrs. Pierce hem niet aardig vindt,' zei ik. 'Wat moet ik doen?'

'Ik weet het niet.'

'U bent God!' zei ik.

'Maar dit heb je zelf aangehaald.'

'Dat hebt Ú gedaan,' zei ik.

'Nee,' zei God. 'Dat was jij.'

'Maar ik heb alleen maar gedaan wat U zei.'

'Je hebt gedaan wat je wílde doen.'

'Dat is hetzelfde,' zei ik.

'Wat?' zei God.

'Ik weet het niet!' zei ik. Ik begon het warm te krijgen. 'Ik weet niet waarom ik dat zei.'

Ik wilde niet meer met God praten, ik wilde niet meer in mijn kamer zijn, ik was bang dat de wolk weer over me heen zou komen net als op de dag dat ik de sneeuw gemaakt had. Ik liep naar de deur, maar toen ik daar was kon ik niet naar buiten en ik ging weer zitten. Even later ging ik opnieuw naar de deur en dit keer liep ik de trap af.

Halverwege gaf ik een gil.

Er stond een gedaante in de hal. Die gedaante draaide zich vliegensvlug om en vaders stem zei: 'Wat is...?'

'Ik schrok van u.'

'Wat doe jij nog op?'

'Niks. Ik... ik wilde niet meer in mijn kamer zijn.'

Hij draaide zich weer om naar de voordeur. Hij zag eruit als een jongen met het maanlicht dat op zijn achterhoofd viel.

Ik zag geen reden waarom hij in de hal zou staan dus zei ik: 'Gaat het wel goed met u?'

'Ja.'

Ik wilde opeens heel graag iets tegen hem zeggen maar ik wist niet wat. 'Maakt u zich maar geen zorgen over die jongens,' zei ik.

'Ik maak me geen zorgen!' Hij draaide zich om en zijn ogen flitsten.

'Mooi zo,' zei ik. 'Ik wou het alleen maar even weten.'

'Alles is onder controle!'

'Oké.'

'Die komen vanavond toch niet meer terug.' Hij snoof hard en deed zijn handen in zijn zakken alsof daarmee de kous af was, maar hij bleef daar wel staan.

Ik zei: 'Weet u zeker dat het goed gaat?'

'Met mij gaat het prima! Jij bent degene die zich zo druk maakt! Je hoort ook te slapen! Wat ben je aan het doen?'

'Ik weet het niet.'

'Nou, ga maar terug naar bed.'

'Oké.'

Na een tijdje kwamen de jongens terug. Ik hoorde vader naar buiten gaan. Hij bleef op straat staan en ze reden rondjes om hem heen en scholden hem uit en spuugden naar hem.

Eindelijk kwam hij weer naar binnen. Ik hoorde hem de gordijnen van de huiskamer opendoen en zag het licht op de straat vallen. Ik hoorde een gekraak en wist dat vader in een van de rieten stoelen was gaan zitten. Ik begreep niet wat hij aan het doen was. Toen hoorde ik dat hij begon te fluiten en wist ik dat hij goede gedachten aan het denken was. De jongens bleven nog een tijdje rondhangen en daarna gingen ze weg.

Mijn perfecte dag

Vader zegt dat we nooit moeten onderschatten hoezeer onze gedachten ons kunnen helpen. Hij zegt dat we niet meer dan Eén Goede Gedachte nodig hebben om er weer bovenop te komen. Ik heb verschillende goede gedachten. Dit zijn er een paar:

1) dat de wereld bijna vergaat
2) dat alles eigenlijk heel klein is
3) dat ik in het Land van Melk en Honing ben en mijn perfecte dag heb

Die laatste is de beste gedachte van allemaal.

Ik hoop dat er nog dingen van deze wereld overblijven in het Land van Melk en Honing want er zijn er een paar waar ik heel erg van hou. Als ik al mijn lievelingsdingen op één dag zou kunnen hebben zou die dag perfect zijn, en die zou dan als volgt zijn.

Om te beginnen zouden vader en moeder en ik met ons drieën zijn. Ik weet dat moeder in het Land van Melk en Honing zal zijn want God heeft beloofd dat hij de doden weer tot leven zal wekken als ze gelovig zijn geweest, en moeder is dood, en ik ken niemand die zo gelovig is als zij. Ze hebben het nog steeds over haar in de gemeente, over dat ze zo'n voorbeeld was, over hoe ze gestorven is, over hoeveel vertrouwen ze had. Margaret heeft nog steeds een jurk die moeder voor haar heeft gemaakt, en Josie heeft een sjaal.

Ik heb me zo vaak proberen voor te stellen dat ik moeder tegenkwam maar ik heb alleen maar wat losse snippers. Ik weet bijvoorbeeld dat ze bruin haar en bruine ogen had net als ik. Ik weet dat ze vaak lachte want ze lacht op bijna al onze foto's. Ik weet dat ze het leuk vond om dingen te maken. Maar daarna moet ik mijn fantasie gebruiken.

Op mijn perfecte dag zou het zo'n dag zijn waarop je wakker wordt met zonneschijn, terwijl je niets hoeft te doen en ook alle tijd van de wereld hebt om niets te doen. Die dag zou net zoiets zijn als een zeepbel die langs je raam zweeft. Hij zou net zoiets zijn als dat je je hand opendoet en dat hij daar precies op landt, terwijl het licht ermee speelt zoals licht dat doet, zodat alleen het oppervlak lijkt rond te draaien en het binnenste van de zeepbel volkomen roerloos is.

De dag zou beginnen met moeder en vader en mij aan het ontbijt en onder het eten zou ik moeder vertellen over mijn leven in deze wereld en hoe ik ernaar uitgekeken had om haar te zien, en zij zou mij vertellen hoe het was om dood te zijn en hoe zij ernaar uitgekeken had om mij te zien. Daarna zou ik haar de dingen laten zien die ik heb gemaakt van de dingen die zij heeft achtergelaten en zij zou haar hoofd schudden alsof ze het niet kon geloven, ze zou me omhelzen, en dan zouden we naar buiten gaan.

Het zou zo'n dag zijn waarop alles glinstert en de wereld gemaakt is van wemelende stukjes licht. De lucht zou warm zijn en naar zomer ruiken en de heggen zouden vol fluitenkruid en vlinders zitten. Er zouden paardenbloempluizen en langpootmuggen zijn en libellen die wegschieten en dan opeens stilstaan in de lucht. Er zou een veld zijn dat omlaagloopt naar een rivier met gras lang genoeg om doorheen te waden en een paar bloemen en wat bomen, en in de verte misschien de zee. Moeder zou mijn ene hand pakken en vader de andere en het zou moeilijk te geloven zijn dat het echt gebeurde omdat ik het me al zo vaak had voorgesteld, maar ik zou het wel moeten geloven omdat het waar zou zijn.

We zouden in het veld gaan lopen. Er zouden een heleboel verschillende soorten gras zijn, en het gras zou in onze schoenen komen en in de omslagen van onze broek en in onze sokken. En er zou een ruwharige hond zijn met één oor omhoog en één oor omlaag en hij zou voor ons uit springen. Hij zou vooruitrennen en op deze allerperfectste dag zou ik kunnen fluiten om hem terug te laten komen.

Maar vader moet niet zoveel van honden hebben omdat ze ziektekiemen bij zich dragen zegt hij dus we zouden de hond bij hem vandaan houden.

Dan zou mijn moeder wijzen en er zou verderop een reuzenrad zijn en muziek. Maar vader moet niet zoveel van reuzenraden en kermissen hebben omdat ze gevaarlijk zijn en omdat ze Geldverspilling zijn, dus zouden moeder en ik alleen gaan.

We zouden in de botsautootjes gaan en in de achtbaan omlaagsuizen. En als we thuiskwamen zouden we fish-and-chips eten, en de frietjes zouden zacht en vettig zijn, en de vis zou in vochtige vlokken uit elkaar vallen, en het korstje zou kraken als je erop beet en daarna zou het druipen, en moeder en ik zouden met onze vingers eten. Maar vader moet niet zoveel van fish-and-chips hebben dus voor hem zouden er denk ik bittere kruiden zijn of zoiets.

En er zou televisie zijn. Dat lijkt misschien een vreemd ding om te hebben in het paradijs maar ik hou van televisie. Vader zegt dat televisie de hersenen verweekt maar hij hoeft er niet naar te kijken, dat zouden moeder en ik kunnen doen, als de sterren tevoorschijn kwamen, in een zigeunerwoonwagen die nu ons huis zou zijn, met dekens over ons heen getrokken en een vuur dat buiten knetterde en worstjes op spiesen en bowl van zwarte bessen. En ik heb het belangrijkste nog vergeten! Wat al eerder zou gebeuren: er zou een luchtballon zijn.

Een keer in de zomer toen vader en ik in de achtertuin waren kwam er een luchtballon over. Het leek net een wezen uit de diepzee. Ik zag de schaduw over ons heen gaan, ik hoorde het vuur opvlammen, en waar die mensen naartoe gingen daar wilde ik zo graag heen.

Ja, er zou zeker ook een luchtballon zijn en we zouden een tochtje maken. Of misschien alleen moeder en ik, want vader moet ook niet zoveel van luchtballonnen hebben. Hij zegt dat ze gevaarlijk zijn en dat je geen schijn van kans maakt als er iets gebeurt terwijl je erin zit. Hij bedoelt dat als hij in de lucht ontploft dat je dan verbrandt of te pletter valt. Maar ik denk dat het gevoel van vliegen het risico waard zou zijn.

Ik weet niet hoe vaders perfecte dag zou zijn. Ik denk dat die vol Noodzakelijke Dingen zou zitten zoals Bijbelstudie en prediken en nadenken en Elektriciteit Besparen en Stil Zijn en Zuinigheid met

Vlijt. Wat erop neer zou komen dat hij altijd zijn perfecte dag heeft.

Of misschien is zijn idee van een perfecte dag al lang geleden verdwenen en is hij vergeten hoe hij een nieuw moet bedenken.

Neil Lewis wordt boos

Op maandag keek Neil me aan en fluisterde hij een woord dat klonk als 'hut'. Mrs. Pierce keek op toen hij zich omdraaide. Ze zei: 'Neil, als je graag wilt dat Judith je helpt met rekenen mag je het aan haar vragen. Je hoeft niet te fluisteren.' Toen keek Neil alsof hij graag iemand wilde vermoorden. Hij boog zich over zijn tafeltje.

Mrs. Pierce zei: 'Héb je hulp nodig, Neil?'

Neils vuist klemde zich om zijn pen.

Mrs. Pierce zei: 'Sorry, Neil. Ik heb je niet gehoord. Was dat een "ja"?'

Neil gooide de pen neer.

'Je hoeft je niet te schamen hoor, Neil,' zei Mrs. Pierce. 'Niemand zal je uitlachen als je het moeilijk vindt. Wil je wat hulp?'

Neil ging zo plotseling rechtop zitten dat de stoelpoten over de vloer schraapten.

'Goed,' zei Mrs. Pierce. 'Dan hoef je Judith ook niet lastig te vallen, hè?' Ze trok een wenkbrauw naar me op en ging weer verder met nakijken.

Ongeveer een kwartier lang bleef alles rustig en toen vloog er iets langs mijn hoofd en kletterde op de grond.

Mrs. Pierce keek op. 'Wat was dat?'

'Een liniaal, juf,' zei Anna.

'Van wie is die?' zei Mrs. Pierce.

Lee sputterde: 'Neil is hem kwijt, juf!'

'Judith heeft hem afgepakt!' zei Gareth.

Lee zei: 'Ze kan toveren, juf.' Er werd gelachen en gegiecheld.

Mrs. Pierce wendde zich tot mij. 'Judith, heb jij Neils liniaal afgepakt?'

'Nee, juf.'

'Wat doet jouw liniaal bij Judiths tafeltje, Neil?'

'Weet ik niet, juf,' zei Neil.

'Weet je niet meer waarom je je liniaal daar hebt laten liggen?'

Neil krabde op zijn hoofd en keek om zich heen. Iedereen lachte.

Mrs. Pierce zei: 'Heus, Neil, ik begin me nu toch een beetje zorgen om je te maken. Maandag was je je tas kwijt. Dinsdag vertelde je dat je je schoenen kwijt was. Vandaag weet je niet meer waar je de liniaal hebt gelaten die je een paar seconden daarvoor nog hebt gebruikt. Als dat zo doorgaat moet je misschien eens naar de dokter toe.'

Iedereen begon weer te lachen en Neil keek boos. 'Raap je liniaal op, Neil,' zei Mrs. Pierce. Neil kwam naar mijn tafel en raapte de liniaal op. Toen hij weer overeind kwam keek hij me aan en zijn ogen waren slaperig en sloom, vol van iets wat ik niet kon benoemen.

In de middagpauze liep ik vlak langs de rand van de gebouwen om dingen te zoeken voor het Land van Melk en Honing. Ik verzamelde vijf verschillende soorten onkruid, drie wikkels, een halve plastic capsule van een Kinder Surprise-ei, twee lipjes van blikjes en een rietje. Ik liet ze aan Mrs. Pierce zien want die had pleinwacht. 'Zijn die voor de modelwereld in je kamer?' zei ze en ik knikte.

'Ik zou dolgraag de dingen willen zien die je gemaakt hebt,' zei ze. 'Kun je er eens een paar meenemen?' Ik zei dat ik dat zou doen. Daarna ging ik naar de wc's om het onkruid water te geven.

Ik stond over de wastafel gebogen toen ik een glijdend geluid hoorde en ik keek op en zag een zwart jack in de spiegel. Ik had geen tijd om nog iets anders te zien want ik werd door een paar handen naar de wc's getrokken en mijn benen schraapten over de grond. Iemand zei: 'Eens kijken of God je nu kan helpen, trut!' Mijn hoofd bonkte tegen de toiletpot, mijn neus brandde en hij liep vol water.

Toen viel ik naar achteren, en Mrs. Pierce hield Neil bij de achterkant van zijn jack vast en haar stem trilde maar ik dacht niet dat dat kwam doordat ze bang was. Ze zei tegen mij: 'Ga naar Mr. Williams, Judith, en vertel hem precies wat er gebeurd is.'

Toen ik terugkwam in de klas stonden Mrs. Pierce en Neil tegenover elkaar. Mrs. Pierce schreeuwde: *'Waarom denk jij dat je anders bent dan de rest van de wereld? Waarom denk jij dat je je dit soort gedrag kunt veroorloven?'*

Neil zei: 'Ik heb niks gedaan!'

Mrs. Pierce schreeuwde: 'Godallemachtig, jongen! Ik heb het gezién!'

Ik ging zitten.

'Ik heb nog helemaal niets goeds aan jou kunnen ontdekken, Neil Lewis,' zei Mrs. Pierce. 'Helemaal niets! En daar komt ook nog eens bij dat je een onverbeterlijke leugenaar bent! Ik weet op dit moment echt niet meer wat ik met je aan moet! Ik wil niet eens naar je kijken!'

Neil pakte zijn jas en liep naar de deur. Hij zei: 'Bekijk het maar met die teringzooi hier.'

Toen gebeurde er iets met Mrs. Pierce. Ze ging voor Neil staan en versperde hem de weg. Haar bril blikkerde en haar wangen waren twee felroze vlekken. Ik zag opeens hoe klein Mrs. Pierce eigenlijk was. Neil was bijna net zo groot als zij. Ik dacht dat hij Mrs. Pierce ging slaan want zijn vuisten waren gebald. Daarna dacht ik dat Mrs. Pierce Neil ging slaan want haar borst ging omhoog en omlaag. En terwijl ik naar ze keek leek er ook iets met mij te gebeuren want mijn hart klopte zo hard dat ik zweefde en er vloeide iets uit me alsof er een lek zat.

Een hele tijd bewoog er niemand. En toen knapte er iets, ergens. De draden die Neil vasthielden werden doorgeknipt. Mrs. Pierce stak haar kin nog wat verder omhoog. Het was moeilijk te zeggen wat er precies veranderde maar we voelden het allemaal. Mrs. Pierce zei: 'Vooruit!' en Neil ging naar zijn plaats. Hij hield zijn handen voor zijn oren en hij keek niet meer op.

En er was iets aan de manier waarop iedereen naar hem keek, de manier waarop hij zijn hoofd introk en in elkaar gedoken zat, wat me deed denken aan iets wat ik ergens anders had gezien, maar ik was op dat moment te moe om me te herinneren wat het was.

In het lokaal

Toen de bel voor de middagpauze ging zei Mrs. Pierce: 'Wil jij nog even blijven, Judith, alsjeblieft?' dus bleef ik aan mijn tafeltje zitten terwijl de klas leegstroomde en na een tijdje was het stil in het lokaal.

Mrs. Pierce deed de deur dicht. Daarna kwam ze naar mijn tafel toe en ging naast me zitten. Ze zei: 'Ik vind het heel naar wat er vandaag gebeurd is. Voor wat het waard is: ik denk dat hier heel wat gaat veranderen dus over dat soort dingen hoef je je geen zorgen meer te maken.'

Ik zei: 'Er is al een heleboel veranderd.'

Mrs. Pierce ademde in. Ze zei: 'En dat werd tijd ook.' Daarna zei ze: 'Judith, er is iets wat ik je wou vragen. Ik hoorde Neil namelijk vandaag in de wc's iets zeggen wat ik niet zo goed begreep – iets over God die je helpt? Zo klonk het tenminste. Misschien vergis ik me…'

Ik hoorde God zeggen: 'Wees voorzichtig. Wees heel voorzichtig.'

'Maakt U zich geen zorgen,' zei ik tegen hem.

'Dat kan ik me niet meer herinneren,' zei ik hardop.

Mrs. Pierce fronste haar wenkbrauwen. Ze zei: 'Ik dacht dat ik hem hoorde zeggen: "Eens kijken of God je nu kan helpen" – of woorden van gelijke strekking.' Ze glimlachte. 'Ik begin er alleen maar over omdat het me deed denken aan iets wat ik in je ik-boekje heb gelezen, over God die sneeuw maakt. Klopt dat?'

'Ga weg daar,' zei God.

'Maar Mrs. Pierce heeft het beste met me voor,' zei ik.

'Ik heb het beste met je voor,' zei God. 'En ik zeg je dat je daar weg moet.'

'Ik moet haar antwoord geven,' zei ik tegen God.

Ik zei tegen Mrs. Pierce: 'Ja, ik heb inderdaad sneeuw gemaakt in mijn modelwereld. En toen ging het inderdaad echt sneeuwen. Maar dat was gewoon toeval. Dat heeft God niet laten gebeuren.'

'O,' zei Mrs. Pierce. 'Ik dacht dat je geschreven had dat er een wonder was gebeurd.'

God zei: '*Ga onmiddellijk weg!*'

Mijn handen voelden glad.

Mrs. Pierce zei: 'Hoe wist Neil dat God jou "helpt", Judith?'

Ik sloeg mijn ogen neer. 'Neil heeft mijn ik-boekje gelezen.'

'Ah,' zei Mrs. Pierce. 'Dan heb ik het daar dus tóch gelezen.'

'Maar het is allemaal verzonnen!' zei ik. 'Het is gewoon fantasie. Ik kan goed verhalen vertellen.'

'Dat kun je zeker,' zei Mrs. Pierce. 'Nou.' Ze glimlachte en vouwde haar handen in haar schoot. 'Dat is dan opgelost.'

'Ja.'

Ik dacht dat ze klaar was maar toen zei ze: 'Judith, er is nog één ander ding. Er stond een gesprek met God in je ik-boekje. Dat was zo levensecht dat ik me afvroeg of je ooit wel eens stemmen hoort of met mensen praat – in je fantasie natuurlijk.'

'*Waarom ben je daar nog steeds?*' riep God.

'Nee,' zei ik. 'Ik bedoel ja. Soms.'

Mrs. Pierce boog haar hoofd zodat ze mijn gezicht kon zien. 'En is die persoon God?'

'*WEG DAAR!*' schreeuwde God.

Ik ging met mijn handen heen en weer over mijn knieën. 'Ja,' zei ik tegen Mrs. Pierce. 'Maar dat is ook net alsof.'

Mrs. Pierce sprak nu heel zacht. 'En hoe zit het met dingen zien, Judith? Zie je wel eens dingen die andere mensen niet zien, dingen die onzichtbaar zijn? Zie je wel eens dingen die je niet kunt verklaren?'

God schreeuwde: '*Ze verpest alles!*' en Zijn stem was zo hard dat hij me zo ongeveer platsloeg en het duurde even voor ik me weer driedimensionaal voelde.

Ik hoorde Mrs. Pierce zeggen: 'Judith, gaat het wel goed met je?'

Ze zei ook nog iets anders maar ik kon haar niet verstaan want het was net alsof ik de hele tijd rondgedraaid werd.

Ik hoorde Mrs. Pierce zeggen: 'Het is goed zo, Judith, het is goed, laten we er maar over ophouden. Ik wilde je niet in het nauw drijven. Ik was gewoon geïnteresseerd, dat is alles.'

Toen zei God: '*GA WEG.*' En Zijn stem was zo diep en zo vreemd dat ik me afvroeg of het God wel was en ik schrok er zo van dat ik begon te huilen.

Mrs. Pierce zei: 'Judith! Wat is er aan de hand?'

Ik liep naar de deur maar ik kon niet naar buiten. Ik stond daar alleen maar naar de deurkruk te staren en het was net of mijn lichaam één groot hart was. Ik zei: 'Ik heb nooit iets onzichtbaars gezien maar ik geloof wel in God. En soms praat ik met Hem,' en het was alsof die woorden de gloeiende kolen waren waarmee de engel Jesaja's lippen aanraakte, en ze uitspreken was net zoiets als van een klif af stappen. Er kwam een golf van hitte opzetten en mijn bloed schuimde. Maar toen ik ze eenmaal uitgesproken had was ik blij want Mrs. Pierce glimlachte, alsof ze de hele tijd al gehoopt had dat ik zoiets zou zeggen en wist dat het me uiteindelijk ook zou lukken.

Ze kwam naar me toe en zei zachtjes: 'Word je er ongelukkig van om met God te praten, Judith?'

Ik opende mijn mond en deed hem weer dicht. Ik keek naar mijn schoenen. 'Ik weet het niet,' zei ik.

'Oké,' zei Mrs. Pierce. 'Soms is het moeilijk om te weten wat we voelen, hè?' Ze legde haar hand op mijn schouder. 'Je bent een heel bijzonder iemand, Judith, ik wil dat je dat goed onthoudt. En ik wil ook dat je goed onthoudt dat als je ooit ergens over wilt praten – wat dan ook – dat je dan naar me toe kunt komen en met me kunt praten in het vertrouwen dat wat je zegt tussen ons blijft. En ook al begrijp ik het misschien niet, ik zal wel alles doen wat ik kan om je te helpen.'

God zei niets toen ik naar huis liep. Het was net zoiets als met iemand in een kamer zitten met wie je niet praatte maar ik kon niet uit die kamer weg omdat hij in mijn eigen hoofd zat. Op een gegeven moment kon ik er niet meer tegen. Ik zei: 'Waarom deed U zo vreemd? Mrs. Pierce heeft het beste met ons voor.'

'Ík heb het beste met je voor,' zei God.

'Ze deed alleen maar aardig,' zei ik. 'Ze wil ons helpen.'

'Als je zo doorgaat met er van alles uit te flappen dan is er geen "ons" meer,' zei God. 'Dan zoek je het zelf maar uit. Weet je wel hoe gevaarlijk het is om alles zo tegen de mensen te zeggen? Ze zullen proberen ons van elkaar te scheiden. Ze zullen tegen je zeggen dat je helemaal niet met iemand praat. Ze zullen tegen je zeggen dat je het je verbeeldt en dan sturen ze je naar een of andere dokter.'

'Dan zou ik niet luisteren als ze dat zouden zeggen,' zei ik. 'Ík weet wat echt is. Ik heb Mrs. Pierce trouwens niks verteld.'

'Je hebt haar veel te veel verteld,' zei God. 'Luister eens, jongedame: jouw macht valt of staat bij het idee dat je precies doet wat Ik zeg. Dat is de afspraak. Zonder Mij kom je niet ver.'

'Het spijt me!' zei ik. 'Ik zal proberen voorzichtiger te zijn. Maar ik begrijp het niet: U deed niet zo toen ik met vader of met oom Stan praatte.'

'Dat was anders,' zei God. 'Met hen voorzag ik geen problemen.'

'Vader geloofde me helemaal niet!'

'Precies,' zei God. 'Ik bedoel – dat is gewoon stom van hem.' Hij kuchte. 'Luister,' zei Hij. 'Als die onderwijzeres weer met je probeert te praten...'

'Maakt U Zich geen zorgen,' zei ik. 'Ik hou mijn mond.'

Toen schoot me iets te binnen. 'O, en God,' zei ik, 'gebruikt U alstublieft nooit meer die vreemde stem.'

'WAT, DEZE?' zei God, en het was alsof ik in een lichtflits werd weggevaagd.

'HOU OP!' riep ik hardop en ik hield mijn handen voor mijn oren.

'Sorry,' zei God met Zijn normale stem. 'Beter?'

Ik leunde tegen de spijlen. Een vrouw aan de overkant van de straat stond naar me te kijken. Ik had het gevoel dat ik moest huilen. 'Was U dat echt?'

'Als wie klonk het anders?' zei God.

Ik huiverde. 'De Duivel,' zei ik.

Narigheid brengt narigheid voort

Vader kwam die middag laat thuis van zijn werk. Ik wist dat dat zou gebeuren maar het leek evengoed ontzettend lang te duren. Ik schilde de groente voor het avondeten en deed die in de steelpan. Ik dekte de tafel en ik gaf mijn mosterdzaadjes water. Ook al wist ik niet waarom eigenlijk want er was nog steeds niets te zien. Daarna schreef ik in mijn dagboek en vertelde ik een verhaal in het Land van Melk en Honing over een draak die van rozen hield en die telkens als hij langs een rozenstruik kwam moest stoppen om eraan te ruiken maar dan verkoolde hij de bloemen met zijn adem. Ik kon het niet afmaken. Op een gegeven moment ging ik maar gewoon op de trap zitten wachten.

Om vijf voor zes hoorde ik de bus en rende ik naar de voordeur. Ik kon de bus door de glas-in-loodafbeelding heen zien. Hij had roosters voor de ramen en sommige lieten los. In één ervan zat een tomaat vast en er was iets over het raam gesmeerd wat eruitzag als ei. Er zaten zes mannen in de bus. Vader stapte uit en zelfs door het gekleurde glas heen kon ik zien hoe bleek hij zag onder de straatlantaarn. Hij zwaaide naar Mike en kwam toen door het hek en ik rende de keuken in; volgens mij zou hij niet gewild hebben dat ik het zag.

Vader zette de waterkoker aan. Hij zei: 'Hoe was het op school?' Hij keek niet naar me maar begon de kachel aan te steken. Toen wist ik dat ik niet naar zijn werk moest vragen. Ik zei: 'Mrs. Pierce is boos geworden op Neil Lewis omdat hij mijn hoofd in de wc probeerde te stoppen. Maar ik denk dat ik geen last meer van hem zal hebben.'

Toen keek vader wel naar me. Hij zei: 'Is alles goed met je?'

'O ja,' zei ik. 'Het stelde niks voor.'

Vader fronste zijn wenkbrauwen. Hij zei: 'Is Neil de zoon van Doug?'

Ik probeerde snel na te denken. 'Ik weet het niet,' zei ik.

'Heb je problemen met hem gehad?'

'Een beetje… maar nu niet meer.'

Opeens zei vader: 'Het is toch niet die jongen die steeds op de deur klopt, hè?'

Ik keek naar hem en toen naar de koelkast. 'Ik weet het niet,' zei ik.

Vader ging rechtop staan. 'Judith, je hebt hem toch niet op een of andere manier dwarsgezeten, hè?'

'Nee,' zei ik en mijn hart sloeg één keer, heel hard.

'Weet je het zeker?' zei vader.

'Ja.'

'Mooi zo,' zei vader; hij ging weer verder met de kachel, 'want narigheid brengt alleen maar narigheid voort.' Hij stond op en deed het deurtje van de Rayburn op een kier om de lucht binnen te laten. 'En daar hebben we al meer dan genoeg van de laatste tijd.'

We lazen de Bijbel terwijl we nog zaten te eten in plaats van eerst de tafel af te ruimen. De lezing ging erover dat God jaloers was. Dat was iets anders dan zoals wij dat woord opvatten, zei vader. Het betekende dat God wilde dat de mensen uitsluitend Hem dienden. Hij eiste Exclusieve Toewijding.

Mijn hoofd was één grote warboel. Ik wist niet of ik iets stoms zei of dat ik een gepaste vraag stelde maar ik zei: 'Waarom moet God Exclusieve Toewijding hebben?'

'Omdat Hij weet wat het beste voor ons is,' zei vader.

Ik dacht weer na maar om de een of andere reden hielp wat vader zei me nog steeds geen stap verder. 'Waarom?' zei ik.

Vader werd niet boos zoals meestal wanneer ik te vaak 'waarom' zeg. Het leek zelfs alsof hij aan iets anders zat te denken. Hij fronste zijn wenkbrauwen. Hij leek zijn adem in te houden. En opeens verdween zijn frons en knipperde hij met zijn ogen en zei: 'Wat?'

Toen moest ik zelf ook even nadenken om te weten waar we het ook alweer over hadden. 'Waarom weet God wat het beste is?' zei ik.

'Omdat Hij alles weet,' zei vader. En daarna zei hij snel: 'En omdat Hij ons gemaakt heeft,' alsof ik dat toch hoorde te weten, alsof híj dat toch hoorde te weten, alsof hij daar eerder aan had moeten denken.

Vervolgens zei hij: 'Wacht even,' en hij stond op en liep de hal in. Toen hij terugkwam zei ik: 'Wat is er?'

'Niets.'

Ik keek hem aan maar hij zei verder niets en begon weer te lezen.

Toen ik naar bed ging zat vader in zijn overall bij de Rayburn. Nadat ik een tijdje in bed had gelegen sloop ik weer naar beneden. Maar het licht in de keuken was niet aan, het licht in de middelste kamer wel, en door het sleutelgat zag ik vader aan zijn bureau zitten, bladerend door de rekeningen die hij daar bewaarde. Ik was blij dat hij niet voor zich uit zat te staren zoals hij meestal deed en ging weer naar bed.

Maar later, een behoorlijke tijd later, toen ik net bezig was in slaap te vallen, hoorde ik de voordeur opengaan en toen ik door de gordijnen keek stond hij buiten op de stoep terwijl plukjes van zijn haar het licht vingen. Hij bleef daar een hele tijd staan hoewel de straat uitgestorven was.

Vier foto's

Vader is niet de man die hij vroeger was. Dat weet ik door vier foto's. De eerste zit in het album in de kast in de middelste kamer. Op die foto staat vader tegen een bord waar JOHN O'GROATS op staat. Hij draagt een spijkerbroek en een riem waar LEVI'S op staat en een T-shirt. Hij lacht en zijn hele gezicht lijkt te stralen. Ik heb vaders gezicht nog nooit zo gezien. Deze is genomen toen moeder en vader op huwelijksreis waren en moeder heeft de foto genomen.

De tweede foto zit in een zilveren lijst en is een foto van moeder en vader terwijl ze in het gras liggen. Moeder heeft lang en krullend bruin haar en draagt een blauwe tuinbroek en de zon blinkt in haar ogen en overal om haar heen zodat haar haar wel een stralenkrans lijkt. Ze lacht zo hard dat al haar tanden te zien zijn. Vader houdt de camera op armlengte boven hen en trekt een raar gezicht.

De derde foto zit weer in het album en ze hebben de foto door iemand anders laten nemen en staan op een pier tegen een reling. Moeders buik rekt haar T-shirt uit, ze heeft haar armen om vaders middel en haar hoofd op zijn schouder en hij heeft zijn arm om haar nek en ze lachen allebei en zien eruit alsof ze in de zon zijn geweest en hun haar ziet eruit alsof het de hele dag heeft gewapperd in de wind.

Ik kijk niet vaak naar deze foto's omdat het zo'n naar gevoel geeft. Het is niet alleen omdat ik weet dat moeder er nu niet is maar ook omdat ik weet dat ze er niet is door mij.

De laatste foto is de ergste van allemaal. Hij zit in een ander album en is heel anders. Vader houdt me vast in een witte deken. Ik ben ingebakerd als een kleine larve en het enige wat je kunt zien is mijn gezicht dat verfrommeld en rood is omdat ik lig te krijsen. In het bed achter ons ligt mijn moeder. Haar gezicht is wit en haar ogen lijken heel klein en het is net alsof ze heel ergens anders is, en naar ons terugkijkt. Vaders gezicht is donker en zijn ogen gloeien. En dat is de vader die ik ken.

Het sneeuwbaleffect

Die week kwam vader elke dag om zes uur thuis met de bus. Het was vreemd om alleen in het huis te zijn. Ik had niet gedacht dat het heel anders zou zijn dan als vader er was want ik zit in mijn kamer en hij zit in de zijne maar het was toch zo. May en Elsie boden aan om bij me te komen zitten maar ik vroeg aan vader of dat niet hoefde want dan zouden het alleen maar Bijbelverhalen worden en op het laatst vond hij het goed op voorwaarde dat ik van het fornuis, de lucifers en de waterkoker af zou blijven.

Vader was grijs als hij thuiskwam. Soms kookte hij de groente niet die ik had schoongemaakt maar at hij dingen zoals worstjes en bonen. Soms stak hij niet eens de kachel aan maar ging hij bij het fornuis zitten met de oven aan totdat het bedtijd was. Maar hoe moe hij ook was hij zorgde er altijd voor dat we het Bijbelgedeelte lazen.

Ik had graag gewild dat Mike was langsgekomen. 'Waarom komt hij niet?' vroeg ik.

'Hij moet naar huis,' zei vader.

Ik vroeg liever niet hoe het op de fabriek was. En Vader zei niet veel behalve dat er rijen mensen bij de poort stonden die 'Posters' heetten en die schreeuwden en nooit weggingen. 'Het duurt niet lang meer,' zei hij. 'Ik geef ze nog een week.'

Maar de mensen van de staking leken te denken dat het einde nog niet in zicht was. Op dinsdag na school nodigde Mrs. Pew me uit voor de thee. Terwijl we aan haar klaptafeltje boterhammen met cornedbeef en kokosmakronen zaten te eten klopte er een paar mensen aan. Ik hoorde Mrs. Pew de deur opendoen en een man zeggen dat ze bij iedereen langsgingen om te waarschuwen dat ze de vakbond moesten steunen en ieder contact met mensen die 'onderkruipers' heetten moesten mijden. Hij zei tegen Mrs. Pew dat ze moest ophangen als een onderkruiper haar probeerde te bellen, dat ze niet met ze moest praten.

Mrs. Pew wachtte tot hij klaar was met praten, wat een behoorlijke tijd duurde, en zei toen: 'Wat zegt u?'

Het was even stil en toen zei de man alles nog een keer en vroeg of Mrs. Pew iets wilde doneren voor de stakers.

Mrs. Pew zei: 'De schakers?'

'*De stakers.*'

'Ja, ik dacht al dat u dat zei,' zei Mrs. Pew. 'Ik zal even wat geld pakken.'

Ze haalde wat kleingeld uit de pot op het dressoir. Ik hoorde haar de man wat geld geven en de deur dichtdoen. 'Een schaakevenement,' zei ze toen ze weer de huiskamer binnenkwam. 'Ik geef graag iets voor een goed doel. Wijlen mijn man, God hebbe zijn ziel, was gek op schaken.'

'Wat is een onderkruiper?' zei ik tegen vader toen ik thuiskwam.

'Waar heb je dat gehoord?'

'Er heeft iemand bij Mrs. Pew aangeklopt die geld wilde voor de stakers en die zei dat ze niet met onderkruipers moest praten.'

'Een onderkruiper is iemand die niet meedoet aan de staking.'

'Dan bent u ook een onderkruiper,' zei ik. 'Waarom noemen ze ze zo? Het is een rare naam.'

Later die avond kwam ik de trap af toen de brievenbus klepperde en er een waterballonnetje doorheen viel en op de grond plofte. Ik hoorde het geknars van fietsen. Ik raapte het ballonnetje op. Het was niet gekleurd zoals een ballonnetje maar doorzichtig. Het had ook een andere vorm dan een ballonnetje, langer, als een buisje en het gat was te groot om er doorheen te blazen. Vader kwam vanuit de badkamer de hal in, zonder overhemd en met een handdoek om zijn nek.

Hij zei: 'Laat vallen!'

Ik staarde hem aan.

'Laat vallen!' zei hij. 'Ga je handen wassen!'

Op woensdag gooide iemand de vuilnisbak om en verspreidde het vuilnis over de hele tuin. Op donderdag braken Neil en zijn broer een paar takken van moeders kersenboom af en bleef vader tot diep in de nacht opzitten. Op vrijdagavond toen het kloppen begon belde hij de politie. Ik hoorde hem zeggen: 'Kunt u niet gewoon een auto sturen of zo? Dit is geen grap meer. Ik mag straks voorkomen voor mishandeling als ik naar buiten ga en zelf iets doe… Nee, ik weet niet waardoor het begonnen is.'

Later toen ik in bed lag kwam er een politieauto de straat in rijden. Ik hoorde dat hij buiten stopte en dat de politieman met de jongens praatte. Daarna was het stil en toen ik keek waren ze weg.

'God,' zei ik, 'wat gebeurt er? Waarom wil Neil ons niet met rust laten?'

'Dat heeft iets te maken met het feit dat hij op school nu elke dag in de problemen komt door jou,' zei God.

'Niet door míj,' zei ik. 'Door wat hij dóét.'

'Lood om oud ijzer,' zei God.

'Het is niet eerlijk!' zei ik. 'Ik kon niet weten dat dit allemaal zou gebeuren. Hoe kon ik nou weten dat hij steeds naar het huis zou komen?'

'Niet eenvoudig, hè?' zei God.

'Nee. Ik heb één probleem opgelost en een volgend probleem gevonden.'

'Zo is het leven,' zei God. 'Dingen verdwijnen en komen ergens anders weer tevoorschijn. Je stampt ze hier naar beneden en ze komen daar weer naar boven. Net molshopen. Nu weet je hoe het voelt.'

'Wat?'

'Om Mij te zijn.'

'Ik dacht gewoon dat ik alleen dingen kon zeggen waarvan ik wilde dat ze zouden gebeuren.'

'Ja, maar kun je ook tégenhouden dat dingen gebeuren?' zei God. 'Heb je daar wel eens aan gedacht?' God lachte. 'Denken is altijd gevaarlijk, hoe je het ook wendt of keert.'

'Maar wat gaat er nu gebeuren?' zei ik. 'Met Neil en zo?'

'Ik denk niet dat je er veel mee opschiet om dat nu al te weten,' zei God. 'In ieder geval hangt het van jou af.'

Het was vreemd dat Neil naar het huis bleef komen want op school liet hij me met rust. Hij zei niet dat hij me dood zou maken en hij ging niet met zijn vinger over zijn keel en hij sloeg me niet en stopte mijn hoofd niet in de wc en trok mijn stoel niet weg. Hij deed een hele hoop dingen niet die hij anders wel deed. Mrs. Pierce had hem naar de tafel van Kevin en Stacey en Luke verhuisd dus hij zat niet meer bij Lee en Gareth maar heel vaak als ik opkeek waren zijn blauwe ogen op mij gericht, en ze waren vreemd, alsof hij mij helemaal niet zag maar iets aan de andere kant van me.

Mrs. Pierce liet hem vier keer overblijven die week. Als de middagpauze begon en hij zijn tas over zijn schouder hees, zei ze: 'Neil, waar ga jij naartoe?'

'Naar huis, juf.'

'Ik dacht dat jij en ik een afspraak hadden.'

'Mijn vader vermoordt me als ik weer te laat kom.'

En dan zei Mrs. Pierce: 'Voor mij is het ook geen lolletje, hoor, dus hoe eerder je leert je te gedragen hoe beter het is voor ons allebei. Ga maar zitten en pak je spullen.'

Neil volgde me die week niet één keer naar huis maar een paar van die andere jongens fietsten heel snel langs me en riepen scheldwoorden. Op woensdag toen ik uit school kwam zag ik een man met een kaalgeschoren hoofd en een spijkerjack bij het hek staan. Hij had zijn armen over elkaar en zijn kin stak naar voren en zijn mond was een strakke streep. Toen ik langskwam opende hij de zijkant van zijn mond en er landde een straal speeksel op het trottoir.

'Sue,' zei ik, toen Sue de Klaar-over me naar de overkant van de straat bracht, 'wie is die man met dat kale hoofd?'

'Dat is Doug Lewis,' zei ze zachtjes. 'Hij is op het oorlogspad zo te zien.'

Nu wist ik dus wat voor gezicht er bij dat 'tuig van de richel' hoorde.

Op donderdag stond Doug er weer, in elkaar gedoken tegen de wind. Dit keer stond hij te roken. En toen ik langs liep zag ik iets wat ik de eerste keer niet had gezien: op de ruggen van zijn handen kronkelden allemaal groene slangen heen en weer en over elkaar heen.

Wat er in de Co-op gebeurde

Op zaterdag gingen we in de stad prediken met de nieuwe boekjes. We stonden in de hoofdstraat tegenover de baptistenkerk en Margaret hield een bord vast waarop aan de ene kant stond: 'Kunt u de tekenen lezen?' en aan de andere kant: 'Christus is voor u gestorven'. Oom Stan had een megafoon en vader en Alf droegen borden over hun jas met daarop: 'Het einde van alle dingen is nabij'. Nel wilde ook per se een bord, dus zetten we er een tegen haar rolstoel aan ook al kon je haar niet eens boven de rand uit zien komen. De rest van ons deelde boekjes uit.

Het was erg koud. De zon schitterde in alle winkelruiten. Een marktkoopman zei: 'Ga het evangelie ergens anders verkondigen!' maar oom Stan zei dat wij net zoveel recht hadden om daar te staan als ieder ander en daarna werd het een wedstrijdje tussen de marktkoopman en ons om te zien wie er het hardst kon schreeuwen.

Twee keer riep er iemand: 'Onderkruiper!' en een paar mensen spuugden op de grond toen ze langskwamen. Oom Stan werd rood maar bleef roepen en Margaret duwde haar borst naar voren en hield het bord hoger. Gordons nek zat diep in zijn kraag, zijn ogen waren halfdicht en hij was hard aan het kauwen.

Maar twee mensen namen een boekje aan, ook al hield ik ze vast zoals vader had gezegd dat ik dat moest doen en dekte ik ze niet af met mijn hand, en ook al maakten we gebruik van vragen die tot nadenken stemden. Op de kaft van het boekje liepen blije mensen door een tuin. Binnenin zag je bliksem en hagelstenen, gebouwen die instortten en auto's die verdwenen. Mensen schudden met hun vuist naar de lucht. Sommigen hieven hun handen op om zich te beschermen. De mannen droegen hoofdbanden en tatoeages en heel veel spijkerstof. Sommigen hadden transistorradio's. De vrouwen hadden minirokken en heel veel make-up en hoge hakken. Ik begreep het niet zo goed als ik naar die afbeelding keek want de Broeders zagen er niet allemaal uit zoals die blije mensen, en niet iedereen in de

Wereld liep met een transistor rond of droeg een minirok; tante Jo bijvoorbeeld, de zus van vader, droeg een spijkerbroek en Dr. Martens-schoenen op de foto's die ze naar ons opgestuurd had, en Mrs. Pierce droeg geen make-up.

Rond het middaguur zei oom Stan: 'Een goede poging.' Hij leek niet in de gaten te hebben dat we nog evenveel dozen met boekjes hadden als daarvoor. We brachten ze weer naar zijn auto op het braakliggende terrein achter de Co-op en daarna zeiden vader en ik de groep gedag en gingen we naar het Stationscafé voor een kop thee.

We deelden samen een tompouce. Ik likte het glazuur van mijn vingers en zei: 'Denkt u echt dat Armageddon gauw komt?'

'Ja,' zei vader.

'Denkt u dat Mike gered zal worden?'

'Alleen God weet het antwoord op die vraag.'

'En Mrs. Pew?'

'Ik heb geen idee.'

'En Joe en Mrs. Browning en Sue de Klaar-over?'

'Judith, het heeft geen zin om over die dingen te speculeren. Alleen God kan zien wat er in de harten omgaat.'

'En tante Jo?' zei ik, en ik keek hem niet aan.

Vader bracht zijn hand omlaag naar de tafel. Vervolgens zei hij: 'Judith, dat heb je al eens gevraagd – hoe moet ik dat weten? Iedereen zal een eerlijke kans hebben gehad.'

'Hoe weten we dat?' zei ik.

'Doordat God beloofd heeft dat Hij iedereen zal redden die het verdient gered te worden.'

'Ik ben blij dat ik God niet ben,' zei ik en ik glimlachte naar vader om te laten zien dat ik hem niet op stang wilde jagen en vrienden wilde zijn.

'Ik ook,' zei vader.

Ik lachte. 'Ik zou niet weten wie ik moest redden en wie niet.'

Hij glimlachte maar zijn glimlach was flets en vermoeid. Je kon maar beter niet naar iemand glimlachen dan zo glimlachen, vond ik. We dronken onze thee op en gingen naar de Co-op.

Een paar minuten later waren we met ons winkelwagentje op weg naar de kassa toen er twee mannen verschenen. Ze zagen eruit alsof ze zo uit de afbeelding in het boekje waren gestapt – het zou heel grappig zijn geweest als ik het niet zo eng had gevonden. De ene had lang haar en een hoofdband, hoewel hij geen transistor bij zich had. De andere man was Doug Lewis.

De ogen van die mannen glommen als knikkers. Ze deden me denken aan de ogen van de hond van nummer 29 wanneer hij Oscar op een muurtje ziet zitten. Doug stak zijn kin naar voren. Hij leek te knikken. Hij legde zijn handen op de voorkant van het winkelwagentje en zei: 'Onderkruipers eten, zie ik.'

Vaders ogen waren zwart maar toen hij sprak was zijn stem kalm. Hij zei: 'Wacht maar op me bij de kassa's, Judith,' maar mijn voeten wilden niet bewegen.

Vader zei: 'Laat me weer verder gaan met boodschappen doen, Doug. Ik doe je geen kwaad.'

Maar Doug haalde zijn handen niet van het winkelwagentje. Zijn gezicht was rood. Hij en vader keken elkaar aan, en ze bleven elkaar aankijken net zo lang tot ik wilde gillen. Toen schoof Doug het winkelwagentje opeens met een ruk opzij. Het stuiterde maar vader liet niet los. Dougs borst ging op en neer. De man met het lange haar sloeg met zijn vuist in zijn hand. Toen zei hij tegen Doug: 'Kom op.' Dougs neusgaten waren opengesperd. Na een tijdje gaf hij een zet tegen het winkelwagentje en ging met zijn vriend mee.

We liepen naar de kassa. Mijn hart voelde aan alsof het in gloeiend lood was ondergedompeld en mijn armen en benen raakten los van me. Vader leek niet in de gaten te hebben gehad wat er zojuist gebeurd was. Hij begon dingen op de lopende band te zetten. Toen keek hij op en zei: 'Oké, mensen, de show is voorbij,' en ik zag dat hij het wel in de gaten had en dat de hele winkel naar ons stond te kijken. Tegen mij zei hij: 'Doe maar in de tas,' en ik was blij want ik kon zelf niet bedenken wat ik moest doen. Toen keek hij naar me en glimlachte, een echte glimlach, maar dit keer kon ik niet teruglachen.

De rest van de dag hadden we het niet meer over wat er gebeurd was en de rest van de dag voelde mijn hart ziek aan en hoorden mijn armen en benen niet meer bij me.

Een gebroken ruit

'Oom Stan,' zei ik op de samenkomst de volgende ochtend, 'hebt u het adres van Broeder Michaels?'

'Hè verdorie,' zei Stan. 'Sorry, schat, ik ben het vergeten. Blijf me maar helpen herinneren.'

'Oké.'

Hij zei: 'Gaat het wel goed met je?'

'Ja,' zei ik. 'Ik wil hem alleen echt heel graag een brief schrijven.'

'Luister,' zei oom Stan met een glimlach, 'ik zal het noteren.' Hij haalde een papiertje uit zijn zak, schreef er iets op, vouwde het toen op en stopte het onder zijn trouwring. 'Hoe vind je dat?'

'Geweldig,' zei ik.

Oom Stan fronste zijn wenkbrauwen. 'Weet je zeker dat het goed met je gaat, schat? Hoe is het thuis?'

'Goed,' zei ik. Ik kon hem niet vertellen wat Doug Lewis gisteren had gedaan. Dat zou vader niet willen. Het voelde trouwens aan alsof datgene wat er gebeurd was midden in mijn borst vastzat en dat het te veel pijn zou doen om het eruit te trekken.

Toen we thuiskwamen vroeg ik aan vader een vel van zijn schrijfpapier. 'Waarvoor?' zei hij.

'Om een brief te schrijven aan Broeder Michaels.'

'Wie?'

'De Broeder die die voordracht kwam houden over bergen verplaatsen.'

'Waarom wil je die in vredesnaam een brief schrijven?'

'Ik vond hem aardig.'

Vader schudde zijn hoofd en liep de middelste kamer in. Hij pakte een vel papier van zijn bureau. 'Dat is alles wat je krijgt,' zei hij. 'Dus verspil het niet.'

Ik ging naar boven. Ik vond dat ik best nu al aan die brief kon beginnen ook al had ik nog geen adres. Ik wilde heel graag met iemand praten. Ik schreef:

Beste Broeder Michaels,
Ik ben Judith McPherson, degene met wie u hebt gepraat nadat u die
voordracht over de mosterdzaadjes had gehouden. U hebt er een paar
aan mij gegeven, weet u nog? Ik hoop dat het goed met u gaat.

Ik dacht even na.

Ik schrijf u om u te bedanken dat u naar onze gemeente bent gekomen.
Uw voordracht heeft mijn leven veranderd. Toen ik thuiskwam heb
ik een wonder laten gebeuren, en daarna nog een heleboel, maar het
eerste wonder was op die avond nadat u ons over geloof had verteld.
Ik heb het laten sneeuwen door sneeuw te maken voor mijn model-
wereld. Er is een wereld in mijn kamer die van rommel is gemaakt.
Daar heb ik sneeuw voor gemaakt en toen ging het echt sneeuwen,
weet u nog?
    Daarna heb ik het nog een keer laten sneeuwen en toen heb ik
het laten ophouden met sneeuwen. Daarna heb ik de kat van onze
buurvrouw teruggehaald en daarna heb ik een jongen op school
gestraft. Maar nu klopt hij de hele tijd bij ons aan en gisteren heeft
zijn vader mijn vader in de Co-op bedreigd en hem een 'onderkruiper'
genoemd.

Ik kauwde op het uiteinde van het potlood.

De politie helpt niet. Niemand gelooft dat ik wonderen heb verricht.
Ik moet ook zeggen dat ik talloze malen de stem van God heb gehoord.

'Streep dat door,' zei God.
   'Dat wil ik niet.'
   'Het is gevaarlijk,' zei God.
   'Maar ik heb maar één vel papier.'
   'Streep door!'
   Ik streepte de zin door.

Het punt is dat ik nu niet weet of ik nog meer wonderen moet
proberen te verrichten of niet. Macht hebben is niet zo makkelijk
als het lijkt.
Het enige wat we hoefden te doen was de eerste stap zetten,
zei u, maar nu lijkt het erop dat ik niet meer terug kan naar
waar ik begonnen ben.

Toen riep vader: 'Eten!' en ik vouwde de brief op en stopte hem in mijn dagboek, stopte ze toen allebei onder de vloerplank en ging naar beneden.

Een tijdje later dachten we na over de Zondeval die zesduizend jaar geleden is gebeurd, tweeduizend jaar van ons naar Jezus, zei vader, en vierduizend jaar van Jezus naar Adam, en ik dacht na over de reden dat ik weer bittere kruiden moest eten en zei helemaal niets. Maar mijn gezicht moet boekdelen hebben gesproken want vader zei: 'Er zijn duizenden Afrikaanse kinderen die maar wat blij zouden zijn met dat eten.' Ik wilde net zeggen: 'Dan hoop ik dat we het naar ze op kunnen sturen,' toen we een luid gerinkel in de hal hoorden.

Vader zei: 'Blijf hier,' en liep de keuken uit.

Ik hoorde zo lang niets dat ik uiteindelijk opstond en de hal in liep. Het eerste wat me trof was een vlaag wind en regen. Het tweede was dat vader met zijn rug naar me toe stond en dat er stukken gebrandschilderd glas aan zijn voeten lagen, en midden tussen het glas lag een baksteen, en waar de glas-in-loodafbeelding in de voordeur had gezeten zat een groot gat. Achter het gat was het donker.

Vader schraapte zijn keel. Hij zei: 'Ga terug naar de keuken alsjeblieft.'

Ik ging bij de Rayburn zitten en trok mijn knieën op en legde mijn kin erop. Ik zei tegen God: 'Help vader alstublieft.'

Ik hoorde vader in de hal zeggen: 'Ik wil graag melden dat er een ruit is ingegooid. Ja... Mijn voordeur... Ongeveer vijf minuten geleden... Nee, niet nu.'

Ik staarde in het vuur. De kolen flakkerden en flikkerden maar in het centrum ervan, waar ze het lichtst waren, waren ze volkomen roerloos.

'Ik wil dat er nu iemand komt,' zei vader. 'Ik heb ook andere incidenten gemeld en er is niets gedaan... Nee. U moet luisteren. Ik heb een dochter van tien...'

Er zaten spelonken in het vuur. Er zaten kloven en canyons en ravijnen in. Ik stelde me voor dat ik naar het middelpunt van de aarde reisde. De hitte likte aan mijn wangen. De hitte verzegelde mijn lippen. Ik deed mijn ogen dicht en de hitte overspoelde ze.

Vader ging verder met praten en ik ging verder het vuur in. Het was net alsof je heel mooi dood of in slaap was. Mijn gezicht begon pijn te doen maar ik wendde me niet af. Zo moest een ster zich voelen, dacht ik, en wat waren sterren anders dan ovens die zichzelf opaten en vervolgens naar binnen vielen, en steeds roder en steeds koeler werden tot er niets anders over was dan een berg grijze as?

Een klik maakte duidelijk dat vader de telefoon had neergelegd. Ik schoof mijn stoel naar achteren. Toen hij de keuken in kwam zou je aan zijn stem niet hebben kunnen zeggen dat er iets gebeurd was. Hij zei dat hij die rommel ging opruimen en daarna zouden we verdergaan met onze Bijbellezing.

Hij wilde me niet laten helpen. Ik keek vanuit de keukendeuropening toe hoe hij het glas op het blik schoof. Ik zag hoe hij het inpakte zodat de vuilnismannen zich niet zouden snijden. Ik zag hoe hij de vloer veegde en daarna met zijn hand eroverheen ging om te kijken of er nog stukjes lagen die hij over het hoofd gezien had. 'Loop de komende weken maar niet op sokken rond,' zei hij.

'Oké,' zei ik. En toen keek ik op en gilde.

Er gluurde een gezicht door het gat in de voordeur, een wiebelend wit gezicht met rode lippen en zwart haar en een plastic regenkapje. Vader schrok ook. Hij zei: 'Mrs. Pew!'

'O, John. Ik heb alles gezien!' zei Mrs. Pew. Het was net alsof ze oploste. Kleine zwarte slangetjes kronkelden langs haar voorhoofd naar beneden en haar hoofd wiebelde fantastisch. 'Drie jongens op de fiets!'

'Ik weet het,' zei vader. 'Ik heb met de politie gesproken. Het is allemaal geregeld.'

'Een van die jongens had een baksteen,' zei ze. 'Wat verschrikkelijk! Waarom zouden ze dat nou doen?'

Vader zei: 'Ik weet het niet, maar maakt u zich maar geen zorgen. Gaat u maar weer naar binnen. Het is veel te nat om hier buiten te staan.'

'Redden jij en Judith het wel?' zei ze terwijl hij haar arm nam.

Toen vader terugkwam ging hij naar de garage en kwam weer binnen met stukken triplex. Hij spijkerde ze een voor een tegen de voordeur. Ik kon het niet opbrengen om te kijken, om te zien wat hij met moeders deur deed. Maar ik hoorde het hout versplinteren en knarsen, en de regen striemen en de wind beuken. En toen was het gat eindelijk dichtgetimmerd en was het weer stil in de hal.

Er arriveerde een politieman toen vader bezig was de vloer droog te vegen. Hij stond in onze hal in een notitieboekje te schrijven. Vader wachtte tot hij klaar was, zijn ogen glinsterden als twee brokjes kool onder het licht.

De politieman zei: 'En u hebt niet gezien wie het gedaan heeft?'

'Nee.'

'U hebt alleen maar die baksteen gevonden?'

'Ja.'

'Om ongeveer negentien uur?'

'Ongeveer.'

De walkietalkie aan de schouder van de politieman kwam opeens tot leven en hij zei tegen het gekraak: 'Ja, oké, zeg maar dat hij heel even moet wachten... Nee, alleen maar vandalisme.'

Vader wachtte. Het gekraak stierf weg. Hij zei: 'Wat gaan jullie met ze doen?'

De politieman zei: 'Met wie, Mr. McPherson?'

'Het tuig dat dit gedaan heeft.'

'U weet niet wie het gedaan heeft,' zei de politieman.

Vader sloot zijn ogen en deed ze weer open. Ik had het idee dat hij iets zei zonder zijn lippen te bewegen. Hij zei: 'Het zijn dezelfde jongens waar ik de afgelopen maand al een paar keer over heb geklaagd.'

'Maar u hebt ze niet gezien.'

'Dit keer niet, nee. Ik zat met mijn dochter in de keuken. We hoorden het lawaai en toen we hier kwamen waren ze weg.'

'Dat bedoel ik,' zei de politieman. Hij stopte zijn notitieboekje weg. 'Maar onze buurvrouw heeft ze wel gezien.'

De politieman zei: 'Zou ze ze kunnen identificeren?'

Er klopte een ader in vaders slaap. 'Dat weet ik niet; waarom vraagt u het niet aan haar?'

De politieman zei: 'Ik probeer u te helpen, Mr. McPherson. Als ik u was zou ik overwegen om een paar camera's te laten installeren. Met videobeelden sta je altijd sterk bij de rechter.'

'Camera's?' Vader liet een vreemd lachje horen.

De politieman zei: 'We kunnen verder niets doen vanavond. Dit wordt geregistreerd, samen met de andere aanklachten die u hebt ingediend. Als er nog iets anders gebeurt, dan weet u ons te vinden.'

Vader schudde half zijn hoofd. Hij keek alsof hij er iets uit probeerde te krijgen dat losgeraakt was. Hij zei: 'Hoezo – is dat alles?'

'Het enige wat we kunnen doen is af en toe in de buurt patrouilleren,' zei de politieman. 'Goedenavond, Mr. McPherson,' en hij ging naar buiten en trok onze nieuwe deur achter zich dicht.

Ik beet op mijn lip. Ik kon de korte haren boven op vaders hoofd zien glanzen in het licht. Zijn armen hingen langs zijn lichaam. Hij krabde aan zijn wenkbrauw en toen hingen ze weer langs zijn lichaam. Hij zei: 'Je moeder was dol op die deur.'

Ik wilde hem opeens aanraken.

'Het spijt me,' zei ik. Ik was bang; vader had het nooit over moeder.

Hij knipperde met zijn ogen alsof hij wakker werd. 'Waarom zou het jóú spijten?'

Daarna fronste hij zijn voorhoofd en stroomde alle donkerte weer terug in zijn gezicht. 'Het heeft niets met jou te maken!' Maar door de manier waarop hij het zei was het net alsof het alles met mij te maken had. Hij zette de mop weer in de emmer, deed de deur op slot, pakte de zak met glas en toen gingen we weer naar de keuken.

En ik at al mijn bittere kruiden op, tot het laatste sliertje, ook al waren ze ondertussen koud en slijmerig, zodat vader verder kon gaan met nadenken over de Zondeval die zesduizend jaar geleden was gebeurd, en niet over datgene wat er drie kwartier geleden in onze hal was gebeurd.

Een verhaal

Er waren eens een man en een vrouw. Toen ze elkaar tegenkwamen sprongen de vonken eraf, meteoren botsten op elkaar, asteroïden maakten radslagen en atomen spleten. Hij hield oneindig veel van haar, zij hield onmetelijk veel van hem. Ze waren twee handen op één buik, kruis en munt, recht en averecht. Zij had iets waardoor hij naar haar toe liep. Hij had iets waardoor zij hem gedag zei. Ze trouwden met elkaar in het stadje waar ze waren opgegroeid en hun familie was zo blij. Toen klopte er iemand bij hen op de deur en vertelde dat de wereld verging. De man wist aanvankelijk niet wat hij ervan moest denken, maar de vrouw zag meteen het licht.

Geloven betekende dingen opgeven; hun familie wilde hen niet meer kennen en ze verhuisden naar een andere stad waar de behoefte aan predikers groot was. Ze kochten een klein bakstenen huis. De man ging in een fabriek werken. De vrouw maakte jurken. De buren moesten niets van hen hebben. Dat vonden ze niet erg. Ze hadden elkaar.

Ze vulden het huis met dingen die niemand wilde hebben: een deur met een afbeelding van een boom, een klok zonder slinger, een chaise longue zonder veren, een oud langharig tapijt, een versleten wandkleed met klimplanten en slangen, een schilderij van engelen en kapotte tegels met paradijsvogels.

De vrouw haalde de verf van de deur en maakte het glas schoon zodat de boom te zien was en het licht glinsterde in zijn vruchten. Ze herstelde het wandkleed. Ze maakte van de kapotte tegels een omlijsting voor de kachel. De vrouw maakte gordijnen en hoezen van restjes stof. De man haalde het beton uit de grond rond het huis en plantte kerstrozen en een goudpalm en een kersenboom.

Soms zie ik ze zitten, zij tegenover hem in de fauteuil 's avonds, haar lange haar op haar schouder, en ze borduurt lupines en stokrozen, vouwt de zijde over de naald en trekt die er precies in het midden doorheen. Daarna bedenk ik dat ze naast elkaar zitten en dat zij bezig is met verstelwerk. En dan denk ik, nee, ze zit aan zijn voeten terwijl hij hardop voorleest uit de Bijbel. De vrouw is zwanger. De man is jong. Van tijd tot tijd glimlachen ze naar elkaar.

Daarna hou ik op met fantaseren omdat ik niet wil zien wat er dan komt. Maar vaak, omdat ik het niet wil, zie ik juist dat.

Tuig van de richel

Op maandagmiddag was Mrs. Pierce aan het voorlezen uit *Charlotte's Web* toen de deur van het lokaal werd opengegooid en Doug Lewis verscheen. Er kwam een geur van rot fruit met hem mee naar binnen, zoiets als de geur van vaders oude wijnflessen die hij bewaart voor de glasbak. Mrs. Pierce keek over haar bril. Ze zei: 'Kan ik u helpen?'

Doug zei: 'Meer dan dat zelfs. Ik wil mijn zoon! Je hebt hem vorige week godverdomme elke dag hier gehouden!'

Alle kinderen deinsden naar achteren alsof ze koud water over zich heen hadden gekregen.

Mrs. Pierce zei: 'Wilt u even mee naar buiten komen?'

Doug zei: 'Nee dat wil ik niet!' Zijn stem was hard en klonk onduidelijk alsof zijn tong of zijn lippen niet goed werkten.

Mrs. Pierce zei: 'Ik weet niet hoe u in deze toestand de school bent binnengekomen, Mr. Lewis, maar er is ongetwijfeld iemand onderweg om u weer naar buiten te begeleiden.' Ze liep naar de deur en probeerde hem bij de elleboog te pakken maar hij schudde haar van zich af.

Ik keek naar Neil. Er leek iets vreemds met hem te zijn gebeurd. De Neil die ik kende was verdwenen en er was een jongen voor in de plaats gekomen die kleiner leek, met een gezicht dat wit en gesloten was, alsof het uitgewist was. Het was net als zo'n octopus die van kleur verandert terwijl je ernaar kijkt zodat je nooit zeker weet waar hij is.

'Jij loopt mijn zoon te treiteren!' schreeuwde Doug.

Mrs. Pierce zei: 'Twee dingen, Mr. Lewis. Ten eerste is uw zoon degene die hier op school andere kinderen loopt te treiteren, God mag weten hoelang al. En ten tweede hou ik er niet van om bedreigd te worden. Daar heb ik nooit van gehouden en ik ben niet van plan om daar nu opeens verandering in te brengen. Dus als u het niet erg vindt – u verstoort de les; die is over een kwartier pas afgelopen. Als u uw zoon mee wilt nemen, ga uw gang. U zou me er een groot plezier mee doen. Hij is toch alleen maar tot last.'

Doug Lewis boog zich dicht naar Mrs. Pierce toe. Hij zei: 'Takke-wijf! Met je kapsones. Ik stuur de inspectie op je af. Jij komt nergens meer aan de bak!' Mrs. Pierce wendde haar gezicht af. Doug leek iets te overwegen – we konden hem horen hijgen – maar besloot toen dat het niet de moeite waard was en dook op Neil af. De stoel viel om. Doug duwde hem naar de deur en Neil struikelde half; hij trok zijn trui recht. Zijn gezicht was nog steeds heel wit.

Doug Lewis keek dreigend om zich heen alsof hij iemand zocht en draaide zich toen weer om naar Mrs. Pierce, maar ze keek hem niet aan. Doug duwde Neil de gang op en liep achter hem aan naar buiten. Hij gooide de deur zo hard dicht dat de ramen rammelden.

Mrs. Pierce liet haar schouders een beetje hangen. Even later zei ze: 'Ga maar rustig verder met jullie werk, groep acht. Ik ben zo weer terug.' Toen ging ook zij naar buiten en bleven wij in stilte achter.

Ik moest de rest van de dag aan Doug Lewis denken en aan hoe Neil voor mijn ogen was veranderd. Ik bedacht hoe vreemd het had gevoeld in de klas toen ze weg waren, alsof er met ons allemaal iets beschamends was gebeurd, alsof we onszelf zonder kleren hadden gezien en elkaar niet meer durfden aan te kijken. Het vreemdst van alles was dat ik gewild had dat dit zou gebeuren maar nu het gebeurd was voelde ik me niet zoals ik had verwacht. Ik voelde me zelfs precies het tegen-overgestelde.

Erboven uitstijgen

Die avond toen we klaar waren met eten zei vader: 'Ik wil even met je praten, Judith.'

'O,' zei ik. Ik moest opeens nodig naar de wc.

Vader vouwde zijn handen op tafel en keek me streng aan. 'Ik neem aan dat je je zorgen maakt over wat er hier bij het huis is gebeurd. Nou, dat hoeft niet. Soms worden Gods dienaren aangevallen zonder dat ze er zelf schuld aan hebben. We moeten niet denken dat God ons niet langer helpt. Het is om ons geloof op de proef te stellen, snap je?' Ik knikte.

'Het is nooit erg prettig om op de proef gesteld te worden maar het hoort bij het christen zijn. Hoe meer je op de proef gesteld wordt, hoe meer het de moeite waard is.' Hij fronste zijn wenkbrauwen. 'Waar het om gaat is dat het geloof ons helpt om boven die dingen uit te stijgen. Dan lijken ze niet zo groot meer; dan zien we wat ze werkelijk voorstellen. Alleen dan kunnen we ze zien zoals ze werkelijk zijn: stapstenen die ons dichter bij God brengen. Het helpt natuurlijk ook om te weten wat de echte reden is achter wat er de laatste tijd gebeurd is.'

Mijn maag voelde aan alsof ik over een steile brug was gereden. Ik zei: 'De echte reden...'

Vader zei: 'De echte reden voor dingen is niet altijd duidelijk; die jongens handelen niet zelfstandig ook al denken ze van wel; de onrust in de stad wordt niet echt door de fabriek veroorzaakt; het zijn allemaal pionnen van grotere krachten. Er zit iemand achter dit alles.'

'O...?' zei ik. De kamer was doodstil geworden.

'Die dingen zijn tekenen van het einde,' zei vader. 'En we weten wie er rondzwerft als een leeuw op zoek naar iemand om te verslinden.'

'O,' zei ik, en de kamer kwam weer tot leven. 'U bedoelt de Duivel.'

'Hij is onze echte vijand,' zei vader. 'Hij is de echte vijand van iedere christen.'

'Maar denkt u dan niet dat die jongens slecht zijn?'

'Bestaan er slechte mensen of zijn er alleen maar slechte daden?'

Ik dacht na. 'Slechte mensen,' zei ik.

'Dat is niet wat Jezus zei,' zei vader en ik kon zien dat hij blij was dat hij me kon corrigeren. 'Jezus zei dat het kwaad dat uit mensen voortkwam hen onrein maakte.'

En toen zag ik wat vader bedoelde, want ik had me vroeger niet voor kunnen stellen dat ik medelijden zou hebben met Neil, maar sinds ik erachter was gekomen wat Doug voor iemand was wist ik niet meer zo goed wat ik van Neil vond. Nu was ik boos op Doug. Maar stel dat Doug ook een slechte vader had gehad? Zou ik dan ook medelijden hebben met hem? En hoe zat het met Dougs vader? En met zijn moeder? Er verscheen opeens een lange reeks personen, als uitgeknipte figuurtjes. Ik zei: 'Wie heeft er dan de schuld?'

'Waarvan?'

'Van alles.'

'De Duivel.'

'En stel dat die ook uitgeknipt is?' Ik zei gauw: 'Ik bedoel – stel dat die ook zo gemaakt is door iets?'

'Nee,' zei vader. 'De Duivel heeft dezelfde kans gehad om goed te zijn als alle andere engelen.'

'Dus we moeten boos zijn op de Duivel?'

Vader zei: 'We hoeven op niemand boos te zijn. Jezus was ook niet boos. Hij zei: "Vergeef hun; zij weten niet wat zij doen."'

'Maar God heeft gezegd: "Oog om oog",' zei ik. '"Leven om leven."' Ik ging meer rechtop zitten. 'Dat is de Fundamentele Wet.'

Vader zei: 'Wat zou je willen dat er voor jou zou gelden?'

Ik zei niets.

Later die avond nadat vader naar bed was gegaan werd ik wakker en hoorde ik stemmen onder mijn raam. Neil Lewis en Gareth en Lee en de andere jongens zaten onder de straatlantaarn op hun fiets en leunden tegen de spijlen. Neil zat bij een andere jongen achterop. Ze dronken uit blikjes en knepen die fijn en zetten ze op de takken van moeders kersenboom. Hun gelach klonk als het gebalk van ezels en het geknor van varkens. Twee jongens kwamen bij ons tuinhek staan en maakten hun broek open. Ik zag twee heldere waterbogen glinsteren in het licht en er trok een koude golf door mijn lichaam. Ik ging op het bed zitten. Ik zei: 'We moeten erboven uitstijgen.'

Ik zei: 'Zij weten niet wat zij doen.'

Ik zei: 'Ik vergeef jullie.'

Het hielp niet.

Kleine heks

Op zaterdag gingen we prediken in Hilltop. Hilltop is de wijk met gemeentewoningen boven in het stadje. Er staan daar geen bomen. De wind fluit tussen de schuttingen en de grindstenen huizen en voorbij de huizen is er niets anders dan berg.

Er woonden vreemde mensen in Hilltop. Je had Gekke Jane die kinderen knuffelde en huilde, Jungle June die vreemde mannen in haar huis uitnodigde, Phil de Linkmiegel die een regenjas droeg met een ceintuur om zijn middel en een hond met drie poten had en Caerion die dacht dat de overheid hem bespioneerde en die de oranjebruine gordijnen van zijn huis dichthield en zich vermomde als hij boodschappen ging doen. We hadden met allemaal wel eens een keer gesproken. Vader was met Caerion zelfs een Bijbelstudie begonnen maar dat was moeilijk geweest omdat hij steeds opstond om door de gordijnen te kijken.

Er woonde ook nog iemand anders in Hilltop. Neil Lewis. We waren nog nooit bij de familie Lewis aan de deur geweest dus ik wist niet in welk huis hij woonde maar het kon haast niet anders of het was een van de huizen aan Moorland Road, helemaal bovenaan. Ik had hem daar zien fietsen. Ik wist niet wat er zou gebeuren als we vandaag bij Neil aan de deur kwamen. Nu hij steeds bij ons aanklopte. Nu er een staking was en Doug niet aan het werk was. Nu Doug boos was om wat er met Neil gebeurde op school. Ik wist niet wat er zou gebeuren en ik wilde het ook niet weten.

We troffen elkaar bij Stan thuis. We zaten op zijn rode bank en de kamer rook naar aftershave want Gordon was er en naar hond want de hond was er ook en naar toast want Stans huis rook altijd naar toast, en we lazen de tekst van de dag. Stan zei het gebed, Margaret zei dat we allemaal terug moesten komen voor pannenkoeken als we klaar waren, en toen gingen we naar buiten.

Stan werkte alleen, vader en ik werkten samen, Gordon werkte met Alf, Brian werkte met Josie, en Elsie en May werkten ook samen.

Josie stootte me aan. 'Je hebt je poncho niet aan.'

'Die is te mooi om mee te gaan prediken,' zei ik.

Ze leek hierover na te denken. 'Waarschijnlijk wel, ja.'

Het was zo koud dat ik begon te wensen dat ik hem wel had aangetrokken. Er lag rijp op de grond en er zaten kleine hagelkorreltjes in de wind. De blikken die we kregen toegeworpen waren niet veel warmer. Er hingen spandoeken uit de ramen. Daar stond op: STEUN ONZE STAKING en FATSOENLIJK WERK VOOR EEN FATSOENLIJK LOON. Maar ik dacht alleen maar aan Neil.

Er was een klein beetje hoop: die hoop was dat als genoeg mensen ons binnenvroegen we misschien helemaal nooit bij Moorland Road aan zouden komen. Dat zou nog echt kunnen ook want om de een of andere reden zat Hilltop, anders dan andere wijken, vol met mensen die helemaal geen ontwijkingstactieken gebruikten maar ons juist uitnodigden om binnen te komen. Het was soms zelfs een probleem om weer weg te komen.

We maakten een goede start met de eerste persoon bij wie we aanbelden. Dat was een dikke man in een hemd dat meer geel dan wit was met vettig haar dat van voren omhoogstond. Er hingen foto's van een man in een wit pak met naar binnen gedraaide knieën aan de muur in de huiskamer en schilderijen van Hawaïaanse meisjes met een huid in vreemde tinten oranje en groen. De man wees naar de foto van de man in het witte pak en zei: 'De King leeft!' Vader zei tegen hem dat een andere koning ook leefde en liet hem de passage uit Openbaring zien over Jezus op een wit paard. Hij gaf de man een tijdschrift en zei: 'Hier wordt het duidelijker in uitgelegd.'

De man nam het tijdschrift aan maar keek er niet naar. Hij grijnsde flauwtjes naar me en maakte happende bewegingen met zijn hand naar mijn gezicht, als een krokodil. Hij zei dat hij een dochter had die ongeveer net zo oud was als ik maar dat hij haar nooit zag. Vader zei: 'Wist u dat er een tijd komt waarin gezinnen niet meer verdeeld zullen zijn?'

Toen begon de man te huilen. Hij zei dat zijn vrouw hem niet bij zijn dochter in de buurt liet komen. Vader ging naar een andere passage maar de man keek er niet naar, hij veegde zijn ogen af met de rug van zijn hand. Hij zei dat hij niet degene was die aan de drank was. Dat was zij, dat kreng, hoewel ze tegen de rechter had gezegd dat het precies andersom was. Zij was het, die hoer, zij had het aangelegd met die kerel verderop in de straat. Hij had er vaak genoeg over gedacht om zijn bijl te pakken en ze allebei hartstikke dood te slaan. En nu had ze zijn engeltje afgepakt. Ze vroeg erom, zei hij, ze vroeg erom en vandaag of morgen – maar ik kwam er niet achter waar ze om vroeg want dat was ongeveer het moment waarop vader zei dat het tijd was om te gaan.

Daarna hadden we een heleboel huizen waar mensen meteen de deur dichtdeden en toen zelfs nog meer waar niemand thuis was en vader zei dat we daar later terug zouden komen en ik begon te denken dat we misschien toch voor twaalf uur aan Moorland Road toe zouden komen. Op een gegeven moment kwamen we bij een huis waar een meisje opendeed. Ze droeg een pyjama en was op blote voeten. Het huis was warm en ik kon mensen horen praten en een deur dicht horen slaan. Het was mijn beurt dus ik zei: 'Hallo. Wij praten over het goede nieuws van het koninkrijk. Wist je dat binnenkort de hele aarde een paradijs zal zijn?'

Het meisje keek me aan, ze keek naar vader, en toen keek ze naar de bijbel.

Ik zei: 'Zou je wel in een wereld willen leven waar geen nare dingen meer bestaan?'

Het meisje ging met haar voeten heen en weer in het tapijt. Het tapijt was roze en donzig. Haar voeten leken daar lekker warm. Ik zei: 'Dat wil je vast wel. Mag ik een stukje uit dit boek aan je voorlezen?'

Het meisje stopte een vinger in haar linker neusgat en draaide hem rond.

Ik zei: 'In dit vers wordt gesproken over de toekomst,' en ik las de passage uit Jesaja over hoe de leeuw zal neerliggen met het lam.

Het meisje haalde haar vinger uit haar neus en stopte hem in haar mond.

Ik zei: 'Dit is de belofte van God, dat de hele aarde zal worden veranderd in een paradijs. Er zijn tekenen overal om ons heen die ons vertellen dat het heel gauw zal gebeuren. Zou je daar meer over willen weten?'

Het meisje haalde haar vinger uit haar mond en stopte hem in haar andere neusgat.

Ik begon het warm te krijgen. Als ze niet gauw iets zei zouden we moeten gaan. Ik wilde haar hoofd beetpakken en haar dwingen om de woorden te lezen. Ik wilde haar dwingen om iets te zeggen zodat ik iets terug kon zeggen.

Toen verscheen er een vrouw. Ze had drie gouden ringen in elk oor, een ketting met een soort gouden kikkervisje eraan en gouden ringen aan al haar vingers. Ze had een sigaret in haar hand. Ze deed de deur verder open en zei: 'Wat willen jullie?'

Ik deed mijn mond open maar vader zei: 'Goedemorgen. Mijn dochter was uw dochtertje net aan het vertellen over hoop voor de toekomst. We hebben uw buren een belangrijke vraag gesteld: gelooft u dat God zal ingrijpen en iets aan de wereld zal doen?'

De vrouw zei tegen het meisje: 'Ga naar binnen.' Tegen vader zei ze: 'We zijn niet geïnteresseerd, schat.'

Vader zei: 'Wist u dat God plannen heeft voor deze aarde? Wilt u meer weten over een betere toekomst voor uzelf en uw gezin?'

De vrouw zwaaide en riep naar iemand aan de overkant van de straat: 'Oké, Sian! Ja! Vergeet de bingo niet vanavond!'

Vader zei: 'Vraagt u zich af waar het met de wereld naartoe gaat?'

De vrouw zoog aan de sigaret en haar ogen gingen halfdicht en haar boezem zwol op. 'Niet echt,' zei ze, en ze blies rook in vaders gezicht.

'God heeft gezegd dat Hij zou ingrijpen en een einde zou maken aan de verdorvenheid die we zien,' zei vader. 'Mag ik u dat laten zien?'

'Je verdoet je tijd,' ze de vrouw.

'Oké, nou, dank u wel, we zien u wel weer,' zei vader, en we liepen terug over het tuinpad.

Een paar huizen verder kwamen we bij Moorland Road.

Ik begon me misselijk te voelen zodra we de straat in liepen. De wind die van de berg af kwam sloeg als een muur tegen ons aan en er zaten kleine stukjes hagel in. Ik zag een uitgebrande auto in de straat en een hoop jongens op fietsen en er dreunde ergens muziek. Ik keek naar de jongens op de fiets maar Neil zag ik niet.

Ik zei: 'Denkt u dat er nu iemand thuis is bij die huizen waar we geweest zijn?'

'Daar komen we net vandaan.'

'Nou,' zei ik, 'dan kunnen ze nu toch thuis zijn? Er zijn er trouwens een paar die we helemaal gemist hebben, wist u dat? Waar dat doodlopende zijstraatje was. Die moeten we eigenlijk doen voor we ze vergeten.'

Vader zei: 'Volgens mij hebben we geen huizen gemist.'

'Jawel,' zei ik. 'En als we niet teruggaan vergeten we ze misschien en Armageddon kan morgen al komen en dan hebben ze nooit de boodschap gehad.'

Vader fronste zijn wenkbrauwen. 'Judith, waarom wil je niet in deze straat werken?'

'Dat wil ik wel!' zei ik.

'Kom op dan.'

Bij het eerste huis waar we kwamen hing het hek scheef. We klopten aan maar dat was niet nodig; een bulterriër die in de voortuin naast een matras aan de ketting lag begon te grommen en aan de ketting te rukken. Er kwam een salvo van fietsen voorbij en jongens riepen: 'Bijbelfreaks!'

Vader klopte nog een keer. Ik ging nog wat verder bij de terriër vandaan staan die eruitzag alsof hij zichzelf zou kelen.

'Vader,' zei ik.

'Ja.'

'Moeten we in deze straat werken?'

Vader zei: 'Judith, deze mensen verdienen het ook om de boodschap te horen, net als ieder ander.'

We liepen het pad af en gingen naar de volgende. Het raam aan de voorkant van het huis was beplakt met bruin tape en de brievenbus had geen klep. Ik hoorde boven een deur dichtslaan en iemand riep: 'Zeg maar dat ze op moeten rotten!' Dit keer deed een oude man met ogen als een wild dier de deur open. Vader zei: 'Goedemorgen, meneer. We hebben uw buren een heel belangrijke vraag gesteld: gelooft u dat God zal ingrijpen en iets aan de situatie in de wereld zal doen?'

De ogen van de oude man schoten van mij naar vader. Hij slikte en zijn lippen rolden over elkaar alsof hij kauwde.

Vader zei: 'Ik neem aan dat er heel wat veranderd is sinds u een kind was. Ik neem aan dat u toen de deur uit kon gaan zonder hem op slot te hoeven doen. Dat is nu wel anders, hè? Het is niet verbazend dat er maar zo weinig mensen in God geloven. Maar kijkt u eens wat de Bijbel zegt dat er zal gebeuren.'

De kaken van de oude man gingen op en neer maar er kwamen geen woorden uit. Hij wierp een snelle blik het huis in en keek toen weer naar ons.

Vader las een passage voor en gaf de man een boekje. De vingers van de man waren geel en het papier schudde in zijn hand. Vader zei: 'Kijkt u daar eens naar. Zo heeft God beloofd dat Hij de aarde zou maken. Zou u in zo'n wereld willen leven?'

Een vrouw schreeuwde: '*Zeg dat ze op moeten rotten!*' De adamsappel van de oude man jojode in zijn keel. Hij stapte naar achteren en deed ondertussen de deur dicht.

Vader zei: 'Misschien is dit niet zo'n goed moment. Als we weer langskomen zou ik het met u over deze hoop voor de toekomst willen hebben. Hebt u een bijbel? Als u die hebt kijkt u dan eens naar die passages.'

We liepen de tuin uit en vader schreef de bijzonderheden op. Hij zei: 'Ik denk dat we wel eens een schaap gevonden kunnen hebben.'

Het was nu tien over halftwaalf. Misschien zouden we het net redden, dacht ik. Er was niet veel voor nodig; twee of drie bezoekjes waar we even bleven praten.

Bij het volgende huis kwam er een man in onderhemd en een broek opgehouden met touw aan de deur. Het hemd eindigde een stukje boven zijn buik en zijn broek eindigde er een stukje onder. Daartussen had zijn vlees de kleur van het vet dat vader 's zondags overhoudt van het lamsvlees en er zaten een heleboel bleke haren op. Vader zei: 'Hallo, Clive, hoe gaat het met je? Ik neem aan dat je weet dat ik een christen ben. Mijn dochter en ik hebben met je buren gesproken over een hoop voor de toekomst.'

De man keek vader helemaal niet aan. Hij bromde en keek de straat af. Zijn kin stak naar voren.

Vader zei: 'Ik weet niet hoe jij erover denkt, maar volgens mij is de wereld er behoorlijk slecht aan toe.'

Clive keek naar de ene kant de straat af en keek toen naar de andere kant de straat af. Het was net alsof hij zijn adem inhield want er ontsnapte af en toe een klein beetje lucht. Hij hield zijn arm tegen de deurpost boven mijn hoofd en zijn vlees trilde. De bleke haren in zijn oksel vormden twee kleine bosjes die allebei een andere kant op wezen.

Vader zei: 'Maar de Bijbel belooft ons dat we in een tijd leven waarin God deze wereld zal verwoesten. Zou jij in een wereld willen leven waar je zeker bent van je baan en waar armoede tot het verleden behoort?'

Clive knikte naar iemand die aan de overkant van de straat liep. Hij liet nog een beetje lucht ontsnappen. Maar hij keek vader nog steeds niet aan.

Vader zei: 'Mag ik een boekje bij je achterlaten waarin wat meer over die dingen verteld wordt?'

Clive deed een minuut lang helemaal niets. Toen schudde hij zijn hoofd, heel langzaam, van de ene kant naar de andere kant.

Vader zei: 'Nou ja, dat geeft niet. Misschien kunnen we een andere keer nog eens praten.'

Clive bromde, haalde zijn arm van de deurpost en deed de deur dicht.

'Satan heeft hun geest verduisterd,' zei vader toen we wegliepen.

We kwamen bij het einde van de ene kant van de straat en begonnen aan de andere kant. Het was tien voor twaalf. Ik had echt het gevoel dat we het misschien zouden redden. We hadden nog maar één gesprek nodig.

We kwamen bij een huis met een automotor en een kinderwagen in de tuin. De voordeur was aan de onderkant dichtgetimmerd en aan de bovenkant zat er tape over het glas. Toen vader aanklopte kwam er een meisje met een baby aan de deur. Ze leek een jaar of vijftien. Ze leek ook half te slapen. Er groeiden zwarte haren op haar armen en zwarte haren boven haar lip en zwarte haren tussen haar wenkbrauwen. Ik kon haar tepels door haar T-shirt heen zien. Ze had blote voeten. De baby jengelde en kauwde op zijn vuistje en had geen luier aan.

Vader zei: 'Goedemorgen. We hebben je buren een heel belangrijke vraag gesteld: geloven jullie dat God iets aan de wereld zal doen?'

De oogleden van het meisje leken te zwaar om op te tillen. Ze zei: 'Wat?'

Vader herhaalde de vraag.

Ze zwaaide een beetje heen en weer. 'Zijn jullie mormonen?'

'Nee,' zei vader. 'We hebben met je buren gesproken over hoop uit de Bijbel.' Hij gaf het meisje een boekje.

Ze kneep haar ogen samen. 'Willen jullie geld?'

'Nee,' zei vader met een glimlach. 'Die mag je hebben om te lezen als je wilt. Maar eigenlijk wil ik je graag vertellen over de hoop voor de toekomst die...'

Het meisje deed de deur verder open. 'Ik kan hier niet blijven staan met hem, het is te koud.'

Vader zei: 'O. Nou. Dat is aardig van je,' en we liepen achter haar aan naar binnen. Het huis rook naar frituur en woestijnrattenkooien en vocht en nog iets anders, een weeë geur waar mijn maag van samentrok en die me aan iemand deed denken. Het meisje ging ons voor naar een kamer achter in het huis.

Ik had nog nooit zo'n kamer gezien. De vloer en de onderste helft van de muren waren bedekt met linoleum. Er was geen meubilair behalve keukenkastjes zonder deuren en een plastic tafel met beschimmelde bankjes die aan de grond bevestigd waren. Er stond een wasmachine te draaien en tussen de wasmachine en de tafel was een bezem geklemd.

We gingen aan de tafel zitten. Ik legde mijn hand erop en hij was glibberig en plakkerig. Ik haalde mijn hand er weer af en legde hem op mijn schoot en hoopte dat het meisje het niet gezien had. Ze deed haar T-shirt omhoog en begon de baby borstvoeding te geven. Rond de tepel van het meisje zaten kleine zwarte haartjes. Ik had het warm en keek naar haar voeten. Tussen de tenen van het meisje zaten rode plekjes. Ze zagen eruit alsof ze gebloed hadden.

Vader las een deel van Matteüs hoofdstuk 24 over de tekenen van het einde. Hij zei: 'Het is niet zo moeilijk om te zien dat Jezus het over onze tijd heeft, hè?' Hij wees naar de verzen maar het meisje leek moeite te hebben om het scherp te zien. Vader zei: 'Heb je een bijbel? Als je die hebt, zoek de citaten in dit tijdschrift dan maar eens op. Ik denk dat je die heel interessant zult vinden.'

Toen hoorden we het geluid van een bestelbus die voor het huis stopte en een portier dat dichtsloeg. Er kwam een hoop koude lucht binnen uit de hal toen de voordeur met een klap dichtviel. Vader stond op en glimlachte. Hij zei: 'Misschien kunnen we het de volgende keer hebben over vragen die je misschien hebt.'

We liepen naar de keukendeur en vader stak zijn hand uit om hem open te doen maar net toen hij dat deed ging hij naar binnen toe open en stond daar opeens Doug Lewis.

Doug keek naar vader. Hij keek naar mij. Hij keek naar het meisje en ze ging gauw de kamer uit. Ik hoorde dat de baby begon te huilen terwijl Dougs blik teruggleed naar vader.

Vader zei: 'Hallo, Doug. Ik wist niet dat jij hier woonde. We hadden het net met je dochter over…'

Doug leek net zo verrast te zijn als wij. Toen zei hij met een stem die meer op gegrom leek: 'Dat is mijn dochter niet.'

Vader pakte mijn hand. 'Nou ja, het spijt me als we je tot last zijn geweest. We wisten niet dat je hier woonde. We gaan maar weer eens.'

We liepen de keuken uit en mijn hart klopte zo langzaam dat het moeilijk was om adem te halen. We liepen de hal door en het was net alsof we onder water waren.

Toen schreeuwde Doug: 'Dat is je geraden ook!' Hij leek opeens wakker te zijn geworden. '*Donder op! Mijn huis uit!* En nooit meer terug-komen! Waag het niet om ooit nog door dat hek te komen! *Waag het niet om hier godverdomme ooit nog over de stoep te lopen!*' Hij bleef schreeu-wen terwijl wij door de voordeur naar buiten gingen en het pad af liepen. Het was moeilijk om tegelijkertijd te denken en te lopen ook al wilde ik niets liever dan dat, want mijn hoofd voelde aan alsof het door elkaar werd gerammeld en ik was bang dat ik misschien zou flauwvallen.

'*We willen niks met die satanische hocus pocus van jou te maken hebben, McPherson! Komt hier een beetje ouwehoeren over goeie wil maar ondertussen onderkruipen en ons godverdomme de klappen laten krijgen!*' Er stonden nu overal mensen te kijken, voor de ramen en aan de overkant van de straat en bij de buren in de tuin. '*O, en McPherson! Hou die kleine heks bij mijn zoon vandaan! Ze brengt hem de hele tijd in de problemen! Zeg maar dat ze iemand anders uitpikt, hoor je me?* BLIJF BIJ MIJN ZOON VANDAAN!'

We bleven doorlopen maar ik zat in een droom, ik was door ijs gezakt en ik zonk. De lichtvlek boven mijn hoofd werd steeds vager. Als ik maar blijf lopen, dacht ik. Als mijn benen maar blijven bewegen. En toen voelden mijn benen opeens aan als eindjes touw want ik zag Neil verderop staan, met zijn fiets tussen zijn benen, samen met Gareth en nog een paar jongens. Hij moest tegelijk met Doug in de bestelbus zijn thuisgekomen.

Doug stond nog steeds te schreeuwen toen de jongens begonnen te fietsen. Ze kwamen steeds dichterbij. Ze stonden op de trappers en helden naar links en naar rechts. Toen ze ons voorbijreden spatte er een regen van steentjes op van de wielen en de wielen maakten een scheurend geluid. De jongens reden rondjes en de steentjes vlogen sneller omhoog.

Vader bleef lopen. Hij stopte niet en hij draaide zich niet om en hij liet mijn hand niet los. Hij liep over het midden van de straat. Ik snap-te niet hoe de fietsen ons steeds konden missen maar dat gebeurde wel. Het was net alsof we door de Rode Zee liepen en er gingen elektrische stroompjes tussen vader en mij heen en weer en ze knetterden in de lucht om ons heen.

Aan het eind van Moorland Road sloegen we af. De jongens schreeuwden. Ze gooiden een paar stenen. Daarna dropen ze af en waren alleen vader en ik er nog. De wind waaide om ons heen en er dreven wolkenbanken over de vallei beneden.

Vader hield nog een tijdje mijn hand vast en liet hem toen vallen.

Een leugen

Vader zei de hele weg naar huis niets. Ik liep op een holletje naast hem. Af en toe keek ik naar zijn gezicht maar dat stond strak als een masker en ik kon er niets aan aflezen. Toen we thuiskwamen liep hij meteen de keuken in. Hij zette zijn tas op de tafel en draaide zich om. Hij zei: 'Wat is dat met jou en Neil Lewis?'

'Ik heb niets gedaan,' zei ik.

Toen schreeuwde hij: *'Lieg niet tegen me, Judith!'* en het was alsof de lucht uit mijn longen werd geslagen.

'Goed dan!' zei ik. 'Ik wilde hem straffen! Ik wilde hem straffen voor hoe hij elke dag tegen me doet. *Ik haat hem!'*

Vaders gezicht stond donker. 'Hoe bedoel je, "straffen"?'

Ik probeerde langzaam te ademen. 'Ik heb dingen gemaakt,' zei ik. 'In het Land van Melk en Honing. Ik wilde dat er erge dingen met hem zouden gebeuren. En die zijn ook gebeurd.'

Vader zei: 'Ik heb het tegen je gezégd, Judith, van die ONZIN! Ik heb je gewáárschuwd dat er niets goeds van zou komen.'

'Het is geen onzin!' zei ik. 'Ik heb echt dingen laten gebeuren!'

Vader kwam dicht naar me toe. 'Heb je enig idee waar ik mee te maken heb?'

Ik probeerde naar hem te blijven kijken maar dat kon ik niet dus keek ik naar de grond.

'Doug Lewis en ik hebben nooit met elkaar op kunnen schieten maar nu is het allemaal nog honderd keer erger. Ik probeer hier de boel bij elkaar te houden, ik probeer te zorgen dat er brood op de plank komt, dat we een dak boven ons hoofd houden – en dan begin jij zijn zoon een beetje op stang te jagen!'

'Ik heb niemand op stang gejaagd.'

'Je hebt tegen hem gezegd dat je wonderen kon verrichten!'

'Niet waar!' zei ik.

'Waar had Doug het dan over?'

Ik keek naar mijn schoenen. 'Ik heb over de wonderen geschreven in mijn ik-boekje, en dat heeft Neil voorgelezen in de klas.'

Vader sloeg hard met zijn hand op tafel. 'Maar verdomme, Judith – je kúnt geen wonderen verrichten!'

Mijn lichaam zat vol trillend bloed. 'DAT KAN IK WEL!' riep ik. 'Ik heb speciale krachten! Alles wat ik wilde is gebeurd. Alles. Maar het was niet mijn bedoeling om het tegen iemand te zeggen... ik wilde het tegen ú zeggen... maar u geloofde me niet!'

Toen schreeuwde vader: '*Jij hebt geen speciale krachten, en die heb je nooit gehad ook!*' en ik stapte struikelend naar achteren en hield mijn handen voor mijn gezicht.

Toen ik weer keek hingen vaders handen langs zijn lichaam en was zijn gezicht wit. Hij zei: 'Wat moet ik zeggen om tot je door te dringen? Wat moet ik doen om te zorgen dat je volwássen wordt?' Hij schudde zijn hoofd. 'Voor de laatste keer, Judith, heb jij Neil Lewis bedreigd of op de een of andere manier dwarsgezeten? *Kijk me aan!*'

Ik keek hem aan, en ik zei: 'Nee.'

Ik geef hem terug

Ik zat in mijn kamer en keek naar mijn knieën. 'Je hebt een leugen verteld,' zei God.

'Vader zou zich nog meer zorgen hebben gemaakt als ik dat niet had gedaan.'

'Nog een leugen,' zei God.

'O, hou toch Uw mond!' zei ik. 'Ik had nooit naar U moeten luisteren! Ik wou dat ik er nooit achter was gekomen, van die wonderen. Als ik naar vader had geluisterd was dit allemaal niet gebeurd.'

'Nou!' zei ik even later. 'Hebt U niets te zeggen?'

Ik stond op. 'Weet U wat ik niet kan uitstaan van U? Dat U gewoon verdwijnt als U daar zin in heeft. Ik wou dat ík kon verdwijnen!' Ik ging zitten met mijn hoofd in mijn handen. 'Het is net alsof ik tegen mezelf praat.'

'God,' zei ik na een tijdje, 'ik wil niet meer Uw Instrument zijn.'

Dat kon Hij niet laten gaan. 'Hoe bedoel je?' zei Hij.

'Ik wil die macht niet,' zei ik. 'Ik geef hem terug.'

BOEK III

Donkere Materie

Door mijn raam

Het werd donker in de kamer. Schaduwen verspreidden zich over de vloer en gleden langs de muren. Ze streken langs het plafond en de luchtballonlamp en trokken als wolken over het Land van Melk en Honing. Ze verschenen en verschenen opnieuw en gingen ergens anders heen.

Ik zag de straatlantaarns aangaan en de maan opkomen. De maan was zo helder dat hij een halo had. Die zag eruit als krijtstof en de maan als krijt en de hemel was net een schoolbord en overal op het schoolbord zaten speldenprikjes van sterren. Ik moest eraan denken dat er geschreven stond dat de zon zou worden verduisterd en de maan zijn licht niet meer zou geven en ik vroeg me af of als het einde van de wereld kwam het zou zijn alsof een gigantische wisser de maan en de sterren had uitgewist en de hemel als een schoolbord met een knak werd opgerold. Ik bedacht hoe fijn dat zou zijn.

Ik hoorde de klok in de hal acht uur slaan. Ik hoorde hem negen uur slaan. Ik hoorde hem tien uur slaan. Daarna moet ik mijn ogen dicht hebben gehad want toen ik weer uit het raam keek was ik omlaaggezakt op het kussen en zat er een natte plek waar mijn mond had gelegen.

Het was heel stil en heel koud. Ik had het gevoel dat het erg laat was en ik voelde me ongemakkelijk, alsof ik iets naars gedroomd had en dat nog steeds achter me aan sleepte. Ik voelde me ook verward, zoals je je voelt als je wakker wordt en niet goed weet of het ochtend of avond is of niet meer weet waar je bent, wat vreemd was, want ik was in mijn eigen kamer. Opeens bedacht ik dat ik misschien niet echt was, of dat ik echt was en al het andere nep was: in ieder geval was het een behoorlijk eenzaam gevoel.

Toen hoorde ik een geluid en ik keek naar beneden. Er stonden zes jongens met fietsen onder de straatlantaarn. Neil Lewis was erbij en zijn broer en een paar oudere jongens, ouder dan ik tot dan toe gezien had, een jaar of vijftien, zestien. Ik schoof wat dichter naar het raam toe en ging zo zitten dat alleen mijn gezicht in het licht was. Ik dacht niet dat ze me konden zien want het licht scheen op het raam.

Ze deden wheelies en sprongen bij elkaar achterop en ze lachten en dronken uit flessen en blikjes. Neil zat boven op de schouders van een andere jongen. Hij gooide een blikje in onze tuin en het kwam in de goudpalm terecht. Neils broer dronk uit een fles. Toen hij klaar was liep hij rechtstreeks naar ons tuinmuurtje.

Wat ik toen zag begreep ik niet. De jongen deed zijn broek naar beneden en hurkte neer. Er werd gejuicht en geroepen maar die geluiden snapte ik niet en ze klonken als de claxons van auto's of het getoeter van schepen of een of ander dier. Er kwam een andere jongen naar voren en hij liep ook naar het muurtje en maakte zijn broek los en er werd weer gejuicht. Ik liet het gordijn terugvallen en een ogenblik lang dacht ik helemaal niets.

Ik weet niet hoelang ik daar gezeten heb en of de geluiden beneden doorgingen want ik hoorde helemaal niets, maar toen ik weer keek was de straat leeg.

Na een tijdje stond ik op. Ik wist niet precies wat ik ging doen maar ik liep naar de deur. Ik deed hem open en liep de overloop op. Boven aan de trap bleef ik staan want mijn hart klopte zo hard dat ik me ziek voelde maar het was net alsof mijn hersenen waren uitgeschakeld.

Ik kon vader horen slapen in de slaapkamer aan de achterkant. Hij ademde schor. Ik kon hem horen inademen. Zijn ademhaling ging met zulke lange tussenpozen dat ik dacht dat hij misschien helemaal zou ophouden met ademen, maar zijn adem kwam toch steeds weer terug. Hij rees, en rees, en stokte op het hoogste punt, en dan was hij even nergens meer. Daarna begon het weer helemaal opnieuw.

Ik vroeg me af hoe het kon dat mensen niet elke nacht doodgingen, hoe het kon dat hun hart ze steeds weer bij kennis bracht, zonder dat ze erom gevraagd hadden, misschien zelfs zonder dat ze het wilden, en ik bedacht hoe verbazingwekkend dat was. Ik had opeens medelijden met mijn hart. Het greep me beet en liet me los en greep me opnieuw beet als een klein mannetje dat zijn handen wrong en zei: 'O, o, o.' Ik zei tegen mijn hart: 'Rustig maar.' Maar het kleine mannetje bleef zijn handen wringen en ik voelde me verdrietiger dan ik me ooit in mijn leven had gevoeld en ik wist niet waarom. Na een tijdje liep ik de trap af.

Ik draaide de sleutel om in de voordeur en deed hem open en het maanlicht viel de hal binnen. De straat was stil. De kou was als rook in mijn neusgaten.

Ik ging door het hek en keek naar het trottoir. Ik weet niet hoelang ik ernaar heb staan kijken. Ik wist niet eens meer dat het een trottoir was; er waren lege plekken waar woorden hadden moeten zijn. Na een tijdje ging ik terug de tuin in en plukte wat bladeren. Daarna ging ik weer door het hek, pakte op wat er op het trottoir lag, nam het mee en legde het achter de goudpalm.

Dat deed ik nog een keer en nog een keer. Ik dacht niet na bij wat ik deed. Ik dacht aan andere dingen en de hele tijd was mijn hart, mijn hart, aan het kloppen, aan het kloppen.

Ik zei: 'Wat ben ik?'

'Stof,' zei een stem.

'Is dat het enige?'

'Ja,' zei de stem.

'En mijn hart dan?'

'Stof,' zei de stem.

'En mijn geest?'

'Stof,' zei de stem.

'Mijn longen?'

'Stof.'

'Mijn benen?'

'Stof.'

'Mijn armen?'

'Stof.'

'Mijn ogen?'

'Stof.'

'Ik begrijp het,' zei ik.

'Stof ben je,' zei de stem, 'en tot stof zul je wederkeren.'

Hoe meer de stem sprak hoe zwaarder mijn armen werden en hoe zwaarder mijn benen werden en uiteindelijk ging zelfs ademhalen moeilijk.

Toen keek ik naar beneden en zag ik dat het trottoir schoon was, en ik kwam terug met water uit de gieter en spoelde het af. Ik boende het met bladeren en met gras. Ik boende zo hard dat er kleine witte huidkrulletjes op mijn knokkels verschenen.

'Stof,' zei de stem, en ik knikte.

Ik deed het hek dicht en zette de gieter terug en waste mijn handen onder de kraan. De sterren waren zo fel dat ze leken te trillen.

'Sterren zijn van stof gemaakt,' zei ik opeens.

'Alles is van stof gemaakt,' zei de stem.

Er was heel even een vaag besef, iets wat ik probeerde te vatten. Maar het was te snel weer verdwenen. Ik ging naar binnen, deed de voordeur op slot en ging naar boven naar bed.

Stof en sterren

Een van mijn goede gedachten is dat er geen grote dingen zijn in deze wereld alleen een heleboel kleine dingetjes die zijn samengevoegd, dat er andere werelden zijn waarin wij zo klein zijn als het kleinste mensje in het Land van Melk en Honing, dat de ring van de Melkweg waarvan de mensen vroeger dachten dat die alles was zelf gewoon maar een van de miljarden sterrenstelsels is met daarachter een kosmos die minstens miljard keer miljard keer miljard keer uitgestrekter is dan zelfs het verste stukje van het heelal dat geleerden met de grootste telescopen kunnen zien, en daarachter andere kosmossen die zich uitstrekken tot in het oneindige.

Ik denk wel eens na over hoe het allemaal nóg verder zou kunnen gaan, dat we alleen maar iets weten over dingen als ruimte en tijd dankzij licht, dus dat we onmogelijk kunnen weten wat er gebeurt waar het donker is, dat daar andere werelden zouden kunnen zijn, andere dimensies, andere oerknallen, wat alleen maar een andere manier is om te zeggen: God. Ik denk wel eens dat alles wat er in het heelal heeft plaatsgevonden in één adem is gebeurd en opgestuiterd en dat wij heel even zijn verschenen voordat de bal terugvalt en de adem weer wordt ingetrokken. Ik denk wel eens dat vanuit een bepaald punt gezien alle dingen hetzelfde zijn, en dat ons hele verhaal niet meer is dan de verf op de knop op de top van de Eiffeltoren, en dat wij het laagje duivenpoep boven op de verf boven op die knop zijn.

Ik zeg tegen mezelf dat kleine dingen groot zijn en grote dingen klein, dat aderen zich uitstrekken als rivieren en haren groeien als gras en dat een polletje mos voor een kever net een bos lijkt, en de vormen van de landen en de wolken van de aarde vanuit de ruimte net de kleuren in knikkers lijken. Ik bedenk me dat de schil van een nevel van zuurstof en waterstof eruitziet als het spatten van een druppel melk, wanneer de zijkanten omhoogkomen als een kroon. Ik denk aan de foto's van rotsen en van stof en van sterrenstelsels in de ruimte en het lijken niet meer dan sneeuwvlokken in een sneeuwstorm, en zwarte gaten lijken net parels diep in het fluweel, en superclusters net zeepsop – net honingraten, net cellen in een blad, het rasterpatroon op de neus van een hommel. En de kronkelingen van een nevel en de holten van een vuur gloeien met hetzelfde licht en je ogen raken van allebei warm en vol als je ernaar kijkt.

Ik zeg tegen mezelf dat gnoes krioelen als mieren, dat de aarde een blauwe zeepbel is die in het donker zweeft, dat een cel een ruimteschip is. Dat de stukken komeetvormig gesteente die lichtjaren in doorsnede zijn en uit een nevel worden geworpen wanneer die ontploft korenaren in een blauwe hemel zijn, als je in een veld ligt, in de zomer, wanneer de hemel korenbloemblauw is, en het koren zich ernaar uitstrekt.

Ik zeg tegen mezelf dat er paleizen in wolken zijn, bergen in rotspoeltjes, snelwegen in het stof aan mijn voeten en steden aan de onderkant van bladeren; dat er een gezicht in de maan is en een sterrenstelsel in mijn oog en een maalstroom in de kruin op mijn hoofd.

En dan weet ik dat ik enorm groot ben en dat ik klein ben, dat ik altijd maar doorga en in een oogwenk verdwenen ben, dat ik zo jong ben als een muizenbaby en zo oud als de Himalaya. Dat ik stilsta en dat ik ronddraai. En dat als ik stof ben ik ook het stof van sterren ben.

Een korenveld

Ik ontdekte dat je dingen kunt doen waarvan je niet wist dat je ze kon op de avond dat ik beneden de straat op ging om de viezigheid op te ruimen die de jongens hadden achtergelaten. Ik ontdekte dat niets onmogelijk is en dat de enige reden waarom dat wel zo lijkt is dat het gewoon nog niet gebeurd is. Dat zijn nuttige dingen om te weten.

Op maandag zei Neil niets over ons bezoek aan zijn huis. Dat kwam misschien doordat zijn vader tegen hem had gezegd dat hij zich niet met mij mocht bemoeien, maar het kan ook gekomen zijn doordat Mrs. Pierce hem de hele tijd in de gaten hield. Ze wees hem terecht over zijn spelling, over zijn grammatica, over het vuil onder zijn vingernagels, over hoe ver hij achter was. Hij zei niets maar ik zag meer dan eens dat hij naar mij zat te kijken. Ik wilde roepen: 'Ik doe je helemaal niets! Ik ga je ook nooit meer iets doen!', maar ik moest daar gewoon zitten.

Die avond zei ik tegen God: 'Ik doe hem helemaal niets maar Neil is nog steeds boos.'

'Je kunt niets doen,' zei God. 'Je hebt het wiel in beweging gezet. Het is gemakkelijk om dingen te doen, maar niet zo gemakkelijk om ze ongedaan te maken.'

'Nou, ik ga verder niets meer laten gebeuren,' zei ik. 'Ik ga nooit meer iets laten gebeuren!'

'We zullen zien,' zei God.

Die week maakte ik niets nieuws in het Land van Melk en Honing, ik vertelde alleen maar verhalen. Ik vertelde een verhaal over een rode ballon die steeds hoger wilde gaan en net zo lang doorging tot hij in de ruimte kwam maar na een tijdje niet meer wist welke kant boven was, of welke kant binnen of buiten was, of welke kant de toekomst was en welke kant het verleden – en uiteindelijk wist hij niet meer of hij eigenlijk wel ergens naartoe ging.

Ik vertelde een verhaal over een Eskimo die een enorme vis ving en ze werden vrienden en de vis wilde niet meer terug naar zee. Maar hij kon niet met de Eskimo op het land leven omdat hij steeds het ijs brak waar de Eskimo op stond dus maakten ze een boot van een balein en de vis sleepte de Eskimo met zich mee en ze werden geen van beiden ooit nog teruggezien.

Ik vertelde een verhaal over een violist die zo mooi speelde dat zelfs de vogels in de bomen zijn liedjes naar hem terug begonnen te zingen, dag en nacht. Het enige moment waarop ze stil wilden zijn was wanneer hij voor ze speelde, maar hij kon niet 's nachts spelen, en hij kon niet slapen, en hij kon niet eten, en uiteindelijk brak hij zijn viool in stukken en nam de benen.

Ik vertelde een verhaal over een korenveld. Het koren was groen en riep naar de zon dat hij het moest verwarmen. De zon verwarmde het koren en het koren werd geel. Het koren schoot omhoog naar de hemel. Het bloeide, het verdrong zich, het betastte het blauw. 'Verwarm ons nog wat meer,' zei het. De zon likte aan de korenaren. Het koren werd donkerder. Het klepperde en ritselde. Er verscheen een beetje rook aan de rand van het veld. En ook een beetje vuur. 'Verwarm ons nog wat meer,' zei het koren. De vlammen waren gemaakt van Lucozade-wikkel. Ze verspreidden zich toen de wind ze meevoerde. Het koren begon te knetteren. Iemand reed naar het dichtstbijzijnde stadje en luidde de klok op het plein. Er kwamen overal mensen vandaan met emmers en slangen en ketels en bakken vol water. Maar hoewel ze de hele middag doorwerkten en hoewel het koren naar de zon riep dat het brandde hield de zon niet op; algauw was er niets anders over dan een plek waar een veld was geweest.

Het Land van Melk en Honing begon lelijk te worden vond ik. Ik kon me niet meer herinneren waarom ik ooit begonnen was om het te maken. De straten zagen er rommelig uit, de velden bruin, de rivieren dof, de zon was gewoon een peertje, de spiegelzee een stom idee. Misschien was het altijd zo geweest, dacht ik. Ik vroeg me af wat voor andere dingen ik niet goed gezien had.

Ik bedacht me dat ik me zorgen had gemaakt over Neil Lewis terwijl ik me eigenlijk al die tijd zorgen had moeten maken om vader. Op woensdag ging ik na school naar de winkel op de hoek om snoep te kopen en toen stond er in een krant: GEWELDDADIGE BOTSING TUSSEN STAKERS EN WERKWILLIGEN LEIDT TOT DRIE ARRESTATIES. Er stond een foto bij van een man die voor een vrachtwagen lag die de poort van de fabriek binnenreed en politie met schilden en helmen en paarden in gevecht met mannen met honkbalknuppels en vuilnisbakdeksels. Een man bij wie bloed over het gezicht liep werd vastgehouden aan de achterkant van zijn trui. Ik was zo verbijsterd dat ik daar gewoon bleef staan. Vader had me hier niets over verteld.

Ik liep de heuvel op tot bovenaan en keek omlaag naar de fabriek en ik zag hoe vreemd die eigenlijk was, net een slapend beest, een zwart ding met schoorstenen en torens en ladders en buizen met daarboven die enorme rookwolken als wolken adem. En ergens daar binnenin was vader.

De jongens klopten elke avond aan maar vader ging niet meer naar buiten. Er waren meer jongens dan ik tot dan toe had gezien, die grote jongens, een stuk of vier, vijf, en in dat groepje zat ook Neil en hij spuugde en vloekte en sprong bij anderen achterop. Vader belde de politie maar tegen de tijd dat die kwam waren de jongens al weggefietst. Ze maakten er een spelletje van om er via de achterpaadjes vandoor te gaan zodra ze de auto's hoorden. De politie vond niemand, wij gingen naar bed, de jongens kwamen terug en dan begon het allemaal weer opnieuw.

Op donderdagavond gebeurde er iets anders. We hoorden geen geklop, alleen een tik van de brievenbus. Vader wachtte even en ging toen de hal in. Hij stond bij de deur met een papiertje in zijn handen.

'Wat is dat?' zei ik.

Vaders gezicht vertoonde geen enkele uitdrukking. 'Niets,' zei hij. 'Niets.'

'Is het een briefje van die jongens?' zei ik.

Toen zei vader: 'Judith. Alsjeblieft.' Alsof hij pijn had, alsof ik hem pijn deed. Hij had nog nooit zo tegen me gesproken en ik ging terug de keuken in.

'Ik wil graag dat u een auto stuurt,' hoorde ik hem zeggen. 'Ze zijn er nog... Ja... Dat kan ik niet zeggen over de telefoon.' Hij zweeg even. Toen hij weer sprak was het zachter. Hij zei: 'U maakt een grote fout, dat kan ik u wél zeggen... Ja... Dat zal ik zeker doen. Ik kom het morgenochtend meteen brengen.'

'Gaat u met dat briefje naar het politiebureau?' zei ik toen hij weer de keuken in kwam.

'Judith, ik zou liever hebben dat je niet meeluistert als ik aan de telefoon ben.' Hij gooide nog wat kolen in de Rayburn, deed toen het deurtje hard dicht en zei: 'Van nu af aan wil ik niet meer dat je over de achterpaadjes naar school loopt, neem de hoofdstraat, oké? En ga in de pauze niet van de speelplaats af.'

'Oké,' zei ik.

'En blijf bij die jongen uit de buurt. Dat is geen fijn type. Ik zal morgen met de school gaan praten. Als de politie niets kan doen, misschien kunnen zij dan iets.'

'Echt waar?' zei ik. Ik begon misselijk te worden.

'Ja,' zei hij. 'Dit moet ophouden.'

We zaten bij de Rayburn toen er een paar minuten later iets hard tegen de voordeur aan kwam. Er werd geschreeuwd. De stemmen klonken ouder dan die van Neil en Lee en er werd gelachen. Er klonk weer een klap tegen de deur en we hoorden de struiken in de voortuin tekeergaan. Vader schraapte één keer zijn keel, heel abrupt, en het klonk alsof hij geen adem kon halen.

We bleven allebei doodstil zitten terwijl de geluiden voortduurden en de lucht om ons heen steeds dunner leek te worden. Het ging maar door, en door. En door. Ik snapte niet hoe geluiden je konden verlammen, maar dat deden ze wel. Ik wilde me bewegen, meer dan ik ooit iets in mijn leven heb gewild, maar ik kon het niet. Vaders huid zag eruit alsof iemand hem straktrok aan de zijkanten van zijn hoofd. Opeens sprong hij op en liep naar de kast. Hij haalde de bijbel eruit, sloeg hem open en gaf hem aan mij. 'Lees,' zei hij.

'Wat?'

'Lezen.'

'Waaruit?'

'Maakt niet uit.'

Toen ik hem nog steeds aankeek zei hij: 'Toe dan!'

'*Daarom, zo zegt de Heer van de koning van Assyrië: hij zal in deze stad niet komen; hij zal geen pijl daarin schieten, geen schild daartegen opheffen en geen wal daartegen opwerpen. Langs de weg die hij gekomen is, zal hij terugkeren, maar in deze stad zal hij niet komen, zegt de Heer.*'

'Harder,' zei vader.

'*Want Ik zal deze stad beschermen, en bevrijden, omwille van Mijzelf en omwille van David, Mijn dienaar. Toen trok de engel van de Heer ten strijde en sloeg in het legerkamp van Assyrië honderdvijfentachtigduizend man neer. Toen men de volgende morgen vroeg opstond, zie, het waren allemaal dode lichamen.*'

'Harder!'

Maar mijn keel deed pijn alsof hij in een bankschroef zat. Vader griste de bijbel uit mijn handen en begon zelf te lezen. Hij hield het boek van zich af en las met duidelijke stem en met zijn kin omhoog. Hij las tot de klok in de hal negen uur sloeg, door het gelach en de stemmen buiten heen, en ik hield mijn hoofd gebogen.

Vlak na negenen arriveerde er weer een politieauto maar vader had dit keer niet gebeld en ik vroeg me af wie wel, en dacht dat het misschien Mrs. Pew of Mr. Neasdon was geweest.

Vader zei dat ik in de middelste slaapkamer moest gaan slapen en ik vroeg niet waarom. Het duurde een hele tijd voor hij naar boven kwam en toen het zover was hoorde ik dat hij de schuif op de deur deed en er iets zwaars voor schoof.

Het zesde wonder

Ik weet niet of vader naar school had gebeld of niet maar op vrijdag kwam Mr. Williams midden in de wiskundeles met Mrs. Pierce praten en gingen ze de klas uit; even later kwamen ze weer binnen en zei Mrs. Pierce: 'Neil, Mr. Williams wil met je praten.' Neil werd donkerrood en liep achter Mr. Williams aan de klas uit. Na tien minuten werden ook Gareth en Lee naar buiten geroepen. Neil kwam niet terug in de klas maar Gareth en Lee wel en ze waren bleek en stil.

Ik vroeg aan Mrs. Pierce of ik naar de wc mocht en ze keek me scherp aan en zei: 'Is alles goed met je?' Ik knikte. In de wc dacht ik dat ik moest overgeven maar dat hoefde ik uiteindelijk toch niet, ik zat alleen naast de pot op de grond en leunde met mijn hoofd tegen de tegels.

Ik kon voelen dat Mrs. Pierce me de rest van de dag in de gaten hield en toen de school uitging zei ze: 'Ik weet dat jullie het zwaar hebben momenteel, Judith. We zullen jou en je vader steunen. Ik wil dat je dat weet. We gaan ervoor zorgen dat dit soort dingen ophouden.'

Die nacht werd ik wakker van een stem. Vader sloeg de dekens terug en zei: 'Sta gauw op, Judith.'

'Is het Armageddon?' zei ik.

'Nee, er is brand.'

'Het Land van Melk en Honing!' zei ik. En hoewel ik het een paar dagen geleden nog stom had gevonden besefte ik nu dat ik het nog steeds heel graag wilde.

'Doe maar alleen je ochtendjas aan.'

Vader pakte mijn hand en we renden de overloop over en de trap af. 'Het Land van Melk en Honing!' zei ik. 'Laat me het pakken! Alstublieft! Laat me het in een tas stoppen!' Ik was bang dat ik zou gaan huilen ook al wist ik hoezeer vader daar een hekel aan had.

Hij zei: 'Het vuur komt niet bij je kamer, Judith, de brandweer is onderweg.'

Onder aan de trap hielden we onze mouw voor ons gezicht want er kwam rook onder de deur van de huiskamer vandaan, en we liepen door de hal naar de keuken en toen de achtertuin in.

Mrs. Pew stond in ochtendjas en haarnetje bij haar achterdeur. Ze had geen lippenstift op en geen wit spul op haar gezicht en ze zag er bijna normaal uit afgezien van het gewiebel. Ze frunnikte aan haar gehoorapparaat en riep: 'Is alles goed met jullie?'

Vader zei: 'We zijn ongedeerd. Maar zou Judith voorlopig even bij u kunnen blijven?'

Mrs. Pew zei: 'Natuurlijk!' en stak haar hand uit, en hij zei dat ik met haar mee naar binnen moest gaan.

Mrs. Pew maakte warme chocolademelk voor me en ik zat aan haar ontbijtbar en probeerde door het raam naar onze achtertuin te kijken terwijl Oscar op de vensterbank zat, chagrijnig omdat hij wakker gemaakt was en meppend met zijn staart. 'Wat een verschrikkelijke toestand,' zei Mrs. Pew. 'Echt verschrikkelijk. Ik ben altijd bang dat er nog eens brand komt in dit huis. Godzijdank is dat tot nog toe nooit gebeurd.'

Ik hoorde voor het huis een grote wagen stoppen en portieren dichtslaan. In de lucht knipperden blauwe lichten. Ik hoorde mannenstemmen in ons huis. De achterdeur was open. Ik hoorde geschreeuw en een regelmatig geluid en af en toe een lawaai alsof ze iets zwaars versleepten.

Niet lang nadat ik mijn tweede warme chocolademelk ophad kwam vader terug om te zeggen dat het allemaal voorbij was. De schade zat voornamelijk bij het raam in de huiskamer.

Mrs. Pew zei: 'Hoe is het in vredesnaam begonnen?'

Vader zei dat er een baksteen door het huiskamerraam was gegooid. Hij zei dat er een lap om een baksteen was gebonden. Die lap was gedrenkt in benzine. Daarna was er waarschijnlijk een lucifer naar binnen gegooid. Hij zei het allemaal heel kalm.

Mrs. Pew bleef maar met haar ogen knipperen en voelde aan haar keel. Ik dacht dat ze zou gaan flauwvallen. Ze zei: 'Jullie moeten vanavond hier blijven! Jullie kunnen niet terug.'

Vader zei: 'Ik denk dat dat voor Judith wel beter is maar ik wil een oogje in het zeil houden dus ik ga in de huiskamer slapen.'

'Maar het raam is kapot!' zei Mrs. Pew.

'De brandweer gaat het dichttimmeren,' zei vader. 'Ik kom Judith morgenochtend ophalen.'

Ik liep met hem mee naar de deur. 'Kan ik niet met u mee naar huis?'

'Nee. Je kunt vannacht beter bij Mrs. Pew blijven.'

'Alstublíéft,' zei ik.

'Het is maar voor één nacht, Judith.'

Ik sliep in een kamer aan de achterkant van Mrs. Pews huis in een zacht veren bed dat naar potpourri rook. Ik werd misselijk van die geur. De zachtheid van het bed gaf me het gevoel dat ik viel. Ik wilde terugrennen naar mijn eigen kamer waar vloerplanken en ruwe dekens waren en waar het helemaal nergens naar rook. Ik begon heen en weer te wiegen.

'God,' zei ik, 'hoe kon U dit laten gebeuren?'

'Als ik jou was zou Ik diezelfde vraag aan Mezelf stellen.'

'Wat?' zei ik. 'Wat bedoelt U, moet ik…? … Hallo? Halló?' Maar er kwam geen antwoord.

Die nacht droomde ik over een huis dat van een schoenendoos was gemaakt. Er was een legosteentje door het raam gegooid. Er waren vlammen van oranje papier en als ze bewogen dan knisperden ze. De vlammen deden me ergens aan denken maar ik wist niet waaraan. Het stoffen poppetje lag te slapen in de slaapkamer aan de voorkant en ik riep tegen haar dat ze wakker moest worden. Het poppetje rende over de overloop en maakte het pijpenragerpoppetje wakker. Er kwamen vlammen de trap op. Ze sloegen ernaar maar ze verdwenen even en vlamden daarna weer opnieuw op.

Toen ik wakker werd was het alsof ik boven water kwam, het tegenovergestelde van verdrinken, al voelde het net zo naar. En toen wist ik weer waar de vlammen me aan deden denken: de cellofaanwikkel van een fles Lucozade.

De volgende ochtend toen het nog vroeg was nam vader me mee naar huis. Ik keek naar hem toen we door het hek van Mrs. Pew onze achtertuin in liepen maar ik kon niets aan zijn gezicht aflezen, er lag geen enkele uitdrukking op.

In het huis stonk alles naar rook. De tegels in de huiskamer waren zwart en de muren waren zwart rond het raam en er lagen plassen zwart water op de grond. De fauteuils waren zwart en weggevreten tot op het vulsel. De verf op moeders naaimachine was bobbelig en geschilferd. Waar het raam had gezeten zat nu een plaat hout.

De voortuin leek op een van die plaatjes in het boekje die lieten zien hoe het na Armageddon zou zijn. De goudpalm bij het raam van de huiskamer was tot de grond toe afgebrand en de kerstrozen ook. De kersenboom was verkoold en de grond lag vol as. Een kleed, een fauteuil en een tafel lagen bij het hek op een hoop en waren ook zwart.

Mijn kamer was nog zoals ik hem had achtergelaten, met het beddengoed teruggeslagen, het Land van Melk en Honing precies hetzelfde, de twee poppetjes waar ik over gedroomd had gezond en wel.

Ik knielde neer. Ik zei steeds maar weer 'Dank U wel' en wrong mijn handen. Toen deed ik mijn ogen open. En ik bleef staren.

Want midden in het Land van Melk en Honing lag het korenveld, het veld dat in brand was gevlogen, en één helft ervan was bedekt met de wikkel van een fles Lucozade.

Meester en knecht

Ik ging op de rand van het bad zitten en zei: 'Ik begrijp het niet, ik begrijp het niet, ik begrijp het niet.'

Ik veegde mijn mond af en trok de wc door.

Daarna ging ik terug naar mijn kamer en verfrommelde de Lucozade-wikkel en rolde het veld op. Ik stampte op de aarde en gooide de grasaartjes weg. Ik zette de mensen terug waar ze waren en ook de bakjes water. Ik zei: 'Ik begrijp het niet. Ik wilde geen brand maken. Ik was aan het spelen.'

'Wist je dan niet dat alles wat je maakt echt kan worden?' zei de stem.

'Nee!' zei ik. 'Ik dacht dat ik iets expres moest maken.'

'Toen je het veld maakte was je bang,' zei God. 'Angst kan dingen laten gebeuren. Het is zoiets als bidden voor narigheid.'

'Maar dat zou betekenen dat er altijd iets kan gebeuren,' zei ik, 'dat er dingen voortkomen uit niets... zomaar!'

God zei: 'Je zou je af kunnen vragen of die modelwereld geen eigen leven leidt.'

'Dan gooi ik hem weg!' zei ik. 'Dan hou ik hem niet! Ik ben het trouwens niet! U bent het! Ík ben niet degene die dingen laat gebeuren. Ú hebt die brand gemaakt! Ik heb gezegd dat ik verder niets meer zou laten gebeuren en dat meende ik. Ik wíl die macht niet! Ik wil er niets mee te maken hebben!'

'Macht kan moeilijk te temmen zijn,' zei God. 'Soms is het niet zeker wie de meester is en wie de knecht. Hoe dan ook, ik vrees dat je hem niet zomaar terug kunt geven.'

'Waarom niet?' zei ik. 'Niemand heeft gezegd dat ik hem moest houden.'

'Nou, je begint erg nuttig voor Me te worden. En trouwens, je kunt die macht niet zomaar aan- en uitzetten.'

'Dan is het simpel,' zei ik. 'Dan doe ik helemaal niks meer – nooit meer.'

'Makkelijker gezegd dan gedaan.'

'Let maar eens op!'

'Die macht gaat niet weg,' zei God.

'Neemt U hem alstublieft,' zei ik en ik beet hard op mijn lip zodat ik niet zou huilen. 'Er gebeurt niets zoals ik denk dat het zal gebeuren. Er gaat altijd iets mis.'

'Dat komt doordat Iets en Niets nauwer aan elkaar verwant zijn dan mensen denken,' zei God.

Donkere Materie

Vader heeft me verteld dat er een heleboel Iets in het heelal is en dat we dat kunnen zien en kunnen meten en dat het ruimte inneemt en dat er dingen van afkaatsen die dan weer hun weg vervolgen. Maar voor al het Iets is er evenveel Niets dat niet te zien is en niet te meten is en waar mensen alleen maar per ongeluk op stuiten.

Ik heb me afgevraagd of God het Niets heeft gemaakt of dat het vanzelf is ontstaan. Misschien kan er geen Iets zijn zonder Niets. Dat het Niets onzichtbaar is wil nog niet zeggen dat het niet sterk is. Het is gevaarlijker dan Iets omdat je niet kunt zien waar het is en omdat het dingen laat verdwijnen. Op sommige plaatsen is het Niets zo sterk dat alles wat we kennen helemaal verdwijnt. Dat heet Donkere Materie.

Vader zei dat Donkere Materie datgene is wat God gebruikt heeft om het heelal te scheppen. Het trok dingen bij zichzelf naar binnen en die dingen werden nooit meer teruggezien of ze kwamen er aan de andere kant zo misvormd uit dat ze niet meer op zichzelf leken. Hij zei dat Donkere Materie zoiets was als de buitenkant van een doos en materie zoiets als de binnenkant. Wij zitten in de doos en zien dus alleen het Iets. Maar als je hetzelfde stuk karton zou nemen en zou uitvouwen zou je zien dat het allebei gewoon verschillende kanten van hetzelfde ding zijn. Sterker nog, als je de doos verkeerd om weer in elkaar zou vouwen zou je geen verschil zien. Dat maakt duidelijk hoe dicht Iets en Niets eigenlijk bij elkaar staan.

Hoe weet je of je met Niets of met Iets te maken hebt? Hoe weet je of je in de doos zit of erbuiten? Dat weet je niet. En dit is het probleem: de binnenkant en de buitenkant, afhankelijk van waar je staat, zien er precies hetzelfde uit.

Een schutting

Ik zat in mijn dagboek te schrijven toen ik opkeek en vader in de deur-opening zag staan. Ik schoof het dagboek weg en zei: 'Gaan we prediken?'

'Nee.' Zijn ogen stonden donker. 'Trek wat stevige kleren aan en kom naar beneden.' Ik had geen tijd om verder nog iets te vragen want hij was al weer weg. Even later hoorde ik de achterdeur dichtslaan en wat gekletter. Ik stopte mijn dagboek onder de vloerplank en trok mijn tuinbroek en een trui aan en ging naar beneden. Vader was bezig planken naar de voorkant van het huis te slepen. Hij duwde een emmer spijkers in mijn handen en zei: 'Breng maar naar de voorkant,' dus liep ik de tuin in en wachtte.

De wereld was blauw en geel en glinsterde als diamanten en de lucht was zo koud dat hij brandde in mijn neus. De omtrek van de berg leek wel met een speld getrokken. Er zat een roodborstje in de takken van de kersenboom en het begon te zingen en de tonen koelden af als druppels lood terwijl ze om me heen vielen.

Even later verscheen vader met een zaag en planken en twee melk-kratten. Hij zette de melkkratten neer en legde de eerste plank erop. 'Goed vasthouden,' zei hij tegen mij en ik hield het uiteinde van de plank vast. Toen begon hij te zagen. Zijn lichaam sidderde bij iedere duw en het geluid snerpte door de lucht. Zijn gezicht was rood. Er viel een plank op de grond en hij pakte een andere.

Het was afschuwelijk om die planken vast te houden. Als de tanden van de zaag bleven steken trok de plank me mee omhoog. Als de zaag doorboog voelde ik het in mijn eigen tanden.

Vader zette de gezaagde planken als een razende tegen de tuin-muur. Ik wist niet waar hij ze wilde laten want er liep al een muur om onze tuin en boven de muur zaten spijlen, zoals bij alle voortuinen, maar ik begon hem spijkers aan te geven. Hij zette de planken aan weerszijden van de spijlen en ramde de spijkers zo ver in het hout dat het versplinterde, zo ver dat de koppen verdwenen. Hij sloeg overal spijkers, onder alle mogelijke hoeken; één keer sloeg hij op zijn vinger en toen liep er bloed langs zijn hand.

Toen hij de spijlen had dichtgetimmerd begon hij aan de bovenkant planken toe te voegen. De planken waren van verschillende grootte en verschillende dikte. Ze begonnen en eindigden op verschillende hoogten. Als ze niet lang genoeg waren timmerde vader er nog eentje tegenaan. Als er ergens een gat zat gooide hij er cement en stenen in, of stukken baksteen. Volgens mij zou hij zichzelf er ook nog in hebben gegooid als dat had gekund.

Hij keek me niet aan en hij zei niets tegen me. Rond een uur of tien begon hij geluiden te maken als een dier. Die geluiden maakten me wee in mijn borst en mijn armen voelden vloeibaar aan. Hij zei: 'Wat sta je te kijken?' en ik draaide mijn hoofd zo dat hij niet kon zien dat ik huilde.

Hij werkte de hele ochtend, zonder te stoppen om te eten of te drinken, en zijn adem vulde de lucht met grote wolken. Ik bleef hem dingen aangeven, zo snel als hij riep. Hij gooide zijn trui uit en zijn overhemd was nat van het zweet.

Er verzamelde zich een groepje mensen aan de overkant op het trottoir. Mrs. Andrews was erbij en Mr. Evans en Mr. Andrews. Ik denk niet dat ze ooit zo snel een schutting gebouwd hadden zien worden. Om halftwaalf kwam Mr. Neasdon uit het huis naast ons naar buiten en bleef op de stoep staan. Hij stond met zijn handen in zijn zij en knipperde snel met zijn ogen.

Vader zag hem niet of anders deed hij net of hij hem niet zag. 'McPherson!' riep Mr. Neasdon. 'Wat ben je aan het doen?'

'Schutting!' zei vader.

Mr. Neasdon zei: 'Had je dat niet even kunnen laten weten voordat je begon?'

'Hamer!' riep vader. Ik gaf hem aan hem.

Mr. Neasdon bekeek de straat van voor naar achter. Hij schudde zijn hoofd en keek toen de andere kant op. Hij gooide zijn handen in de lucht. Toen keek hij weer naar vader en zei: 'Hoe hoog gaat hij worden?'

'Weet ik niet!' zei vader. Hij zwaaide de plank op zijn plaats. 'Spijkers!'

Mrs. Pew stak haar hoofd boven de spijlen aan de andere kant van de tuinmuur en zei: 'John, wil je een kopje thee?'

'Geen thee, dank u wel, Mrs. Pew!' zei vader.

Ze frunnikte aan haar gehoorapparaat. 'Ik heb Tetley als je wilt.'

'Geen thee, dank u wel, Mrs. Pew!' zei vader.

Mr. Neasdon zei: 'Ho, ho! Wacht eens even! Ik wil weten hoe hoog die schutting wordt! Hij haalt nu al al het licht weg hier aan de voorkant en hij is niet om aan te zien! Dat kan je niet zomaar doen zonder het eerst aan ons te vragen.'

Vader timmerde door.

Mr. Neasdons borst begon op en neer te gaan. 'Weet je dat we het helemaal gehad hebben met jou? Met je gezeur over het Einde van de Wereld en Armageddon en dat je niet staakt – maar nu ga je te ver! Dit pik ik niet!'

Vader schreeuwde: 'Spijkers!'

Mrs. Pew verscheen weer en zei: 'En kruidenthee?'

Mr. Neasdons ogen puilden uit. Hij ging naar binnen en gooide de deur achter zich dicht.

Mrs. Pew kwam later nog een keer terug maar toen konden we alleen een stem horen zeggen: 'John! John! Ik heb ook muntthee als je wilt!'

Om vijf uur begon het donker te worden. Het groepje mensen aan de overkant van de straat ging naar binnen. Ik denk dat ze zich afvroegen of vader de hele avond door zou gaan maar niemand kwam vragen of het wat stiller kon.

Vader zei dat ik naar binnen moest gaan maar ik was misselijk en wilde hem voor me zien dus ging ik door met hout aangeven. Ik had het alleen wel koud. 'Is hij nu niet hoog genoeg?' zei ik uiteindelijk.

'Hóóg genoeg?'

'We kunnen de straat niet meer zien.'

'Hij is nog lang niet hoog genoeg!' zei hij en hij smeet het cement tegen het hout alsof hij het een lesje leerde.

Niet lang daarna toen ik vader een plank gaf kreeg ik een splinter in mijn hand. Vader zag het niet. Ik probeerde hem eruit te trekken maar hij brak af en daarna deed het steeds pijn als ik hem iets aangaf. Het was inmiddels behoorlijk donker en vader zette de petroleumlamp boven op de planken en ging weer door met werken. Hij zette twee melkkratten boven op elkaar en vroeg of ik de tassen met glas voor de glasbak wilde halen, en toen ik dat gedaan had sprong hij er bovenop en stak de scherven in het cement op de muur en in de openingen tussen de planken waar het cement nog vochtig was aan de buitenkant. Om negen uur gingen we naar binnen. Vaders gezicht was rood en er zaten twee witte kringen om zijn ogen. Hij schonk thee in in de keuken en zijn hand trilde. Het enige wat hij nu nog hoefde te doen was een nieuw hek maken, zei hij, en dat zou hij morgen doen.

We aten in stilte. Het deed pijn om de vork vast te houden. Ik had trouwens toch geen zin om te eten. Opeens zei ik: 'U hebt vergeten te bidden.'

Vader hield op met eten. Toen slikte hij door wat hij in zijn mond had en pakte zijn kop thee. 'Nou ja, het is nu te laat,' zei hij.

Ik staarde hem aan. Hij maakte met een hoop lawaai zijn bord leeg, schoof zijn stoel naar achteren en zei: 'Is dit klaar?' Ik gaf geen antwoord maar hij haalde mijn bord weg en liep naar de gootsteen.

'Wat is er met je?' zei hij terwijl we stonden af te wassen.

'Niks.'

'Jawel, er is wel wat. Kom op, zeg het maar.' Toen hield hij op met afwassen en zei scherp: 'Wat is er met je hand?'

'Niks.'

Hij pakte het bord dat ik stond af te drogen en vouwde mijn hand open. De huid rond de splinter was rood en opgezet. Toen hij het aanraakte kromp ik ineen. 'Waarom heb je dat niet gezegd?' zei hij met een heel andere stem, en ik haalde mijn schouders op en keek een andere kant op.

Vader draaide de kraan dicht. Hij zei dat ik moest gaan zitten en ging de keuken uit. Toen hij terugkwam had hij Dettol, watten, een blikje pleisters en een naald bij zich. Hij schoof een stoel bij en ging tegenover me zitten en pakte mijn hand en begon met de naald over de splinter te strijken.

Vaders gezicht leek nu helemaal leeg. Ik kon zijn adem op mijn hand voelen. Hij was heel voorzichtig dus het deed geen pijn maar mijn ogen schoten evengoed vol en ik kon niet opkijken.

Hij pakte een pleister en trok de achterkant eraf en drukte hem aan rond het wondje. 'Ook daar,' zei ik, en hij drukte nog een keer. 'En daar.' Hij drukte de pleister nog een beetje aan. Om ons heen in de keuken was het heel stil geworden.

Toen stond hij op alsof hem plotseling iets te binnen schoot en hij zei: 'Zo is het wel goed.'

Ik zei: 'Denkt u dat er verband omheen moet?'

De donkerte kwam terug in zijn gezicht. Hij zei: 'Het is een splinter, Judith.'

Ik hield mijn hand over de pleister en keek hem na terwijl hij wegliep.

Een hek

We gingen de volgende dag niet naar de samenkomst dus ik hoefde niet te besluiten of ik Josies poncho aan zou trekken of niet. We gingen niet prediken en ook niet in de Bijbel lezen en ook geen geroosterd lamsvlees en bittere kruiden eten. In plaats daarvan maakte vader een hek.

Ik had nog nooit zo'n hek gezien en volgens mij andere mensen ook niet, aan hun gezicht te zien toen ze voorbijliepen. Vader werkte er de hele dag aan in de voortuin. Er lag ijs op de grond en dat smolt niet want er was geen zon. Ik bracht hem koppen thee buiten maar hij zei dat ik binnen moest blijven omdat het zo koud was.

Om tien voor twee belde oom Stan om te horen of alles goed was. Ik vond het opeens vreemd dat vader hem of Alf niet al had gebeld om te vertellen over de brand maar ik wilde liever niet vragen waarom. Ik zei tegen oom Stan dat vader een hek aan het maken was. Hij zei: 'O...' Daarna zei hij: 'Nou ja, als het met jullie allebei maar goed gaat... als jullie maar niet ziek zijn of zo.'

'Nee,' zei ik. 'Wilt u dat ik vader roep?'

'Is hij druk bezig?'

Vader liep wankelend langs het raam met het hek. 'Een beetje,' zei ik.

Stan zei: 'Nou, laat hem dan maar, schat.' Toen zei hij: 'Een hek?'

'Ja.'

'Nou ja, zeg maar tegen hem dat ik gebeld heb om te zeggen dat we jullie hebben gemist.'

'Goed.'

Ik voelde me vreemd toen ik de telefoon neerlegde. De stem van oom Stan leek uit een andere wereld te komen. Ik wou opeens dat we naar de samenkomst waren gegaan. Ik zou het niet eens erg hebben gevonden om de poncho aan te trekken.

Toen vader klaar was met het hek was het hoger dan hij en had het de vorm van een kerkraam. Het was drie planken dik met metalen

212

noppen aan de voorkant en precies in het midden een koperen knop die zo groot was als een hand en de vorm van een piek had. Vader had een uur nodig om het op te hangen en het zweet liep over zijn gezicht en hij maakte een geluid alsof hij vreselijke pijn leed. Hij liet me zien hoe ik het van het slot moest doen en gaf me een sleutel. De sleutel was langer dan mijn hand en heel zwaar.

Tijdens het avondeten zei ik: 'Oom Stan heeft gebeld.'

'O.'

'Hij vroeg zich af of we ziek waren.'

'Wat heb je tegen hem gezegd?'

'Dat u een hek aan het maken was. Hij zei dat ik tegen u moest zeggen dat ze ons gemist hadden.' Ik bracht de borden naar de gootsteen en zei: 'Zal ik de bijbels pakken?'

Vader legde zijn hoofd in zijn handen. 'Zo meteen.'

Zijn handen waren me tot nu toe nog niet opgevallen. Ze leken twee keer zo groot als normaal en waren vuurrood alsof ze in kokend water waren ondergedompeld. Ik zag wondjes en opgedroogd bloed en stukjes huid die loshingen. Zijn vingers leken net worstjes die bijna uit hun vel barstten.

Ik waste en droogde af en pakte de bijbels. Maar toen ik terugkwam lag vaders hoofd op zijn armen en was hij in diepe slaap.

Een kring van palen

Op maandag was Neil Lewis niet op school en daar was ik blij om. Mrs. Pierce leek niet over de brand gehoord te hebben en verder ook niemand dus als Lee en Gareth bij Neil waren geweest hadden ze het tegen niemand gezegd.

Toen ik naar huis ging zag ik Mr. en Mrs. Neasdon, Mrs. Andrews en Mr. Evans met tassen met boodschappen op de hoek van onze straat staan. Mrs. Neasdon zei: 'Daar moeten wij naast wonen.'

Mr. Evans zei: 'Ik kan me wel voorstellen waaróm hij het gedaan heeft maar je dóét het gewoon niet. Ik bedoel, moet je dat glas zien.'

Mrs. Andrews zei zachtjes: 'Als je het mij vraagt begint hij de weg een beetje kwijt te raken.'

Mr. Neasdon schudde zijn hoofd. 'Hij is al lang de weg kwijt.'

Ze hielden op met praten toen ze mij zagen en Mrs. Neasdon lachte een beetje weifelend. Ik lachte niet terug. Ik hoorde haar zeggen toen ik voorbijgelopen was: 'En God weet dat dat kind ook steeds vreemder wordt.'

Ik voelde me ongedurig toen ik naar huis liep. Ik ging door het hek naar binnen en deed het achter me op slot. Ik gluurde door een kier in de schutting. De ongedurigheid werd groter. Ik raapte een steentje van de grond en klom in de verkoolde kersenboom. Ik gooide het steentje zo hard als ik kon over de schutting en liet me toen op de grond vallen. Toen ik door de kier keek waren ze allemaal opgehouden met praten en stonden ze naar het huis te kijken.

Ik wachtte tot ze weer begonnen te praten en pakte toen een ander steentje, klom in de kersenboom en gooide het zo hard als ik kon. Het raakte Mr. Neasdon in zijn nek en hij zag me voor ik naar beneden kon springen. Door de schutting heen zag ik hem naar ons huis kijken. Mrs. Neasdon legde haar hand op zijn arm. Ze gingen naar binnen.

Ik had het warm toen ze weg waren en ik ging met mijn rug tegen de schutting zitten en duwde mijn schoenen in de aarde. Ik ging pas naar binnen toen de bus kwam waar vader in zat, ook al was het toen al donker en zat ik te rillen.

'Wat doe jij hier buiten?' zei hij.

Tijdens het avondeten zei ik: 'Mr. Neasdon zei dat hij de schutting zo mooi vindt.'

Vader zei: 'Ik ben blij dat het zijn goedkeuring kan wegdragen.'

Een paar minuten later zei ik: 'Blijft hij daar staan?'

'Voorlopig wel.'

'Mooi zo,' zei ik. 'Ik vind hem mooi. Het is de beste schutting van de wereld.'

De Bijbelstudie die avond ging over Jeruzalem. Het bleek dat Jeruzalem ook een Poel van Verderf was geworden nadat Jezus gestorven was, en toch was het de hoofdstad van het Land van Melk en Honing. God stond toe dat het in 70 na Christus door de Romeinen werd verwoest. De meeste mensen in de stad vergaten naar de bergen te vluchten zoals Jezus had gezegd toen de eerste troepen kwamen en weer gingen. Toen de Romeinen terugkwamen was het te laat; ze bouwden een omheining van puntige palen om de stad en de mensen verhongerden en begonnen hun eigen kinderen op te eten. 'Er zijn er maar een paar ontsnapt,' zei vader. 'Degenen die nog wisten wat Jezus tegen ze gezegd had. Ze gingen naar de bergen en bleven daar tot de Romeinen weggingen. De Grote Rampspoed zal net zoiets zijn. We mogen niet zelfgenoegzaam worden, want het komt als een dief in de nacht.'

Die week riepen de mensen als ze met vader wilden praten en dan ging hij op een melkkrat staan en keek op hen neer. De postbode moest onze post over de schutting heen gooien want vader zei dat een brievenbus vragen om moeilijkheden was.

Ik had tegen vader gezegd dat ik de schutting mooi vond maar als ik thuiskwam uit school en er liep iemand achter me dan ging ik niet aan de voorkant naar binnen maar nam ik het paadje en ging door de achterpoort naar binnen.

Ik kon niet meer in mijn kamer zitten want ik wilde uit de buurt van het Land van Melk en Honing blijven. Ik probeerde me precies te herinneren hoe alles lag en wist dan niet zeker of er iets verplaatst was of niet. Ik had erge hoofdpijn voor het slapengaan en moest vader om een paracetamol vragen.

's Nachts sliep ik met mijn rug naar het Land van Melk en Honing maar dan werd ik bang en draaide ik me weer om en ging met mijn gezicht ernaartoe liggen. Eén keer droomde ik dat kleine mensjes met touwen tegen de zijkanten van het bed op klommen en werd ik wakker terwijl het mannetje dat ik gemaakt had dat op Neil moest lijken mijn haar met tandenstokers aan het matras vastnagelde.

Na school liep ik veel in de tuin rond en keek door de spleten van de schutting. Het was alsof je onzichtbaar was, maar we waren niet onzichtbaar, we waren het meest zichtbare huis van de straat. Als ons stadje Jericho was geweest hadden we geen rood koord aan het venster hoeven binden; dan had God zo wel geweten welk huis Hij moest laten staan.

Ik had tegen vader gelogen toen ik zei dat Mr. Neasdon de schutting mooi vond, maar er was wel iemand die hem echt mooi vond. Op dinsdag kwam Mrs. Pew thuis met haar boodschappenwagentje en zei: 'Ik wou dat ik zoiets kon krijgen. Het zou ideaal zijn voor hangmanden.' Ze vroeg of ik aan vader wilde vragen of hij een schutting voor haar kon bouwen maar dat deed ik niet. Hij gedroeg zich vreemd.

Elke avond na de Bijbelstudie ging hij in de middelste kamer zitten om rekeningen door te nemen – dat zei hij tenminste maar als ik door het sleutelgat keek zat hij voor zich uit te staren. Hij gaf me op mijn kop omdat ik het licht in de hal aan had gelaten en omdat ik een korst had weggegooid waar schimmel op zat. Hij zei: 'Dat is alleen maar penicilline, je mag blij zijn dat je überhaupt te eten hebt!'

Hij ging vroeger naar bed dan normaal en begon op een matras op de keukenvloer te slapen. Voor het slapengaan liep hij in de tuin rond en controleerde hij of de achterpoort op slot zat. Daarna kwam hij naar binnen, schakelde de elektriciteit uit en zette voorzichtig een bijl boven de achterdeur. Ik lag in bed uit te kijken over de stad en dacht aan die mensen in Jeruzalem. Ik vroeg me af wie dit keer de Romeinen waren, en als ze kwamen zouden de bergen ons dan tot schuilplaats dienen?

Een visioen

Op vrijdag kwam Neil Lewis weer op school. Ik voelde hem de klas binnenkomen voordat ik hem zag hoewel hij niet binnenkwam zoals anders. Hij ging stilletjes zitten. Hij keek over zijn schouder naar mij, alsof hij wilde zien of ik er zat, en op dat moment wist ik alles. Ik wist dat hij de brand had aangestoken, hij en zijn broer en zijn vrienden, en ik begon misselijk te worden. Ik wist niet zo goed of dat kwam doordat ik boos was of doordat ik bang was maar ik wist wel dat ik niet meer aan Neil Lewis moest denken, geen seconde zelfs, want als ik dat deed zou ik iets ergs doen.

Op maandag werd ik wakker van een vreemd geluid: een klets en een brul. De brul kwam een fractie van een seconde na de klets. Ik keek naar beneden en zag vader op het trottoir staan. Hij had een blik bruine verf in de ene hand en een kwast in de andere. Hij doopte de kwast in het blik en kwakte de verf tegen de schutting. Terwijl hij dat deed brulde hij. Zijn gezicht was verwrongen alsof hij huilde.

Ik had vader nog nooit zo gezien en het gaf me een akeliger gevoel dan ik ooit gehad had. Ik ging even op bed zitten. Daarna ging ik naar beneden. Toen ik door het hek kwam schreeuwde hij: 'Ga terug! Je kleren gaan eraan!' Maar ik had al gezien wat er op de schutting stond, de woorden gespoten in grote lusletters, en dit keer begreep ik ze allemaal.

Ik ging terug naar mijn kamer en kroop in elkaar en deed mijn ogen dicht. Ik stopte mijn vingers in mijn oren en duwde hard en bleef duwen. Ik knarste met mijn tanden. Maar ik kon nog steeds het gebrul horen en ik kon nog steeds vaders gezicht zien.

Ik begon te denken dat ik Neil Lewis heel erg pijn wilde doen.

Die ochtend in de klas was mijn hoofd heet en vol, net als op de middag dat ik het eerste wonder had gemaakt. We waren sneeuwvlokken aan het maken op school, van rondjes van papier die we vouwden en knipten en openvouwden. Normaal gesproken zou ik het leuk hebben gevonden om dingen te maken, om te zien hoe het patroon plotseling tevoorschijn kwam als je de sneeuwvlokken openmaakte, maar mijn ogen dwaalden steeds af naar Neil.

Hij zat bij Kevin en Luke, met zijn wang op zijn hand. Hij leek zich te vervelen, half te slapen. De zon scheen op zijn haar en maakte zijn wimpers witter dan ooit. Ik vond dat je niet aan hem af kon zien wat voor iemand hij was. Je kon met geen mogelijkheid aan hem afzien wat hij bij mensen op de schutting schreef en wat hij met hun tuin deed. Ik knipte weer verder aan mijn sneeuwvlok maar mijn ogen begonnen wazig te worden en ik kon de schaar niet laten gaan zoals ik wilde. Neil hield zijn duim tegen zijn neushoek. Hij zag me naar hem kijken. En toen begon hij te lachen zodat zijn ogen spleetjes werden en zijn lip krulde.

Ik sloeg mijn ogen neer en beet op mijn lippen en bleef ertegenaan drukken tot ik ijzer proefde. Ik dacht aan vader en aan wat hij gezegd had over vergeving. Ik dacht aan al het goede en al het juiste en al het hoopvolle maar ik had de grootste moeite om te blijven knippen. Er rees iets in me op, miljoenen kleine dingetjes, die via mijn armen omlaag naar mijn vingertoppen stroomden en langs mijn ruggengraat omhoogkropen naar mijn haar.

Er verschenen vlekken voor mijn ogen. Er klonk geloei. Het lokaal werd donkerder.

Ik weet niet waardoor ik opkeek maar toen ik dat deed zag ik dat er iemand achter Neil Lewis stond. Ik kon het gezicht van die persoon niet zien want dat was vaag. De klas was verder leeg. Die persoon pakte Neils hoofd beet, trok het naar achteren en sloeg het toen opeens tegen de tafel. Ik schrok. Het hoofd maakte een dof geluid en de tafel schudde.

Het geloei werd luider. De handen trokken Neils hoofd weer naar achteren. Zijn huid stond gespannen en zijn ogen staarden. Zijn mond was een 'O'. De handen sloegen het hoofd tegen de tafel en Neil gilde. Toen zijn hoofd weer omhoogkwam kwam er dit keer bloed uit zijn neus.

Hij probeerde op te staan maar verloor zijn evenwicht. De handen duwden het hoofd weer omlaag. Dit keer raakte het de rand van de tafel en hoorde ik een zachter geluid, als een kool die openbrak.

Ik deed mijn mond open maar er kwam niets uit. Ik werd in mijn stoel gedrukt. Mijn ogen gingen dicht, ik viel. De handen duwden het hoofd weer omlaag. Het gezicht zag er niet meer uit als Neil. De handen duwden het hoofd weer omlaag. Neil was nu opgehouden met gillen. Zijn mond was een gat en zijn ogen waren twee zakjes vlees en zijn neus was zijwaarts uitgespreid.

Toen zei iemand: 'Judith! Kun je me horen?' Maar het geloei ging door en de handen bleven het hoofd tegen de tafel slaan.

'Judith!' Iemand schudde me door elkaar. Het geloei hield op, het licht keerde terug, het lokaal zat weer vol mensen.

De handen van Mrs. Pierce lagen op mijn schouders en haar gezicht was wit. Anna en Matthew en Luke zaten me aan te staren. Iedereen zat me aan te staren. Ik keek om. Neil ook. Hij zag er normaal uit. Er was niets met hem gebeurd.

Mijn lichaam was nat. Ik dacht dat ik moest overgeven. Mrs. Pierce vouwde mijn handen open en pakte de schaar af. Er zaten sneeën in mijn vingers en de sneeuwvlok was kapot.

Wat heb je gedaan?

'Wat is er daarbinnen gebeurd?' zei Mrs. Pierce. Ik zat op de bank onder de kapstok.

'Ik weet het niet. Mijn hoofd werd heet.'

'Is dit wel eens eerder gebeurd?'

Haar gezicht stond ernstiger dan ik het ooit gezien had. Ze zei: 'We moeten hierover praten. Met je vader. Ik wil graag dat je aan hem vraagt of hij zo snel mogelijk langs kan komen. Nu moet ik terug naar de klas. Wil je naar huis?'

Ik knikte.

'Goed,' zei Mrs. Pierce. 'Ik zal iemand met je mee laten lopen.'

'Nee,' zei ik, 'dat hoeft niet. Het is niet ver.'

'Nee,' zei Mrs. Pierce, 'wacht maar even, dan zal ik Anna halen om met je mee te lopen.'

Toen ze weg was stond ik op en ging naar buiten.

Ik kan me niet herinneren dat ik naar huis gelopen ben maar dat moet wel het geval zijn geweest. Ik kan me niet herinneren of het regende of hagelde of waaide maar het moet íéts hebben gedaan. Ik kan me niet herinneren dat Sue er niet was en dat ik in mijn eentje moest oversteken maar ik neem aan dat ik dat ook moet hebben gedaan. Ik kan me niet herinneren dat ik de straat in ben gelopen of dat ik door het hek ben gekomen of dat ik de deur heb opengemaakt of dat ik naar boven ben gegaan of dat ik naast het Land van Melk en Honing ben gaan zitten maar ik moet al die dingen wel hebben gedaan want ik herinner me dat ik daarna naar het poppetje zat te kijken dat ik van Neil Lewis had gemaakt en dat ik opstond en er met mijn voet op stampte. Ik herinner me het gevoel van het poppetje onder mijn schoen en het geloei in mijn hoofd en dat ik mezelf dingen hoorde zeggen die ik nog nooit had gehoord, zoals: 'Ik zal de droesem uit zijn aderen peuren' – ook al wist ik niet wat 'droesem' was en of dat uit aderen kwam of heel ergens anders vandaan. Ik wist niet eens of ik wel iets zei want het voelde niet aan als mijn mond of als mijn stem en toen ik mezelf weerspiegeld zag in de zee herkende ik ook mijn gezicht niet. Vervolgens werd het geloei minder en daarna herinner ik me niets meer.

Toen ik mijn ogen opendeed voelde mijn hoofd aan alsof ik het gestoten had en leek mijn tong te groot voor mijn mond. Het licht van de straatlantaarn viel op de velden en de heuvels en de stadjes van het Land van Melk en Honing. Een stem zei: 'Wat heb je gedaan?'

Hij zei: 'Ik denk dat je dit keer echt iets gedaan hebt.'

'Niet waar,' zei ik.

'Kijk dan,' zei de stem.

Ik raapte het poppetje van Neil Lewis op en keek ernaar. Het hoofd bungelde, het ene been was langer dan het andere, er ontbrak een arm. Het gezicht was kapot.

Ik duwde de arm in het lichaam maar hij bleef niet zitten. Ik duwde het hoofd er weer op maar het viel eraf. Aan het gezicht was niets meer te doen. Ik leunde tegen de muur en deed mijn ogen dicht. 'Het betekent niks,' zei ik.

'Zoals die brand ook niks betekende?'

'Ik maak hem opnieuw.'

'Wat heb ik gezegd over dingen opnieuw maken?'

'Dat kan me niet schelen!' zei ik. 'Ik doe het toch. Ik maak het weer goed.'

Ik haalde ijzerdraad en wol en boetseerklei tevoorschijn. Ik knipte het ijzerdraad op maat en boetseerde het hoofd opnieuw maar mijn handen trilden. Ik maakte de handen en de voeten opnieuw en kleedde hem weer aan en gaf hem weer haren en verfde zijn gezicht weer maar de ogen waren kleiner en de neus was rechter en de wangen waren voller dan ze hadden moeten zijn. Ik had geen Tipp-Ex meer om de witte streep op de broek te zetten en het nieuwe poppetje was zeker anderhalve centimeter korter.

Ik schoof het poppetje weg. 'Het betekent niks,' zei ik. Maar ik wist dat van alle dingen die ik gemaakt had dit het meest betekende.

BOEK IV

Het verloren schaap

Wachten

Totdat Neil op dinsdag de klas binnenkwam was ik misselijk. 'Ziet U wel!' zei ik tegen God toen hij op zijn stoel neerplofte. 'Niks! Ik zei het toch?'

'Juich maar niet te vroeg,' zei God.

Die avond schreef ik in mijn dagboek: 'Er is niets gebeurd met Neil.'

Op woensdag maakten we onze sneeuwvlokken af en hingen ze op in de klas, kwamen we in *Charlotte's Web* bij het gedeelte waar ze op het punt staan om naar de kermis te gaan en schreven we nog wat poëzie. Maar dit keer was mijn gedicht helemaal niet goed. Ik kon verder ook niets, leek het wel. Ik vermenigvuldigde als ik had moeten delen, haalde werkwoorden en zelfstandige naamwoorden door elkaar, plakte de verkeerde kant van mijn grafiek in mijn wiskundeschrift en kleurde mijn kwikzilver rood in plaats van zilver.

Mrs. Pierce riep me naar haar bureau. Ze zei: 'Gaat alles goed met je, Judith?'

'Jawel, Mrs. Pierce.'

'Hoe is het met je hand?' zei ze. Maar met mijn handen ging het prima want het waren maar kleine sneetjes geweest.

Mrs. Pierce zei: 'Heb je aan je vader gevraagd om bij me langs te komen?'

Ik bloosde. 'Ja,' zei ik.

Maar het was belangrijk dat vader dat nooit zou doen want dan zou hij van Mrs. Pierce horen dat ik nog steeds over God en over de wonderen praatte.

Mijn schrift lag opengeslagen voor haar. Er waren maar twee sommen waar een vinkje bij stond. Ze zei: 'Het maakt niet uit van die sommen, Judith. Die kun je met je ogen dicht maken. Ik vroeg me alleen af of je misschien wilde vertellen wat je dwarszat.'

Ik haalde mijn schouders op.

'Is thuis alles goed?'

Ik knikte.

'Redt je vader het een beetje met die staking?'

Daar dacht ik over na. Als vader thuiskwam van zijn werk was zijn gezicht bleek maar zijn stem kalm. We aten ons avondeten en deden Bijbelstudie. Daarna ging hij naar de middelste kamer om de rekeningen op de metalen pen te bekijken en dan ging ik naar boven. Hij inspecteerde de schutting, kwam naar binnen, zette een bijl boven de achterdeur en schakelde de elektriciteit uit. 'Volgens mij gaat het wel goed met hem,' zei ik.

Mrs. Pierce zei: 'Denk erom, Judith: je kunt altijd bij me terecht als je wel graag met iemand wilt praten, oké?'

'Oké,' zei ik.

Op donderdag kregen we een brief van het kantongerecht met het verzoek of vader daar zo snel mogelijk naartoe wilde bellen. Hij zei: 'Ze laten er geen gras over groeien.'

'Wie?' zei ik maar hij gaf geen antwoord. Ik moest op de envelop kijken. 'Wat willen ze dat u doet?'

'Die schutting slopen.'

'Waarom?'

'Het is "een asociaal gebaar"' – hij hield het papier omhoog – '"een veiligheidsrisico" en hij valt "esthetisch uit de toon".'

'Gaat u hem slopen?'

'Dat hadden ze gedacht,' zei hij en hij gooide de brief in de kachel dus dat vatte ik op als 'Nee'.

Die nacht droomde ik over het veld in het Land van Melk en Honing en de twee kleine poppetjes die ik het eerst van allemaal had gemaakt. Het veld wilde niet stil blijven liggen, alsof iemand eraan schudde, en ze klampten zich aan elkaar vast. De zon was groter dan voorheen en brandde op hun handen en gezicht. Het gras was lang en zacht als zijde maar het kronkelde alsof het levend was en greep naar hun enkels.

Er kwam iets aangesjokt door het gras. Het zag eruit als een mens maar er was geen hoofd, alleen iets wat op en neer danste als een ballon aan een touwtje. Het stoffen poppetje leek te weten wat er gebeurde. Ze gilde en trok het pijpenragerpoppetje aan zijn mouw. Die liet los en ze hield hem in haar handen en deed een paar stappen naar achteren.

Het pijpenragerpoppetje staarde naar zijn arm en toen naar het stoffen poppetje. Zijn gezicht was uitdrukkingsloos. Opeens kreukelden zijn benen in elkaar en viel hij op zijn knieën. Hij bleef haar aanstaren. Ze deed haar mond open. Toen draaiden de ogen van het pijpenragerpoppetje naar boven, zijn hoofd kantelde naar achteren en zijn lichaam viel aan haar voeten.

Op zondag was het fijn om iedereen te zien. Het leek ontzettend lang geleden dat we ze gezien hadden. Ze waren geschokt toen ze over de brand hoorden. 'Nou ja, dóét de politie wel iets?' zei Elsie.

'Het is schandalig!' zei May. Ze hield haar handen voor mijn oren en zei met haar lippen, zonder geluid, tegen vader: 'Jullie hadden wel dood kunnen zijn!'

Oom Stan zei: 'Hebben jullie iets nodig? Willen jullie een tijdje bij ons logeren?'

Vader zei: 'Nee, we redden ons wel. Het is nu geen probleem.'

Toen zei oom Stan: 'Wanneer is dit gebeurd, John?'

Vader zei: 'Vrijdagavond.'

Oom Stan zei: 'Je zal wel uitgeput zijn!'

'Ja,' zei vader. 'Behoorlijk.'

'Wil je dat we komen helpen om de boel weer een beetje op orde te brengen?'

'Nee, nee,' zei vader. 'Dat is allemaal geregeld.'

Het drong opeens tot me door dat iedereen dacht dat de brand twee dagen geleden was gebeurd en dat vader ze in die waan liet. Niemand wist ook van de schutting. Waarom vertelde vader dat niet? Misschien wilde hij ze niet ongerust maken, dacht ik. Maar het was nogal vreemd.

May schudde haar hoofd. 'Nou, ik hoop maar dat de politie de dader vindt,' zei ze. 'Die moet de gevangenis in.'

Vader zei: 'Van de politie kun je niet op aan.'

'Dat klopt,' zei Gordon en iedereen keek naar hem. Als iemand iets van de politie wist was het Gordon wel.

'Trouwens, ik weet wie het gedaan hebben,' zei vader. 'Maar er is kennelijk niet genoeg bewijs.' Toen lachte hij. 'Ze willen dat ik een beveiligingscamera installeer.'

Oom Stan schudde zijn hoofd. 'Waar gaat het heen met de wereld?'

'De Rampspoed!' Alf draaide zijn vuist rond in zijn hand.

Elsie omhelsde me. Ze zei: 'Je bent tenminste ongedeerd.'

May schudde haar hoofd. 'Ik moet er niet aan denken wat er allemaal had kunnen gebeuren.'

'Denk je dat het iets met de staking te maken heeft?' zei Stan.

'Waarschijnlijk wel.' Vader knikte. 'Ik ben niet echt populair op dit moment.'

Ik verdween naar de wc en ging in een hokje zitten. Het was er koel en stil. Ik leunde met mijn hoofd tegen de gipsplaat. Ik vroeg me af wat er zou gebeuren als ze wisten dat ik het allemaal had gedaan.

Het gezag

Op maandagmiddag werd er op het hek gebonsd door een man met een aktetas en een pak. Ik ging het tegen vader zeggen, want ik wist niet zeker of hij het gehoord had, en hij zei dat ik de man binnen moest laten. Ik schoof de grendels opzij en draaide de sleutel om en trok het hek open. De man staarde me aan. Ik denk dat hij iemand verwacht had die groter was. 'Kom binnen,' zei ik. Het hek knalde achter hem dicht en hij schrok.

De man keek naar de verbrande boom en de houten plaat voor het raam. Hij keek naar de dichtgetimmerde deur en de zwarte aarde en de gebroken flessen.

Ik nam hem mee naar de keuken. Vader stond met zijn rug naar de Rayburn. De man voelde aan zijn das en zei: 'Ik neem aan dat u wel weet waarom ik hier ben, Mr. McPherson. U hebt een brief van ons gekregen waarin we onze zorgen hebben uitgesproken over het bestaan van uw schutting en waarin we u gevraagd hebben zo snel mogelijk contact met ons op te nemen.'

Vader zei: 'Ik zou niet weten wat eraan mankeert.'

De man zei: 'Wat eraan mankeert is heel duidelijk uitgelegd in die brief: het is een doorn in het oog. Het is ook buitengewoon gevaarlijk. Er zouden mensen gewond kunnen raken.'

'Dat is ook de bedoeling,' zei vader.

De man keek vader aan.

Vader zei: 'Hebt u enig idee wat we hier hebben moeten doorstaan?'

'Daar heb ik niets mee te maken, Mr. McPherson. Dat moet u opnemen met de politie.'

Vader zei: 'Ik heb geprobeerd om het op te nemen met de politie. Dat probeer ik al twee maanden. Ik heb weinig keus meer.'

'Nou ja, ik doe gewoon mijn werk.' De man trok zijn schouders recht. 'En ik vrees dat uw buren willen dat die schutting verdwijnt.' Hij pakte zijn tas. 'Ik ga terug naar kantoor om een rapport op te maken,' zei hij. 'Als ze van mening zijn dat die schutting niet geschikt is om te blijven staan zult u hem moeten afbreken; als dat niet gebeurt ontvangt u van ons een dagvaarding. Dan is het aan de rechter om te beslissen of hij blijft staan of niet.'

Vader zei: 'Laat die meneer maar even uit, Judith.'

Opeens schrok de man. Ik volgde zijn blik naar de bijl boven de achterdeur. De man keek naar de bijl. Daarna keek hij naar vader. Misschien was het ook wel vreemd om een bijl boven een deur te hebben. Ik vroeg me ineens af of vader die een paar maanden geleden ook daar neergezet zou hebben. Ik vroeg me af of hij zelfs wel een schutting zou hebben gebouwd. Of dat hij gewoon gezegd zou hebben: 'Judith, beproevingen zijn stapstenen die ons dichter bij God brengen.'

Ik liep met de man van de gemeente de hal door, de voordeur uit en het tuinpad af. Ik maakte het hek los en keek hem na.

Hoe verder hij wegliep hoe vreemder ik me voelde. 'Wacht!' riep ik plotseling en ik rende hem achterna.

Hij draaide zich om.

'Laat mijn vader alstublieft die schutting houden!'

'Ik vrees dat dat niet mogelijk is.' Hij begon weer te lopen.

'Kunt u geen uitzondering maken?' zei ik hijgend. 'Het is niet echt gevaarlijk want er klimt toch niemand op. Als hij afgebroken wordt weet ik niet wat vader doet!'

De man zei: 'Het spijt me, ik kan het hier verder niet over hebben.' Hij begon sneller te lopen.

'Het is zoveel beter met die schutting! Er komt niemand meer op de deur kloppen!' zei ik. 'En niemand komt meer brandstichten! En niemand maakt meer de kersenboom kapot of gooit dingen door de brievenbus. Kunt u hem niet laten staan?'

De man zei: 'Het spijt me.' Hij maakte zijn auto open en dook op de stoel. Hij trok met een klap het portier dicht, keek over zijn schouder en reed weg van de stoeprand.

'Het is niet éérlijk!' riep ik.

De auto verdween om de hoek. De man had vergeten zijn gordel om te doen.

Het zevende wonder

Ik zat in mijn raam. 'Hoelang nog, God?' zei ik. 'Hoelang nog voordat Armageddon begint? Ik wil dat het komt en overal een eind aan maakt.'

'Het is nabij,' zei God. 'Nabijer dan je denkt.'

'Dat zegt U altijd,' zei ik. 'Dat zeggen ze al jaren.'

'Nou, dit keer is het echt zo,' zei God. 'Als je de planning kon zien die ik hier voor me heb, zou je zien dat het echt vlakbij is.'

'Aanstaande?' zei ik.

'Precies,' zei God.

'Maar het is al ik weet niet hoelang aanstaande!' Ik trok mijn knieën op tegen mijn borst. 'Ik wil het nu, nu meteen – vandaag. Ik wil niet meer in deze wereld wakker worden.'

'Nou, je zult misschien toch iets meer geduld moeten hebben,' zei God. 'Maar ik maak geen grapje, het is echt heel dichtbij.'

Ik haalde diep adem. 'Hoe zal het zijn, God?' zei ik. 'Ik bedoel na afloop.'

'O, schitterend,' zei God. 'Alles wat je je altijd hebt voorgesteld.'

'Geen ziekte of honger of dood meer?'

'Dat klopt,' zei God.

'En U zult de tranen uit ieders ogen wissen?'

'Ja.'

'En vader en ik zullen moeder zien en iedereen blijft eeuwig leven en het zal weer zijn zoals in het begin?'

'Ja.'

'En zal ik een hond hebben en zullen er velden en bomen zijn en een luchtballon?'

'O, allemaal.'

'En zal mijn moeder me aardig vinden?'

'Dat zou ik denken.'

'Zeg me hoelang nog, God!' zei ik. 'Geef me een hint, een kleintje maar.'

'Niemand kent de dag of het uur,' zei God.

'Behalve U.'

'Ja... maar het is variabel. Ik zou je daar op dit moment echt geen antwoord op kunnen geven.'

'Nou ja, ik ben er klaar voor,' zei ik. 'Wanneer het ook komt. Het zal geen moment te vroeg zijn.'

We zaten die avond in de keuken over het einde van Jeruzalem te lezen en gerookte haring met erwten te eten toen er iets bonkte aan de voorkant van het huis. Vaders ogen hielden halverwege de bladzijde op met bewegen. Ze bleven even waar ze waren. Toen begonnen ze weer te bewegen.

Een minuut later klonk er weer een klap, alleen klonk het dit keer alsof iemand met een auto tegen de schutting was gereden. We hoorden gelach, hoog, schor en hortend. Er trok iets over vaders gezicht en hij schoof zijn stoel naar achteren.

'Niet gaan!' zei ik en ik sprong op. Ik weet niet waarom ik zo bang was.

Maar hij ging toch. Hij ging door de achterdeur naar buiten. Een paar tellen later hoorde ik de achterpoort dichtvallen, een schreeuw op straat en rennende voeten.

Ik ging even op de bank zitten en begon toen te lopen. Ik liep de hal in en de huiskamer rond. Ik liep de middelste kamer in en weer terug. Ik liep naar boven en ging de overloop op en alle slaapkamers in en liep weer naar beneden.

Toen de klok in de hal negen uur sloeg liep ik de trap op en ging op vaders bed liggen en snoof zijn geur op. Ik trok zijn schapenvachtjas over me heen. Misschien had ik naar Mrs. Pew moeten gaan om te vertellen wat er gebeurd was. Misschien had ik de politie moeten bellen. Maar ik wilde me niet bewegen. Ik zag de minuten in fletse groene cijfers voorbijgaan op vaders kleine wekker en bedacht dat hij daar elke ochtend naar moest kijken als hij opstond in het donker. Ik stelde me voor hoe hij hier lag te slapen, met zijn hoofd op dit kussen waar ik zijn huid kon ruiken, opgerold op zijn zij, en ik voelde iets trekken in mijn maag wat maar niet weg wilde gaan.

Toen de klok in de hal tien uur sloeg ging ik naar beneden en belde oom Stan. 'Ik weet niet waar vader is,' zei ik toen hij opnam.

'Wie is dit?' zei de stem van oom Stan. Hij klonk slaperig.

'Oom Stan!'

'Judith! Ben jij dat?'

'Ja,' zei ik en ik begon te huilen.

'Wat is er gebeurd? Waar is je vader?'

'Die is buiten achter die jongens aan gegaan. Hij zei dat ik binnen moest blijven. Ik weet niet wat er met hem gebeurd is.'

'Hoelang geleden?'

'Uren.'

'Oké. Oké. Goed – blijf gewoon waar je bent,' zei oom Stan. 'Blijf daar, dan ben ik over tien minuten bij je, kun je dat? Ik kom meteen naar je toe en ik zal de politie bellen. Maak je geen zorgen, lieverd, je vader loopt niet in zeven sloten tegelijk. Hang maar gewoon op, ik ben zo bij je.' Ik hoorde hem iets tegen Margaret zeggen. Daarna zei hij tegen mij: 'Oké?'

'Ja.'

'Goed. Leg de telefoon maar neer, schat. Ik kom eraan.'

Toen ik de telefoon neerlegde begon hij weer te rinkelen. 'Judith.' Het was vader.

'Waar bént u?' zei ik.

'Ik ben op het politiebureau.'

'Is alles goed met u?'

'Ja, met mij gaat het prima.'

Mijn knieën knikten en ik ging op de grond zitten.

Vader zei: 'Judith, het spijt me. Er is een ongeluk gebeurd. Ik moet alleen een verklaring afleggen en dan kom ik naar huis.'

Vader zei: 'Judith? Ben je daar nog?'

'Ja,' zei ik.

Ik veegde mijn gezicht af. 'Een ongeluk?'

Het was even stil.

'Neil Lewis is aangereden door een auto. Het gebeurde toen we de heuvel af kwamen.' Vaders stem klonk vreemd. 'Het komt wel weer goed met hem.'

De telefoon lag in mijn hand. Mijn hand lag in mijn schoot. Een verre stem zei: 'Hij heeft zijn rug bezeerd. Het komt weer goed met hem.' De stem ging verder met praten. Opeens hoorde ik hem zeggen: 'Judith?'

Ik bracht de telefoon omhoog. 'Ja.'

'Luister, blijf rustig zitten. Ik ben gauw weer thuis, oké?'

'Oké.'

'Is alles goed met je?'

'Ja.'

'Ik eh… het spijt me. Ik had niet naar buiten moeten gaan.'

Toen hoorde ik stemmen op de achtergrond, een man die schreeuwde en deuren die dichtgegooid werden. Vader zei: 'Ik moet ophangen nu. Ik ben heel gauw weer thuis.'

Toen vader weg was belde ik oom Stan weer om te zeggen dat hij niet hoefde te komen maar Margaret zei: 'O, hij is al weg, Judith. Hij is op weg naar jullie. Zei je dat alles goed is met je vader?'

'Ja.'

'Nou, godzijdank. Maak je maar geen zorgen over Stan. Is met jou ook alles goed?'

Oom Stan arriveerde even later. Ik hoorde hem op het hek kloppen en ging naar buiten om het open te maken.

Stan zei: 'Lieve hemel! Wat…?'

'Het is een schutting,' zei ik. 'Die heeft vader gebouwd om de jongens buiten te houden.'

'Jongens?'

'Ja, de jongens die bij ons op de deur kloppen. Weet u nog dat ik dat verteld heb?' Oom Stan schudde zijn hoofd.

'Oom Stan,' zei ik, 'vader heeft net gebeld. Alles is goed met hem.'

'Alles is goed met hem?'

'Ja.'

Stans wenkbrauwen schoten omhoog. 'Godzijdank! Waar is hij nu?'

'Op het politiebureau.'

'Het politiebureau?'

Ik knikte. 'Ja,' zei ik. 'Sorry.'

'Dat geeft niks, schat, ik ben allang blij dat hij heelhuids terecht is.'
Stans ogen stonden glazig. Ik zag zijn pyjamabroek onder zijn jas.

We gingen naar de keuken. Oom Stans haar stond recht overeind. Hij ging met zijn hand over zijn gezicht en zei: 'En waarom is je vader op het politiebureau?'

Ik vertelde dat hij achter die jongens aan was gegaan. 'Hij zei dat er eentje de straat over rende en toen is aangereden.'

'Mijn hemel!' zei oom Stan. 'En is dat de jongen die jullie al die narigheid heeft bezorgd?'

'Ja.'

Ik vroeg me af of hij nog wist dat ik tegen hem gezegd had dat ik Neil wilde straffen maar hij wekte de indruk van niet en daar was ik blij om. Hij zei: 'Hoelang staat die schutting er al?'

Ik overwoog of ik het hem zou vertellen. 'Bijna drie weken.'

'Drie wéken?'

Ik wou dat ik het niet verteld had.

'Je vader heeft helemaal niets gezegd.'

Ik haalde mijn schouders op.

Oom Stan keek om zich heen, naar de kast en de tafel, naar het matras waar vader op sliep dat tegen de muur stond. Toen zag hij de bijl boven de deur. Hij werd rood en knipperde snel met zijn ogen, alsof hij iets probeerde te begrijpen. 'Gaat het verder ook goed met je vader?'

'Hij maakt zich zorgen over het werk. En die jongens laten hem niet met rust.'

Oom Stan knikte. 'Het is verschrikkelijk wat ze met de tuin hebben gedaan. Je vader heeft die dingen geplant voor je moeder. Die kersenboom was prachtig in het voorjaar. En dat raam, en de voordeur...'

'Maar dat is niet het enige,' zei ik. 'Ze hebben ook dingen buiten voor het huis gedaan en dingen door de brievenbus gegooid en rondjes om hem heen gereden en hem uitgescholden op straat. Ze hebben dingen op de schutting geschreven. En één keer ben ik 's nachts naar buiten gegaan en... ach, het maakt niet uit.'

Oom Stan schudde zijn hoofd. 'Satan doet wel zijn uiterste best om ons op de proef te stellen.'

'Ik dacht dat alleen God ons op de proef stelde,' zei ik.

Hij lachte gauw. 'Maar die schutting kan daar toch niet blijven staan? Je vader laat het toch niet zo?'

'Vader vindt het wel goed zo. Maar de man van het kantongerecht niet.'

'Is er iemand langs geweest?'

'Ja.'

'Ach, lieve hemel.' Oom Stan stak zijn hand in zijn zak en haalde een doosje Rennies tevoorschijn. Ik wilde hem net een kop thee aanbieden toen we een auto hoorden stoppen. Even later hoorden we stemmen op het achterpad. Een man zei: 'Dat weet ik wel, Mr. McPherson, maar om zo achter ze aan te rennen. Wat had u willen doen als u ze te pakken had gekregen?'

Vaders stem zei: 'Zo ver had ik nog niet nagedacht.'

Toen ging de achterdeur open en kwam vader binnen met een politieman en een politievrouw, en hij zei eerst: 'Judith,' en daarna zei hij: 'Stan.'

Ik sprong op en vervolgens bleef ik staan want er zat bloed op zijn overhemd en hij had zijn trui opgerold in zijn hand.

Oom Stan zei: 'John, wat is er aan de hand?' en het klonk alsof hij boos was en dat was vreemd want hij had tot dan toe niet boos geklonken.

Vader liep naar me toe en zei: 'Rustig maar. Ik heb Neil naar de ambulance gedragen. Het komt allemaal goed met hem.' Hij zei niets tegen oom Stan.

Ik ging zitten en keek naar mijn handen.

'We zullen u verder alleen laten,' zei de politieman. Hij keek argwanend naar oom Stan en wendde zich toen weer tot vader. 'Zorg dat u beschikbaar blijft, Mr. McPherson. We hebben in de nabije toekomst misschien nog wat meer informatie nodig.'

De politievrouw zei: 'En trouwens, die schutting is levensgevaarlijk.'

Vader liet de politie uit. Toen hij de keuken weer binnenkwam stopte hij zijn trui in de wasmachine. Oom Stan zei: 'John, we moeten praten.'

Vader zei: 'Ik weet hoe dit moet overkomen, maar geloof me, er zit een andere kant aan het verhaal.'

Oom Stan zei: 'Welk verhaal? Heb je het gezien buiten,' – hij gebaarde naar de voortuin – 'en dat daar,' – hij wees naar de bijl – 'en dat kind, helemaal overstuur. En hoe is die jongen in vredesnaam gewond geraakt? Wat is dit allemaal, John? Waarom wisten wij hier helemaal niets van?'

Vader zei: 'Bedankt dat je hiernaartoe gekomen bent, Stan, maar ik kan vanavond niet meer praten. We zullen het hier een andere keer over moeten hebben.'

Ze keken elkaar aan. Toen ademde oom Stan opeens in, legde zijn hand op mijn hoofd en zei: 'Nou ja. Slaap lekker, lieve schat. Het is allemaal weer goed.' Hij pakte zijn autosleutels en liep achter vader aan naar de deur. Ik hoorde hem vlak voordat hij naar buiten ging nog een keer zeggen: 'We moeten praten,' en vader zeggen: 'Niet nu.' Daarna hoorde ik het hek dichtgaan, en de voordeur, en toen kwam vader weer de keuken in.

Zijn ogen stonden heel helder en heel donker. Hij pakte een stoel en ging voor me zitten en legde zijn handen op zijn knieën. Hij zei: 'Ik kan zien dat je overstuur bent en het spijt me. Ik zat Neil Lewis en die andere jongens achterna toen Neil opeens een straat over rende. Ik heb niets gedaan. De politie weet dat. Neil is in goede handen. Het komt weer helemaal goed met hem.'

Toen ik hem nog steeds niet aankeek ademde hij in en zei: 'Het spijt me, Judith. Het spijt me echt. Ik had niet naar buiten moeten gaan. Maar het is gebeurd.' Hij deed zijn handen omhoog en liet ze op zijn knieën vallen. Toen stond hij op. 'Nou, ik denk dat het tijd is om te gaan slapen.'

Hij maakte een kruik net als vroeger toen ik klein was en zei: 'Kom maar.' Hij liep met me mee naar boven en legde de kruik in mijn bed en ik ging liggen. Toen kwam hij op de rand zitten. Ik keek uit het raam en was blij dat het donker was zodat vader mijn ogen niet kon zien.

Achter de vensterruit waren miljoenen sterren, waar licht uit scheen alsof het in stof geknipte gaatjes waren met iets schitterends erachter. Ik wilde iets zeggen maar ik moest wachten omdat mijn keel zo dichtzat. Ik bleef wachten. Ik had het al bijna opgegeven maar uiteindelijk liet mijn keel het toe en zei ik: 'Komt het wel goed met ons?'

'Ja,' zei vader, en ook hij wachtte voordat hij iets zei. Het viel me op dat hij niet gezegd had: 'Natuurlijk komt het goed,' of 'Wat is dat nou voor rare vraag?'

Een minuut lang zeiden we allebei verder niets en mijn keel ging steeds meer dichtzitten en mijn kaak begon pijn te doen. 'Gaat u naar de gevangenis?' zei ik.

'Nee.'

Ik zei: 'Ik was zo ongerust,' en het klonk bijna als gefluister.

Vader sloeg zijn ogen neer. Hij zei: 'Het spijt me, Judith. Ik had niet moeten gaan.'

Ik zei: 'Wat gaat er nu gebeuren?' en mijn stem was alleen maar lucht.

'Niets. Er gaat niets gebeuren; het is vervelend wat er gebeurd is, maar het is nu voorbij.'

Hij bleef nog wat langer bij me zitten en toen zei hij: 'Ik moet morgen weer op om te werken. Red jij het dan wel?'

Ik knikte want ik kon niets meer zeggen.

Ik dacht even dat hij me een kus ging geven, maar hij trok alleen maar de deken op tot mijn kin en zei welterusten.

De beste dag van mijn leven

Er is één dag geweest dat ik dacht dat vader van me hield. Op die dag hebben vader en ik achttien kilometer hand in hand gelopen.

We hadden gepredikt en het was zomer en het liep tegen het einde van de middag. We waren hier een eind vandaan op een plek die de Stille Vallei heet, waar niet veel huizen staan en een heleboel bomen. We gaan daar bijna nooit naartoe want er wonen niet veel mensen dus alle huizen zijn één of twee keer per jaar in een middag te doen. Er zijn allemaal velden in de Stille Vallei. Die lopen omlaag naar een rivier. Daar beneden liepen we en er waren oeverzwaluwen die in holletjes in de oever verdwenen. Er was gras lang genoeg om doorheen te waden en er waren een paar bloemen en wat bomen. Het was zo'n dag waarop alles glinstert.

Mijn hand zat in die van vader en zijn hand zat in zijn broekzak. Vaders huid was verbazend. Ik kon de aderen in zijn hand voelen en de haartjes op zijn knokkels. Ik voelde zijn beenspieren bewegen. Ik weet nog dat ik dacht dat ik dat moment moest onthouden, de zwaarte van de zon en hoe zijn hand aanvoelde. Er was een kalmte in mijn hoofd en tussen ons in en ik dacht aan de Bijbel waar staat dat de geweldigen uit de voortijd met God wandelden en ik dacht dat dat net zo moest hebben gevoeld als dit.

Er kwamen af en toe auto's voorbij over de weg en het geluid dat ze maakten in de lucht, en de manier waarop het land om ons heen leek te golven, de koele grasachtige geur ervan en de geluiden van de aarde die ademde en de bomen en het groen dat wiegde, dat alles deed iets met mijn maag.

Ik weet niet hoe het kwam dat we elkaars hand vasthielden maar ik weet wel dat als ik iets gezegd had of als we iemand tegengekomen waren of gestopt waren, of hadden moeten oversteken of iets uit onze schoen hadden moeten halen, dat we er dan misschien mee opgehouden waren.

Er waren motten in de lucht toen we thuiskwamen. We maakten

een maaltijd van kliekjes en aten die zittend op het trapje aan de achterkant op en zagen een voor een de sterren verschijnen. Er waren die avond meer sterren dan ik ooit gezien heb en ze vielen door de lucht als een soort regen. Het was zo stil op straat dat ik denk dat alle andere mensen er ook naar moeten hebben gekeken want er waren geen geluiden van vuilnisbakken en avondeten en mensen die schreeuwden en kinderen die krijsten.

Vader vertelde dat wij zonder de sterren niet zouden bestaan en dat alles in het heelal eruit voortkwam. Hij vertelde dat elke ster een vuur was en dat het vuur vroeg of laat opbrandde en dat de ster dan stierf maar dat hij voordat het zover was eerst nieuwe maakte. Hij vertelde dat ze instorten om zwarte gaten te vormen waar de zwaartekracht zo sterk is dat niets eruit kan ontsnappen, zelfs licht niet, en dat sterren dus veranderen van het allerlichtste in het allerdonkerste. Hij zei dat al die sterren voortdurend eindigden en begonnen.

Er was vuur in mij, en in vader, en hitte overal om ons heen. Wij reisden net zo snel als die sterren, ook al zaten we heel stil. Ik hield iets gigantisch vast en mijn lichaam was er te klein voor. Ik hield mijn ogen open hoe erg ze ook brandden. Ik hield me zo stil dat mijn borst te veel knelde om te ademen.

Ik bleef doodstil zitten zolang als die sterren vlogen en we ze langs de hemel zagen trekken en op een gegeven moment waren ze verdwenen, en na een tijdje kon ik weer slikken, en toen kon ik weer met mijn ogen knipperen, en toen kon ik weer ademen.

Vader en ik bleven nog een tijdje op het trapje zitten en toen gingen we naar binnen. En dat was de beste dag van mijn leven.

Donker

Ik heb nooit van het donker gehouden. Als moeder geleefd had was ze bij me komen zitten denk ik, of had ze een nachtlampje aan gelaten of zoiets, maar vader gelooft niet in dat soort dingen, hij gelooft in Gezond Verstand en Elektriciteit Besparen.

Mensen zeggen dat ze bang zijn voor het donker maar eigenlijk zijn ze niet bang voor het donker zelf, ze zijn bang voor de dingen in het donker, zoals monsters en spoken. Maar ik ben wel bang voor het donker zelf, want in het donker is er Niets.

De avond van Neils ongeluk nadat vader vertrokken was drukte het donker om me heen. Het drong in mijn neus en mijn oren en mijn mond. Ik had moeite om adem te halen. Ik lag te draaien. Ik zei tegen mezelf dat ik niet met God zou praten. Ik was bang voor wat ik zou zeggen. Maar het donker bleef drukken en op het laatst ging ik overeind zitten en gooide ik de dekens van me af en zei: 'Ik heb het ongedaan gemaakt!'

Het bleef stil. Ik begon te huilen. Toen zei God: 'Je kunt dingen niet ongedaan maken. Dat heb Ik al eerder gezegd.'

'Waaróm hebt U het laten gebeuren, God?' zei ik.

Ik veegde mijn gezicht af. 'Ik moet tegen vader zeggen dat het mijn schuld is,' zei ik. 'Hij moet het weten.'

'Niet doen,' zei God. 'Dan krijgt hij een nog grotere hekel aan je. Geloof Me.'

Ik dacht een tijdje na. 'Krijgt U er nooit genoeg van?' zei ik uiteindelijk.

'Waarvan?'

'Om gelijk te hebben.'

'Als er één ding is waar ik nooit genoeg van krijg,' zei God, 'dan is het om gelijk te hebben.'

Het einde van Judith McPherson

Vlak voordat het licht werd droomde ik dat ik in het Land van Melk en Honing was. Het was donker en ik rende voor mijn leven, en ik kon voetstappen horen en van tijd tot tijd een kreet: 'Hierheen!'

Ik begreep niet hoe de mensen wisten waar ik was want ik liet geen voetsporen achter en ik maakte geen geluid. Toen zag ik dat er een spoor van helder stof oplichtte in het donker, en het kwam uit mijn zak, de zak waar ik de steen in had gestopt die de oude man me had gegeven, maar toen ik mijn hand in mijn zak deed voelde ik alleen maar een gat en uit dat gat sijpelde glinsterend stof.

Ik rukte mijn jas uit en gooide hem weg en rende nog sneller maar het spoor ging door. Ik struikelde en viel en stond weer op, en toen rende ik in verschillende tempo's, het ene moment snel, en dan schokten de heuvels en velden om me heen alle kanten op, net zoals wanneer je op een paard door elkaar wordt geschud of in een heel oude film met cowboys en indianen, en het andere moment langzaam, alsof alles vloeide als stroop of honing, en dat was erger want dan kon ik mijn benen niet snel genoeg laten gaan.

Hoe ik ook rende het stof bleef maar naar buiten sijpelen, en ik dacht dat die steen gigantisch moest zijn, groter dan het heelal en ik had het niet geweten. Ik rende en rende en ik probeerde me te herinneren waar het land plaatsmaakte voor de vloerplanken, maar waar de zandduinen hadden moeten eindigen waren nog meer duinen en waar de heuvels hadden moeten ophouden waren nog meer heuvels. Het Land van Melk en Honing ging maar door en door, zoals ik me vroeger altijd had voorgesteld, maar nu wilde ik dat het ophield en dat het gewoon bij de deur eindigde of bij de radiator of bij de rand van het tapijt.

Ik moest stoppen om weer op adem te komen en toen ik me vooroverboog zag ik dat de reden dat het stof niet ophield was dat ik er vol mee zat, ik was ervan gemaakt, en er zaten overal gaten in me.

En toen ik weer begon te rennen wist ik dat er al gauw niets meer van me over zou zijn behalve pijpenragers, watten en een klein beetje vilt.

In het holst van de nacht

'Neil Lewis heeft een ongeluk gehad en zal een tijdje niet op school komen.' Mrs. Pierce stond voor haar bureau.

'Wat is er gebeurd, juf? Wat is er gebeurd?'

'Hij is betrokken geweest bij een auto-ongeluk. Mr. Williams heeft me verteld dat ze in het ziekenhuis goed voor hem zorgen.'

'Wanneer is het gebeurd?' zei Gemma.

'Gisteravond,' zei Mrs. Pierce.

'Wanneer komt hij weer terug?' zei Luke.

'Dat weten we niet precies,' zei Mrs. Pierce. 'Het is maar goed dat het bijna Kerstmis is; dan heeft hij de kans om beter te worden voordat de school weer begint.'

De rest van de dag probeerde ik te zien of Mrs. Pierce naar me keek. Ik geloof niet dat ze dat deed maar ik wist het niet zeker.

Er zaten achter elk huiskamerraam kerstlichtjes in de boom toen ik die middag onze straat in liep. Die kamers zagen er warm uit. Ik voelde me gammel en trok mijn das wat hoger. Ik wist niet zo goed of dat kwam doordat ik gisteravond zoveel gehuild had of doordat ik iets onder de leden had.

'Hoe was het op school?' vroeg vader toen hij thuiskwam.

'Goed.'

'O.'

'Ja. Mrs. Pierce zei dat Neil een auto-ongeluk had gehad. Dat hij tot Kerstmis weg zou blijven.'

'Oké,' zei hij.

'Ging het goed op het werk?'

'Absoluut.'

'Absoluut' is een woord dat vader nooit gebruikt.

Toen we later de Bijbel zaten te lezen rammelde er opeens een vuilnisbak op het achterpad. Vader schrok. Hij ging naar het raam en keek eerst naar rechts en toen naar links. Toen hij terugliep naar de tafel glimlachte hij en zei: 'Kat.' Hij sloeg een bladzijde om en daarna weer terug. 'Waar waren we?'

Ik keek hem aan. 'Hier,' zei ik.

'O ja.'

Hij begon te lezen. Maar voor we tien verzen verder waren hield hij midden in een zin op, deed zijn bril af en legde die op tafel. Hij zei: 'Ik denk dat we het hier maar bij laten voor vanavond.'

'We zijn halverwege het hoofdstuk.'

'Is er een betere plek om op te houden?' zei hij. 'Kunnen we nadenken over wat er hierna gebeurt,' en hij stond op van tafel en kwam niet meer terug.

Later die avond werd ik wakker van stemmen. In het begin dacht ik dat ze van de straat kwamen maar toen drong tot me door dat ze van beneden kwamen en ik sloop de overloop op.

Halverwege de trap zag ik dat er licht onder de deur van de middelste kamer vandaan kwam. Ik hoorde oom Stan in de kamer. Hij zei: 'Zo het heft in eigen hand nemen.'

'Wat wil je dan dat ik doe?' zei vader. 'Als ik niet had gehoord dat dat raam werd ingegooid weet ik niet wat er gebeurd zou zijn. Er was benzine – wist je dat? Ik wist niet wat ik allemaal nog meer kon verwachten.'

'Dat begrijp ik wel,' zei oom Stan. 'Maar...'

'Nee, je begrijpt het niet,' zei vader. 'En je zult het ook niet begrijpen zolang je niet in een soortgelijke situatie zit. Ja, ik weet wel wat daar staat, maar het is anders als het erop aankomt. Het kan me niet schelen wat je allemaal aanhaalt.'

'Er is een klein jongetje ernstig gewond geraakt door jouw toedoen,' zei de stem van Alf.

'Dat heb ik allemaal uitgelegd,' zei vader.

'Heb je eigenlijk wel wroeging?' zei Alf.

'Dat "kleine jongetje",' zei vader, 'is een pure crimineel. Hij heeft mijn leven de afgelopen drie maanden tot een hel gemaakt en...'

'Ik vroeg of je wel wroeging hebt,' zei Alf.

Het was een tijdje stil en ik hoorde de klok in de hal en de wind in de dakgoot en mijn hart. Toen zei de stem van vader: 'Weet je, Alf...

nee,' en mijn maag ging omhoog en toen omlaag en ik deed mijn ogen
dicht.

Daarna waren er geen geluiden behalve geritsel van papier en het
vuur dat knetterde totdat oom Stan zei: 'Ik vind het heel erg om dat
te horen, John,' en hij klonk ook alsof hij het erg vond. 'Ik denk gewoon
dat je niet beseft hoe extreem je gereageerd hebt; het lijkt wel of je
niet helder nadenkt.'

Alf zei: 'Ik vind dat je een aantekening moet krijgen, John. Ik
bedoel, wat is dat voor voorbeeld dat je geeft?'

'Waarom zou ik mijn gezin niet beschermen?' zei vader. 'Ik heb
alleen maar gedaan wat natuurlijk is.'

'Maar als je geloof had zou je de dingen aan God overlaten,' zei
Stan. 'Geloof betekent niet twijfelen, niet betwisten, niet vragen
waarom.'

Het duurde even voordat iemand iets zei. Toen zei vader iets zo
zachtjes dat ik het niet kon horen en Stan zei: 'O, John. Waarom moet
je dat erbij halen?' en hij klonk alsof vader hem gekwetst had.

Vader zei: 'Nou, het is toch zo, of niet soms? Zij twijfelde niet, zij
morde niet, zij vroeg niet waarom!'

Het was weer even stil en toen zei Alf: 'Sarah had een groot geloof,
John. Dat zal niemand ontkennen.' En ik deed mijn ogen dicht en leunde met mijn hoofd tegen de trapleuning want 'Sarah' was moeders
naam.

'Een groot gelóóf...' Vaders stem werd harder en stokte toen
opeens.

Er viel een stilte. Toen zei oom Stan: 'Snap je niet dat we je proberen
te helpen, John, dat we het beste met je voorhebben?'

Vader zei: 'Nou, op dit moment, Stan, op dit moment, ben ik daar
niet zo zeker van.' Er kwam een golf van warmte en daarna van kou
over me heen. Ik moest naar de wc.

Er viel weer een stilte. Toen zei Alf: 'We zullen voor je bidden.'

Stan zei: 'Je kent de procedure. Als we over twintig dagen nog niets
van je hebben gehoord...' en vader zei zacht: 'Ja, ik weet het.'

Toen ging opeens de deur open en het licht viel de hal in en ik struikelde bijna over mijn eigen benen om op tijd weer de trap op te komen. Ik hurkte neer op de overloop en hoorde voetstappen naar de voordeur gaan. Vader ging met ze mee naar buiten en ik hoorde de grendels opzij schuiven op het hek, daarna deed vader het hek op slot, kwam naar binnen, deed de voordeur op slot en ging naar de keuken.

Ik wachtte ruim een uur tot hij naar bed kwam maar hij kwam niet dus ging ik weer half de trap af. Het licht in de hal was niet meer aan maar ik zag wel licht onder de deur van de middelste kamer. Ik ging aan de zijkant verder de trap af omdat de treden daar geen geluid maakten en toen ik beneden kwam liep ik over de tegels tot ik me kon bukken om door het sleutelgat te kijken. Vader zat in een fauteuil voor de kachel met de zilveren foto van moeder in zijn handen. Hij keek naar de kachel, zonder geluid te maken, en er liepen tranen over zijn wangen. Hij liet ze komen en veegde ze niet weg.

De allergrootste test

Mijn moeder en vader hebben een kamer voor me in orde gemaakt voordat ik werd geboren. Moeder heeft hem geschilderd en behangen en ze heeft gordijnen en een luchtballonlamp gemaakt en vader heeft een bed en een kist voor me gemaakt. Ze wilden dolgraag een baby en toen ze erachter kwamen dat moeder in verwachting was leek alles helemaal perfect. Maar het ging mis.

Toen moeder aan het bevallen was begon ze te bloeden. De dokters zeiden dat ze een bloedtransfusie moest hebben omdat ze anders dood zou gaan maar ze wist dat God dat niet goedvond. Ze wist dat er geschreven staat dat we geen bloed tot ons mogen nemen omdat bloed leven geeft en aan God toebehoort. De dokters begrepen dat niet en ze wilden haar niet helpen. Sommigen werden heel boos. 'Red de baby,' zei ze. Eén dokter stemde daarmee in; de anderen liepen weg.

De grootste test van het geloof is je leven ervoor geven. Moeder gaf haar leven voor haar geloof. Ze zag mij en was gelukkig. Ze zei tegen vader dat ze hem in de nieuwe wereld zou zien. Toen ging ze dood. Ze was niet bang want God had beloofd dat Hij haar weer tot leven zou wekken. Vader was ook niet bang want hij wist ook dat God dat had beloofd. Maar ik denk wel dat hij boos was, en ik weet dat hij verdrietig was.

Hij liet het huis en de tuin zoals zij ze had achtergelaten. Hij gaf de kerstrozen water, hij snoeide de kersenboom en de goudpalm. Hij stofte en poetste haar spullen en zorgde dat er niets mee gebeurde. Maar hij hiel op met glimlachen, hij hiel op met lachen en hij hiel op met plannen maken.

Ik vroeg aan God of het mijn schuld was dat moeder was gestorven en Hij zei dat dat zo was. Maar dat wist ik al. Ik wist het elke keer dat vader boos op me was. 'Wat kan ik doen?' zei ik tegen God.

'Niets. Dat heb Ik je al gezegd. Je kunt dingen doen, maar ze ongedaan maken – dat is een totaal ander verhaal.'

Vergelding

Het was de laatste dag voor de vakantie. We haalden ons werk van de muren, scheurden de overgebleven bladzijden uit onze schriften en legden ze op een stapel om als kladpapier te gebruiken. Toen iedereen 's middags naar de hal ging om kerstliedjes te zingen deed ik mijn armen over elkaar, legde mijn hoofd neer en sloot mijn ogen. Voor het eerst van mijn leven voelde ik me op school beter dan thuis.

Ik keek op toen ik een geluid hoorde. Mrs. Pierce deed de deur dicht. Ze zei: 'Niemand zal me vijf minuutjes missen.' Ze ging naast me zitten.

'Judith, ik hoop dat je het niet erg vindt maar ik wilde je voor het eind van de dag nog even spreken en als ik het nu niet doe krijg ik daar waarschijnlijk geen kans meer voor. Je zegt niet zoveel maar ik heb me de laatste tijd veel zorgen om je gemaakt en ik wilde even horen hoe het gaat. Wat zei je vader toen je aan hem vroeg of hij bij me langs wilde komen?'

Ik slikte. 'Hij zei dat hij zou komen,' zei ik, 'maar voorlopig niet… want hij heeft het druk.'

Mrs. Pierce zei: 'Dat is jammer. Ik had gehoopt dat hij…' Ze zuchtte en zei: 'Judith, hier is een brief. Ik wil graag dat je die aan je vader geeft. Zeg maar tegen hem dat het heel belangrijk is dat hij dit leest.' Ze keek me aan. 'Oké?'

Ik beet op mijn lippen en knikte.

Toen haalde ze een papiertje uit haar zak en schoof het naar me toe. Ze zei: 'Judith, dit is mijn telefoonnummer. Ik doe dit normaal gesproken niet, maar als je graag met iemand wilt praten in de kerstvakantie bel me dan alsjeblieft.'

'Dank u wel,' zei ik.

'Trouwens,' zei ze, 'of het nu lukt om je vader te spreken of niet, in het nieuwe jaar ga ik zorgen dat je hulp krijgt. Volgens mij gaat er van alles om in dat hoofd van jou, en we zouden een heleboel kunnen doen om je te helpen als we wisten waar we mee te maken hadden.'

'Wat bedoelt u?' zei ik en ik was bang.

'Het is niet iets waar je je zorgen over hoeft te maken,' zei ze, 'gewoon hulp van een paar professionele mensen.'

Ik wist niet wat dat betekende en ik wilde het ook niet weten.

Ze stond op van de tafel en zei: 'Ze zullen zo wel klaar zijn. Ik kan maar beter teruggaan.'

Ik keek naar het papiertje en opeens zaten mijn ogen vol en klopte mijn hart heel erg snel. 'Mrs. Pierce,' zei ik.

'Ja, Judith?'

'Er is inderdaad iets wat ik moet zeggen maar ik weet niet of ik het kan.'

'Stop!' zei God. Maar ik was al begonnen.

Mrs. Pierce kwam terug naar de tafel. 'Ja, Judith. Ik luister.'

Ik was duizelig. 'Als ik zou zeggen dat ik iets slechts gedaan had...' zei ik.

'Ja?'

'Als ik zou zeggen dat ik iets heel erg slechts gedaan had... iets onvergeeflijks...'

'Judith...'

'Nee!' zei ik. 'Als het iets heel erg slechts zou zijn...'

Mrs. Pierce legde haar hand op mijn arm. Ze zei zachtjes: 'Judith, ik wil niet zomaar wegwuiven wat je tegen me zegt, maar ik weet zeker dat je niet in staat bent om iets heel erg slechts te doen.'

'Dat ben ik wel!' zei ik. 'Het is nog erger dan u zich kunt voorstellen!' en ik begon te huilen.

Ze wachtte even en gaf me een papieren zakdoekje en zei toen: 'En je kunt het me niet vertellen?'

Ik schudde mijn hoofd.

'Heb je hier met je vader over gepraat?'

Ik schudde mijn hoofd. 'Hij heeft me ervoor gewaarschuwd... hij zei dat er narigheid van zou komen, maar ik geloofde hem niet...'

Mrs. Pierce had een kleur. Ze schudde haar hoofd en toen zei ze: 'Judith, ik ga je vader bellen; hoe eerder ik hem hierover spreek hoe beter.'

Toen ze dat zei begon ik heel snel te ademen en ze legde haar hand op mijn arm en zei: 'Judith, probeer je alsjeblieft geen zorgen te maken. Wat je ook gedaan hebt, ik weet zeker dat je het met de beste bedoelingen hebt gedaan en je vader zal dat begrijpen; ik vind echt dat ik moet proberen om met hem te praten.'

Die middag las Mrs. Pierce het laatste hoofdstuk van *Charlotte's Web* voor waarin Charlotte doodgaat maar toch gelukkig is omdat ze alles heeft gedaan wat ze kon om Wilbur te redden en waarin de mensen vinden dat het een wonder is wat ze gedaan heeft. Het echte wonder is natuurlijk dat het zo moeilijk was voor Charlotte om het te doen omdat ze aan het doodgaan was en dat ze het toch gedaan heeft. Mrs. Pierce stond bij haar bureau toen de klas leegstroomde en zei: 'Fijne vakantie! Niet te veel pasteitjes eten. Ik wil jullie allemaal in topconditie zien voor het volgende trimester.' Toen ik langskwam zei ze: 'Niet vergeten waar we het over gehad hebben, Judith.' Ik knikte.

Toen ik thuiskwam verbrandde ik de brief van Mrs. Pierce in de Rayburn en ik was blij dat ik dat gedaan had voordat ik hem gelezen had want ik werd nog banger dan ik me voor kon stellen als ik eraan dacht dat vader hem zou lezen. Maar ik stopte het nummer van Mrs. Pierce achter in mijn dagboek. Daarna ging ik naar boven waar ik op mijn bed ging liggen en de dagen afvinkte tot ik weer naar school mocht; ik bedacht hoe vreemd het was om dat te doen, om terug te willen. Daarna kreeg ik het koud en kroop ik onder de dekens.

Even later stopte er een auto. Ik hoorde een portier dichtslaan en toen het hek openzwaaien en een mannenstem zeggen: 'Voorzichtig.'

Ik stond op en gluurde door het raam maar degene die daar beneden was deed nu de voordeur open, en ik schrok want hij knalde tegen de muur. Iemand zei: 'Ik doe het wel,' en het klonk als Mike.

Ik rende de overloop over en de trap af. En toen stopte ik, halverwege, en mijn hart ook, want het wás Mike, en hij had zijn arm om iemand die eruitzag als vader maar ik wist het niet helemaal zeker want degene die eruitzag als vader had zijn arm om Mikes schouders, en zijn gezicht zag eruit alsof het opzij gedrukt was, en er zat bloed op, en zijn oog was opgezwollen en gesloten als een foetus.

Mike zei: 'Wow!' toen hij me zag. Daarna zei hij: 'Er is niks aan de hand, schat. Je vader is alleen maar van een trappetje gevallen. Het komt wel weer goed met hem. Ga maar gauw even een paar koude washandjes halen.'

Ik moet daar nog steeds gestaan hebben want Mike zei: 'Toe maar, meis, doe dat maar even.' Maar ik kon me nog steeds niet bewegen totdat degene die er een beetje uitzag als vader zei: 'Er is niets aan de hand, Judith,' en zijn stem klonk ook een beetje als die van vader, behalve dat het klonk alsof zijn mond vol zat met iets.

Ik ging weer naar boven naar de badkamer en begon een washandje nat te maken onder de kraan. Halverwege het natmaken gingen mijn benen op de rand van het bad zitten en ik wist dat vader niet van een trap gevallen was en ik wist dat het iets te maken had met wat er met Neil gebeurd was, en ik wist bijna zeker dat iemand dit bij vader had gedaan en dat die iemand Doug was.

Ik stond op en draaide de kraan dicht en nam het washandje mee naar beneden. Vader zat aan tafel en de afwasteil stond naast hem. Mike raakte zijn oog aan met wat watten en vaders hoofd ging elke keer naar achteren als Mike hem aanraakte. Ik legde het washandje op de tafel en Mike zei: 'Goed zo, meid. Het komt weer pico bello in orde met je vader. Ga maar even een kop thee voor ons maken. Wil je dat doen?'

Ik liep naar de gootsteen en hoorde Mike zachtjes zeggen: 'Je had me je naar het ziekenhuis moeten laten brengen.' Vader zei iets terug en spuugde in de bak.

Ik nam twee koppen thee mee en zette ze op tafel maar Mike leek vergeten te zijn dat hij die wilde. Toen hij klaar was met het verbinden van vaders oog zei hij: 'Doe je hemd eens omhoog,' en toen vader dat deed zag ik bloed op zijn buik en een rode afdruk die deed denken aan de zool van een schoen.

Vader bracht zijn hand naar zijn oog en voelde eraan. Hij haalde hem weg en voelde er toen nog een keer aan, alsof hij vergeten was dat hij dat vlak daarvoor ook al had gedaan. Toen Mike klaar was met hem te verbinden ging vader op de bank liggen. Zijn gezicht was wit en zijn armen en benen lagen er slap en slordig bij als bij een lappenpop. Mike zei: 'Ik kom morgen na het werk even langs met wat boodschappen.' Vader tilde zijn hand op maar Mike zei: 'John, ik vraag het niet, ik zeg het,' en vader liet zijn arm weer vallen. Mike zei: 'Je moet het voor de verandering maar even overlaten aan iemand anders.' Toen sloeg hij zijn arm om mijn schouder en drukte een beetje. Hij zei: 'Zorg jij dat hij verder niet meer in de problemen komt, Fred?'

Daarna zei hij op een andere toon: 'Het komt wel weer goed met hem, Judith; je vader is een taaie.' Maar vader zag er niet taai uit. Hij zag er dood uit.

Er was geen geluid in de kamer. Achter het raam scheen er lantaarnlicht over de zwarte tuin en de kapotte kersenboom. Mijn kaak was te verkrampt om te kunnen praten. Ik zei in mijn hoofd: 'Het komt door Neil, hè? Het komt door wat ik met hem heb laten gebeuren.'

'Oog om oog,' zei de stem. 'Tand om tand. Leven om leven.'

Ik begon te huilen. 'Maar vader is niet dood,' zei ik. Ik begon te trillen, mijn hele lichaam. 'Waarom hebt U hem niet beschermd?'

God zei: 'Mijn wegen zijn ondoorgrondelijk.'

Ik zei: 'Het is wel handig om ondoorgrondelijk te zijn, hè?'

Fish-and-chips

Toen ik de volgende ochtend beneden kwam zat vader voor de Rayburn. Die dag stond hij op om eten te pakken en dat was alles. Ik vroeg: 'Zal ik May of Elsie bellen om te vragen of ze willen helpen?' maar hij schudde zijn hoofd.

De volgende dag zat hij weer voor de Rayburn. Hij had zich niet geschoren en hij had geen andere kleren aangetrokken en hij leek niet veel geslapen te hebben want zijn oog – het oog dat ik kon zien – was bloeddoorlopen.

Ik kon niet aan hem vragen of hij oom Stan nog ging bellen zonder daarmee te laten weten dat ik het gesprek had gehoord maar toen hij de stekker van de telefoon eruit trok voelde ik me slap worden en zei: 'Wat als we iemand moeten bellen?'

'Dan doen we de stekker er weer in.'

Ik was blij omdat Mrs. Pierce ons nu niet kon bereiken maar ik maakte me ook zorgen dat vader oom Stan niet zou bellen. Maar dat doet hij wel, zei ik tegen mezelf. Nu Neil niet meer op de deur klopt, kalmeert hij wel. Hij kan nu elk moment oom Stan bellen, en ik bleef die hele dag bij vader in de buurt voor het geval hij zou bellen als ik er niet was.

In de loop van de dagen daarna werd de rest van vaders lichaam alle tinten blauw en geel en groen. Er kwam een dokter die naar zijn oog keek en zei dat vader geluk had gehad, dat hij het niet kwijt zou raken maar dat hij wel naar het ziekenhuis had moeten gaan. Mike kwam elke dag na het werk langs en ging dan bij vader zitten. Op donderdag liet hij een envelop op tafel achter en vader zag het toen hij de deur uitging en zei tegen me dat ik die gauw aan hem terug moest geven maar Mike wilde hem niet aannemen.

De dagen duurden lang zonder school. Ik schreef in mijn dagboek. Ik gaf mijn mosterdzaadjes wat pokon die ik van Mrs. Pew had gekregen. Ik durfde het Land van Melk en Honing niet aan te raken. Op een ochtend had ik er zo genoeg van dat er niets met de mosterdzaadjes gebeurde dat ik ze van de vensterbank haalde en de aarde op een bord uitspreidde en ze probeerde te vinden. De zaadjes die ik vond zagen er nog net zo uit als toen Broeder Michaels ze aan me gegeven had.

Ik ging even bij Mrs. Pew langs. Ze liet me foto's zien van haar en Mr. Pew op een tandem en leerde me hoe ik 'Chopsticks' moest spelen op de piano en ik hield Oscar vast in een deken terwijl zij hem zijn ontwormingspillen gaf, maar ik had de hele tijd pijn in mijn buik omdat ik aan vader dacht en ook al was ik blij geweest dat ik het huis uit kon, ik was nog blijer dat ik weer terug kon.

Hij zat te slapen of met zijn ogen dicht voor de grill, ik wist niet zeker welk van de twee. Hij zei niet: 'Niet met de deur slaan,' en hij zei niet: 'Zit je met dat eten te spelen of ben je aan het eten?' en hij merkte het niet als ik luidruchtig was, wat ik expres was, alleen maar om te kijken hoe hij zou reageren. Zijn blik gleed over dingen heen alsof hij ze niet herkende. Hij ging om acht uur naar bed. Als ik 's morgens beneden kwam lag hij nog te slapen. Het enige wat hij deed was opstaan om thee te maken of naar de open mond van de grill te zitten staren, met zijn zwarte tong en die zwarte ruimte aangekoekt met kool en die zwarte elementen, alsof daar een of ander groot geheim in zat.

We aten elke avond aardappels met bacon of worstjes en ik maakte het klaar omdat vader zei dat dat mocht, en het lukte niet één keer goed maar hij merkte het niet. Er werd niet meer gebeden en niet meer in de Bijbel gelezen en niet meer nagedacht, hoewel ik genoeg nadacht voor ons allebei. Op zondag haalde vader zijn ooglapje eraf en begon de krant te lezen dus na het eten haalde ik de borden weg en pakte toen de bijbels. Ik zei: 'Dat hebben we vergeten.'

Vader keek een tijdje naar zijn bijbel en snoof toen lucht op door zijn neus alsof hij wakker werd. Hij zei zacht: 'Ik kan dit nu niet doen, Judith.'

Ik voelde een vlaag van hitte alsof ik viel. 'Maar het is belangrijk!' zei ik. 'Het is zondag en we zijn niet eens naar de samenkomst geweest! We hebben al ik weet niet hoelang geen studie meer gedaan!'

Vader trok zijn wenkbrauwen op en schudde zijn hoofd. 'Mijn hoofd staat er nu gewoon niet naar, Judith.'

Ik schrok me dood toen hij dat zei. Ik zei: 'Wat bedóélt u?'

'Ik heb gewoon… een beetje ruimte nodig.'

'Rúímte?'

Hij zuchtte. 'Soms zijn dingen te ingewikkeld voor kinderen om te begrijpen.'

'Ik kan het wel begrijpen,' zei ik. 'Zeg het maar!'

Maar hij stond op en ging met zijn rug naar me toe zitten.

'Nou, ik ga lezen,' zei ik. 'Ik lees wel voor ons allebei.'

Vader zei hard: 'Ik hoef niet voorgelezen te worden!' Ik dacht even dat hij boos zou worden, maar die uitdrukking verdween even snel van zijn gezicht als ze gekomen was en hij zei: 'Ik heb alleen wat rust nodig.'

Ik las wel, en het ging allemaal over de reuzen op aarde en de zondvloed en hoe God alles verwoestte. Omdat het zo lang geleden was dat we gelezen hadden was ik vergeten waar we waren en begon ik gewoon te lezen waar ik de bijbel opensloeg, wat toevallig Genesis was, ook al was de zondvloed helemaal niet zo'n goed onderwerp en toen ik halverwege was wenste ik dat ik er nooit aan begonnen was. Ik was blij – maar heel erg verbaasd – toen vader me onderbrak en zei: 'Heb je zin in fish-and-chips?'

'Wat?' zei ik.

Ik vroeg me af of dit een soort test was, maar hij bleef me aankijken, en hij zag er niet uit alsof hij me erin wilde laten lopen, hij zag er alleen maar ongelofelijk moe uit.

'Ja,' zei ik uiteindelijk.

We trokken een jas aan en liepen door de regen de heuvel af naar Corrini. Het was voor het eerst dat vader het huis uit kwam en hij bleef de hele tijd de kraag van zijn jas omhoogtrekken en rillen.

Hij knipperde met zijn ogen onder de lampen in Corrini en de mensen staarden hem aan. Hij zei: 'kabeljauw en friet graag,' en de vrouw schepte op uit de metalen bak, vulde de puntzak, verpakte die in krantenpapier en zei: 'Drie pond.' Ze moest wachten voor ze de kassa kon gebruiken en terwijl ze wachtte keek de man die ermee bezig was even naar vader en toen weer naar beneden.

Vader kocht bij de slijterij vier blikjes bier en toen gingen we naar huis. Ik hield de fish-and-chips in mijn armen en het geknisper en de geur en het gewicht ervan waren bijna te veel om te verdragen. Toen we binnenkwamen at ik zo snel uit het papier dat er in mijn borst een klont ontstond en ik moest wachten tot die weg was voor ik weer kon beginnen. De frieten waren zacht en vettig, en de vis viel in vochtige vlokken uit elkaar. Het korstje kraakte en daarna droop het. Het was zo heerlijk dat ik tranen in mijn ogen kreeg.

Vader zei niet tegen me dat ik rustig aan moest doen of een bord moest pakken of mes en vork moest gebruiken. Ik had de helft al op toen tot me doordrong dat hij niet at. Ik zei: 'Wilt u ook wat?'

'Nee, dat is voor jou,' zei hij.

Maar ik had opeens geen zin meer om te eten. 'Kijk eens,' zei ik en ik stopte twee frieten onder mijn bovenlip en trok een eng gezicht. Hij nam een slok van zijn blikje en glimlachte en keek toen weer naar de grill. Ik wilde dat hij me op mijn kop gaf omdat ik met mijn eten zat te spelen.

Ik haalde de frieten uit mijn mond en keek omlaag naar de krant. Ik zei: 'Gaat het wel goed met u?'

'Waarom zou het niet goed gaan?'

Er waren een heleboel redenen waarom het niet goed met hem zou kunnen gaan maar niet één waarover we misschien konden praten. 'Weet ik niet,' zei ik. Ik keek naar de klok. Het was tien uur geweest; hij had niet eens in de gaten gehad dat het bedtijd was.

'Kijk eens hoe laat het is!' zei ik.

'O ja.'

Ik stond op. 'Dank u wel voor de fish-and-chips.'

Hij keek me nog steeds niet aan. 'Graag gedaan.'

Ik zei: 'Ik kan maar beter naar bed gaan, hè?'

'Goed idee.'

'Welterusten dan.'

'Welterusten.'

Ik liep naar de deur maar toen ik daar kwam moest ik lachen en draaide ik me om. 'Het gaat goed met u, hè?'

Er gleed iets over zijn gezicht. Hij zei: 'Natuurlijk gaat het goed met me!' en hij zag er bijna weer als zichzelf uit.

'O, mooi zo,' zei ik, en ik voelde me beter dan ik me de hele dag gevoeld had.

Bezoekers

Twee dagen voor Kerstmis kwamen Elsie en May langs en ze klopten op de schutting. Ik zou ze niet gehoord hebben als ik niet in de tuin was geweest maar het was zonnig en ik wilde niet binnen zitten.

'Joehoe!' riep May.

'Hallo!' riep Elsie.

'Hé,' gilde ik.

'Judith!' riepen ze. 'Gaat het goed met je, lieve kind?' Ze klonken een beetje onzeker; ik stond er niet bij stil dat ze de schutting nog niet hadden gezien.

'Ja!' zei ik. 'Wacht even, dan haal ik de sleutel.'

'We hebben jullie gemist!' zei Elsie.

'Wacht even!' zei ik. 'Ik ben zo terug.'

'Mag ik de sleutel?' zei ik tegen vader toen ik de keuken binnenkwam. 'Elsie en May staan buiten.'

'O.' Vader raakte zijn ogen aan. Toen schudde hij zijn hoofd en zei: 'Ik kan dat op het moment niet aan.'

Ik staarde hem aan. 'Het zijn Elsie en May,' zei ik.

'Ik weet wie het zijn en ik zei dat ik het niet aankan. Zeg maar dat ik ziek ben.'

Ik keek hem aan. 'Maar u bent niet ziek,' zei ik opeens. Er flitste een witheet licht aan in mijn hoofd. 'U voelt zich prima!'

Vader zei op zachte toon: 'Ik ga niet met je in discussie. Zeg maar tegen ze dat het heel aardig van ze is maar dat ik op dit moment niemand wil zien.'

Ik ademde snel. 'Maar we hebben al een hele tijd niemand gezien!' zei ik. Mijn stem trilde en werd te luid. 'En als ík ze wil zien? Ík woon hier ook!'

Vader sprong op van de stoel. 'Ik wil op dit moment niemand zien, Judith, oké? Ik wil *niemand zien!*'

Ik bleef daar even staan en rende toen de kamer uit. In de hal kwam ik weer op adem en veegde ik mijn gezicht af. Daarna deed ik de voordeur open en liep naar de schutting en riep naar May en Elsie dat vader zich niet goed voelde.

'Ach nee toch… Maar gaat het met jou wel goed, lieverd?' zeiden ze bezorgd.

'Ja.' Ik leunde met mijn hoofd tegen de schutting.

'O, nou…'

Het was een minuut of twee stil. 'Kunnen we iets voor jullie halen?'

'Nee. Bedankt.' Ik deed mijn ogen dicht.

'Nou, oké… dan gaan we maar… maar we zien jullie gauw weer, op de samenkomst.'

'Ja.'

'Doe je vader de groeten.'

'Zeg maar dat we aan hem denken.'

'Dag, lieverd.'

Ik hoorde ze de straat af lopen en gleed toen langs de schutting naar beneden en ging op de aarde zitten.

De rest van de dag zei ik niets tegen vader maar hij merkte het niet want hij zei zelf ook niet veel. 's Avonds laat kwam hij naar boven naar mijn kamer en ging op mijn bed zitten. Het leek hem niet te kunnen schelen of ik lag te slapen of niet maar ik deed of ik sliep; hij rook naar bier en ik was bang.

'Uiteindelijk zullen we winnen,' zei hij. 'Ze denken dat ze ons verslagen hebben, maar dat is niet zo!' Hij legde zijn hand op mijn hoofd en die was zwaar en klam, alsof je aangeraakt werd door een dood ding. Ik voelde hem op de rand van het bed heen-en-weer schuiven en toen liet hij een scheet.

Hij zei: 'Wat heb ik…'

Daarna maakte hij een geluid dat klonk als: 'Gah!' en hij legde zijn hoofd in zijn handen en wreef met zijn handen heen en weer over zijn haar en kreunde. Vervolgens begon hij te lachen, en terwijl hij lachte wreef hij de hele tijd over zijn hoofd.

Toen hij weg was bleef ik nog ik weet niet hoelang doodstil liggen. Ik wilde niet ademen maar ik moest wel. Ik was er eigenlijk van uitgegaan dat vader wel weer zichzelf zou worden als het eenmaal beter begon te gaan met zijn lichaam, maar dat was niet zo, dus moest er iets anders aan de hand zijn, en ik wilde niet bedenken wat dat was. Ik dacht voor het eerst dat vader misschien de Depressie had. Depressie was een zonde want het betekende dat iemand wanhoopte aan God.

En ik bedacht dat kloppen op deuren en ingegooide ruiten en hoofden in wc's en brandstichting en zelfs in elkaar geslagen worden daarbij in het niet vielen, omdat dit, wat het ook was, onzichtbaar en ongrijpbaar en onherstelbaar was. Het kon niet gerepareerd worden als een deur, of een oog, of een tand, of een huis.

Kerstmis

De volgende dag kregen we een kerstkaart van tante Jo. Ze had de kaart zelf gemaakt, net als anders, en een foto op de voorkant geplakt. Op die foto had ze haar haar heel kort geknipt en ze had enorme dubbele vioolsleuteloorbellen in en grijnsde, met een feestmuts op haar hoofd. Ze had haar armen om twee andere vrouwen en het leek erop dat ze 's avonds in iemands achtertuin stonden. Ze zag eruit alsof ze in de zon had gezeten.

Op de kaart stond: 'Vrolijk kerstfeest. Ik denk aan jullie allebei. Zou jullie dolgraag zien. Kom eens op bezoek. Liefs Jo.' Er stond een lange rij kussen. Ik snoof aan de kaart maar hij rook nergens naar. Maar ik bedacht dat de vingers van tante Jo hem overal hadden aangeraakt. Ik stelde me voor dat tante Jo vanaf de voorkant van de kaart naar mij lachte. Ik vroeg aan vader of ik die kaart mocht houden en hij zei dat het mocht dus prikte ik hem boven mijn bed aan de muur. Hij maakte de hele kamer anders, alsof er een raam was opengezet en er frisse lucht was binnengekomen.

De zaterdag na Kerstmis kwam oom Stan vader opzoeken. Hij kwam meteen na het avondeten. Vader bood hem een kop thee aan maar oom Stan wilde geen thee. Ze gingen naar de huiskamer en deden de deur dicht. Ik kon niets horen dus ging ik naar mijn kamer en daar ging ik op de grond zitten en ik haalde mijn dagboek tevoorschijn maar zat alleen maar naar de bladzijde te kijken.

Toen hoorde ik de deur beneden. Oom Stan zei: 'Het wordt morgen bekendgemaakt,' en vader zei: 'Dank je wel.'

Ongeveer een halfuur later klopte vader op mijn deur. Ik krabbelde overeind en stopte het dagboek onder de plank en zei: 'Kom maar binnen!'

Hij ging op de rand van de stoel bij mijn bureau zitten en zei: 'Judith, ik moet je iets vertellen; ik vind het heel vervelend maar het is niet anders. Oom Stan is net geweest en we hebben een lang gesprek gehad: morgen op de samenkomst zal bekendgemaakt worden dat ik ben Verwijderd. Ik wil dat je weet dat ik er zelf mee ingestemd heb.'

'O,' zei ik. Ik sloeg mijn ogen niet op.

'Ik weet dat dit een schok voor je moet zijn, maar ik kan op dit moment naar eer en geweten niets anders doen. Wat ik kwam zeggen is dit: het betekent niet dat jij nu ook niet meer naar de samenkomsten kunt gaan; ik zal je er met alle liefde naartoe brengen. Ik wil dat je doet wat je zelf wilt doen.'

Ik weet niet hoelang hij nog doorging met praten. Ik hoorde hem zeggen: 'Judith?'

Ik slikte. 'Is het omdat u achter die jongens aan bent gegaan?' zei ik. Maar het maakte nu eigenlijk niet meer uit wat de reden was.

'Dat… en andere dingen,' zei vader. Hij zuchtte. 'Ik denk dat ik al een behoorlijke tijd dingen op mijn eigen manier heb gedaan.'

Ik had het heet en dacht dat ik misschien flauw zou vallen. Ik zei: 'Maar u gelooft toch nog steeds in God?'

Vader liet een kort lachje horen. 'Ik weet niet wat ik geloof,' zei hij. Hij stond op. 'Maar als je morgen wilt gaan dan breng ik je.'

Ik schudde mijn hoofd.

'Wil je niet gaan?'

Ik schudde mijn hoofd.

'Oké.' Hij liep naar de deur. Toen bleef hij staan en zei: 'O.' Hij voelde in zijn zak. 'Stan zei dat ik dit aan je moest geven.'

Ik vouwde het papiertje open. Er stond op geschreven:

D.S. Michaels
The Flat
The Old Fire Station
Milton Keynes
MK2 3PB

Beste Broeder Michaels,

Ik ben Judith McPherson, degene met wie u hebt gepraat nadat u
die voordracht over de mosterdzaadjes had gehouden. U hebt er een
paar aan mij gegeven, weet u nog? Ik hoop dat het goed met u gaat.

Ik schrijf u om u te bedanken dat u naar onze gemeente bent gekomen. Uw voordracht heeft mijn leven veranderd. Toen ik thuiskwam
heb ik een wonder laten gebeuren, en daarna nog een heleboel, maar het
eerste wonder was op die avond nadat u ons over geloof had verteld. Ik
heb het laten sneeuwen door sneeuw te maken voor mijn modelwereld.
Er is een wereld in mijn kamer die van rommel is gemaakt. Daar heb ik
sneeuw voor gemaakt en toen ging het echt sneeuwen, weet u nog?

Daarna heb ik het nog een keer laten sneeuwen en toen heb ik het
laten ophouden met sneeuwen. Daarna heb ik de kat van onze buurvrouw teruggehaald en daarna heb ik een jongen op school gestraft.
Maar nu klopt hij de hele tijd bij ons aan en gisteren heeft zijn vader
mijn vader in de Co-op bedreigd en hem een 'onderkruiper' genoemd.

De politie helpt niet. Niemand gelooft dat ik wonderen heb verricht.
Het punt is dat ik nu niet weet of ik nog meer wonderen moet proberen
te verrichten of niet. Macht hebben is niet zo makkelijk als het lijkt.

Het enige wat we hoefden te doen was de eerste stap zetten, zei u,
maar nu lijkt het erop dat ik niet meer terug kan naar waar ik begonnen ben. Ik denk dat het beter voor me was geweest als ik mijn macht
helemaal nooit had ontdekt. Ik weet me met een hele hoop dingen geen
raad en vader ook niet.

Broeder Michaels, er is iets verschrikkelijks gebeurd. Ik heb ervoor
gezorgd dat er jongens naar ons huis kwamen en vader heeft problemen
met de ouderlingen gekregen omdat hij boos is geworden. Ik had moeten zien dat dat zou gebeuren maar ik heb het niet gezien, en zoals God
zegt het is makkelijker om dingen te doen dan om ze ongedaan te maken. Vader is zichzelf niet. Ik denk dat hij misschien de Depressie heeft.

Broeder Michaels, morgen wordt vader Verwijderd uit de gemeente.

Ik weet dat vader in de kudde zal terugkeren maar als u zou komen
en met hem zou praten zou dat vast en zeker helpen. U zou gebeden
voor ons kunnen zeggen. Zou u het erg vinden om meteen te bidden,
want het Einde is heel erg nabij.

Ik ben nu al zoveel dagen niet in mijn gewone doen en ik denk dat ik iets onder de leden heb. Ik hoop niet dat het de Depressie is want ik heb gehoord dat het besmettelijk is. Broeder Michaels, toen u die ochtend door de haldeuren kwam dacht ik dat u een engel moest zijn of zo, en dat daarom niemand kon horen waar u vandaan kwam. Als iemand ons kan helpen dan bent u het, dat weet ik zeker.

Trouwens, die mosterdzaadjes zijn nooit gegroeid. Als u me kunt vertellen waar ik aan andere kan komen zou ik u heel dankbaar zijn. Ik hoop dat u ze niet in de Bijbellanden heeft gehaald want als dat zo is zal het een hele tijd duren om aan andere te komen.

Uw zuster,
Judith McPherson

De laatste dag van het jaar

Het was de laatste dag van het jaar. Het was een zondag maar een zondag zoals ik die nog nooit had meegemaakt. Er was geen lamsvlees en er waren geen bittere kruiden en er was geen samenkomst en er werd niet gepredikt. Het huis was zo koud dat dingen nat aanvoelden en het leek wel alsof het meteen na het middageten al donker werd. Ik zat bij het keukenraam en bedacht dat ik vroeger een hekel aan de zondag had gehad maar dat dit duizend keer erger was. Het enige fijne was dat ik Josies poncho niet hoefde te dragen maar toen ik er over nadacht leek zelfs dat nu niet meer zo erg.

'Wat kan ik aan vader doen?' zei ik tegen God.

'Hij is zijn geloof kwijt,' zei God. 'Je kunt niets doen.'

'Hij is zijn geloof niet kwijt,' zei ik. 'Hij is alleen in de war.' Maar ik keek naar vader, naar zijn nek die naar voren stak, naar zijn handen plat op de armleuningen van de stoel, naar de kop koude thee, naar het matras op de grond en de gordijnen halfdicht en ik was er niet zo zeker van.

Ik verdween naar mijn kamer en ging bij het raam zitten en trok mijn knieën op en zag de lucht veranderen van indigo naar zwart en bedacht dat ik hem nog niet zo lang geleden wit en zwaar van de sneeuw had zien worden. In de straten en dakgoten glom geel licht. Er kwam ergens muziek vandaan en ik zag af en toe mensen voorbijkomen, sommigen liepen arm in arm, anderen lachten, weer anderen liepen te slingeren en te zingen. Een tijdje later was er vuurwerk en in die uitbarstingen van licht kon ik kilometers ver zien. Het vuurwerk was heel even roerloos voordat het viel. Ik probeerde mijn ogen open en dicht te doen zodat ik alleen die lichtflits zou zien maar meestal miste ik hem.

Om twaalf uur 's nachts begonnen er ergens mensen te zingen, dat liedje over oude bekenden en bekers met vriendelijkheid dat ze altijd aan het eind van het jaar zingen, en toen kon ik daar niet meer blijven zitten en stond ik op.

'Ik heb de steen gekozen,' zei ik hardop. Ik haalde diep adem. 'Ik heb ervoor gekozen om machtig te zijn.' Ik slikte. 'Als ik maar lang genoeg hard genoeg nadenk kan ik wel iets bedenken om dingen beter te maken. Maar ik maak niets meer want dat gaat altijd mis.' Ik kon trouwens toch niets bedenken om te maken. Ik duwde heel hard met mijn handen tegen mijn hoofd en kneep mijn ogen stijf dicht. Maar ik kon helemaal niets bedenken.

Ik zei: 'Ga terug naar het begin,' en ik vroeg me af wanneer het precies mis was gelopen en bedacht dat dat eigenlijk rond de tijd van de staking was geweest.

Ik had lang geleden een fabriek gemaakt in het Land van Melk en Honing. Dat soort dingen maakte ik normaal gesproken niet maar ik had de schoorstenen van de fabriek in de stad gezien en vond dat ze heel erg op toiletrollen leken, dus maakte ik ze en aan de zijkanten liet ik ladders van een speelgoedbrandweerauto omhooglopen. Ik maakte de fabriek van een schoenendoos, met schoorstenen van klei en ramen van cellofaan en rietjes als buizen. Er was een brandtrap van lego en een parkeerplaats en een gaashek gemaakt van een netje waar sinaasappels in hadden gezeten. Ik liep nu naar de fabriek toe en draaide hem rond in mijn handen. De schoorstenen wiebelden maar er klonk geen geluid vanbinnen want hij was leeg. Ik had de mensen eruit gehaald omdat ik die voor andere dingen nodig had. En toen vroeg ik me af wat er zou gebeuren als ik hem vulde, als ik een interieur maakte.

Het zou kunnen werken, dacht ik – en het was zo'n enorme gedachte dat ik die niet hardop durfde uit te spreken.

Toen zei ik: 'Maar ik had gezegd dat ik niets meer zou maken.'

Tóén zei ik: 'Maar wat is het ergste dat er kan gebeuren?' Dit was iets anders dan een mens maken. De situatie in de fabriek kon niet erger worden. Maar toen dacht ik dat ik mezelf misschien voor de gek hield. Ik liep de hele tijd de kamer rond en dacht dat ik het misschien beter niet kon doen en dat ik het misschien beter wel kon doen en ik probeerde te bedenken wat ik anders kon doen maar ik kon niets bedenken.

Ik was heel erg opgewonden en toen werd ik heel erg bang, en toen kreeg ik er genoeg van om opgewonden en bang te zijn en wilde ik gewoon dat alles voorbij was. 'God,' zei ik, 'is dit mogelijk?'

'Meestal is alles mogelijk,' zei God.

'Maar kan ik dingen echt beter maken?'

'Ja,' zei God, 'dat kun je.'

'Goed dan,' zei ik. En ik ging voor de laatste keer naar de koffer en tilde het deksel op.

Ik had de fabriek nog nooit vanbinnen gezien dus ik wist dat dit het moeilijkste ding zou worden dat ik ooit gemaakt had. Ik kon niets anders doen dan me voorstellen hoe dingen eruitzagen en er het beste van hopen.

Ik werkte de hele nacht door, tot ik licht boven de top van de berg zag verschijnen. Toen voelde ik me moeër dan ik me ooit gevoeld had, en hol, als een stengel, en ik deed de lamp uit en stapte in bed. 'Alstublieft, God,' zei ik, 'zorg dat dit goed afloopt.'

Het veld nog een keer

En toen ik sliep had ik mijn lievelingsdroom, de droom over de twee kleine mensjes die ik het eerst van allemaal had gemaakt, het stoffen poppetje met de bloemen en het pijpenragermannetje met de groene trui, en dat waren vader en ik.

Vader hield mijn hand vast en we liepen door een veld, en we lieten een spoor achter in het gras. Soms gingen we naar rechts en dan weer naar links. Soms liep ik voorop en dan weer vader. Ik vroeg hem naar het Land van Melk en Honing, naar hoe het zou zijn en toen zei hij: 'We zijn er al, Judith; je hoeft het niet meer te vragen,' en ik keek om me heen en zag dat hij gelijk had. Voor het eerst was het niet de zogenaamde wereld maar de echte, met echt gras en een echte lucht en echte bomen, en toen keek ik naar beneden en zag ik dat we geen poppetjes waren maar onszelf, en het was geweldig.

De zon was roze op ons gezicht en onze schaduwen werden lang. Ik praatte en vader luisterde, hij keek me aan, en dat was ook geweldig. Maar na een tijdje begon hij te praten voordat ik klaar was en zijn antwoorden sloegen nergens op, en het drong tot me door dat hij helemaal niet tegen mij praatte. Toen keek ik nog eens beter en zag ik dat ik het niet was, en ik vroeg me af wie ik wel was, en waar ik was als ik niet daar was, want ik kon alles nog steeds heel duidelijk zien en horen.

Ik zag de twee kleine mensjes door het lange gras gaan. Ze werden kleiner en kleiner, gaven elkaar toen een hand en begonnen te rennen. Ik riep naar ze maar ik kon er niet voor zorgen dat ze me hoorden. Ik was groot, en zij waren klein, en ze renden voor me weg. Ik wilde op dat moment niets liever dan klein zijn maar zag dat ik het niet was en dat ik het ook nooit zou worden.

Ze gingen naar de rivier beneden waar de zon laag was en de oeverzwaluwen heen en weer schoten, en daar te midden van het water en het lage licht raakte ik ze kwijt.

BOEK V

Het einde van de wereld

Het een-na-laatste wonder

Op 8 januari kwam vader naar boven naar mijn kamer. Zijn gezicht zag er anders uit dus ik wist meteen dat er iets gebeurd was. Hij zei: 'De staking is voorbij. Mike belde net.'

Ik was zo verbaasd dat ik niets wist te zeggen. Hij ging weer weg en ik keek alleen maar naar de plek waar hij had gestaan. Toen tilde ik de losse vloerplank op en haalde mijn dagboek tevoorschijn. Ik schreef: 'Het laatste wonder is gebeurd.' Toen schreef ik: 'HET IS AFGELOPEN MET DE WONDEREN.'

De school begon. De fabriek ging open. Toen ik op de eerste maandag na de vakantie beneden kwam voor het ontbijt stond vader worstjes te bakken.

'Worstjes!' zei ik.

Hij zei: 'Ik vier de terugkeer naar de stal.'

Ik dekte de tafel voor twee. Een klein waterig zonnetje kwam door het keukenraam en scheen op onze handen. Vader at drie worstjes en ik at er twee.

In de klas was Mrs. Pierce bezig sneeuwklokjes in een vaas te zetten. Ze zei: 'Judith! Hoe gaat het met je?'

'Het gaat goed, Mrs. Pierce,' zei ik.

Ze zei: 'Je ziet er beter uit!'

'Het gaat ook beter,' zei ik. 'Hebt u een fijne vakantie gehad?'

'Heerlijk. En de staking is voorbij! Wat zal je vader opgelucht zijn. Iedereen denk ik; het was een heel ander stadje de afgelopen tijd.'

Een ogenblik lang zeiden we geen van beiden iets en we konden de druppels in de emmer horen. Mrs. Pierce lachte. 'Als we nou eens iets aan dat dak konden doen!'

Dat was het moment waarop ik zei: 'Weet u of Neil terugkomt?'

'Ja, die komt terug,' zei Mrs. Pierce. 'Het gaat een stuk beter met hem.'

'O mooi,' zei ik.

Een tijdje later kwam iedereen de klas binnen. Mijn maag kromp samen toen ik Neil zag. Hij liep op krukken. Hij zag heel bleek, nog bleker dan normaal, en hij moest kijken waar hij zijn voeten neerzette dus ik kon zijn gezicht niet zien. En toen zag ik het wel. En er liep een litteken in een lange streep vanaf zijn oog.

Hij zag me kijken maar zijn gezicht was anders dan vroeger. Het was uitdrukkingsloos; niet verdrietig; leeg. Ik kon niet eens zien of hij me herkende. Het was alsof hij door me heen keek.

Mrs. Pierce zei: 'Groep acht, ik heb nieuws voor jullie. Mr. Davies heeft ons geschreven om te kijken of we ons allemaal goed gedragen. Zijn dochter heeft net een baby gekregen en hij helpt nu om voor haar te zorgen.'

Gemma zei: 'Komt hij nog terug?' en Mrs. Pierce zei: 'Nee, hij heeft besloten om met vervroegd pensioen te gaan.' En ik was heel erg blij want dat betekende dat Mrs. Pierce voorgoed zou blijven.

Toen ik die middag thuiskwam spreidde ik een tafelkleed uit en zette ik een fles midden op tafel. Daarna ging ik de tuin in. Die was zwart en nat en de lucht was guur. Door de lege takken van de kersenboom kon ik de berg zien en het laatste beetje licht dat gloeide als sintels. Ik plukte sneeuwklokjes net zoals Mrs. Pierce had gedaan en toen ging ik weer naar binnen en zette ze in de fles midden op tafel.

Het licht wilde niet verdwijnen die middag. Ik hoorde de kleine kinderen spelen op hun fietsjes op het achterpad alsof het al lente was. Toen vader binnenkwam was hij wit, maar hij glimlachte, en het was een echte glimlach. Ik vroeg aan hem hoe het op het werk was geweest en hij zei dat alles soepel was verlopen. Hij zei dat hij blij was dat hij nooit meer met die bus hoefde.

Toen we aan het avondeten zaten zei ik: 'Was Doug Lewis er ook?'

Vader zei: 'Nee, die was er niet. Ik weet niet waar hij is.'

We zeiden een tijdje niets. Toen zei ik: 'Hoe zijn de aardappels?'

'Perfect,' zei vader.

Na het eten zei vader: 'Kom eens hier.' Hij haalde een folder uit zijn zak. Die was rood en wit en blauw en had een foto van een luchtballon en er stond op: *De tocht van uw leven! Zie de wereld zoals u die nog nooit gezien heeft!* Hij zei: 'Zou je dat willen?'

'Ja!'

'Goed,' zei hij. 'Dat is dan geregeld.'

Hij stak de kachel in de huiskamer aan en ik ging bij zijn voeten zitten terwijl hij van zijn bier dronk en de vlammen over alles heen speelden. Ik bedacht dat we het een hele tijd niet zo goed hadden gehad als nu – vader had nog nooit aangeboden om me mee te nemen op een ballontocht en als hij gewoon weer kon beginnen om naar de samenkomsten te gaan zou alles zo ongeveer perfect zijn.

Het bleef allemaal goed gaan: de avond erna maakte ik macaroni met kaas en vader vond het lekker, ook al kwam het uit een pakje en na het eten stak hij de kachel in de huiskamer weer aan. De dag daarna was het zonnig. Toen Gemma en Rhian en Keri op de speelplaats aan het touwtjespringen waren kwam Neil naar ze toe en toen deed Gemma net alsof ze hem niet zag, maar mij lieten ze eventjes meespringen.

En die middag liepen vader en ik door de tuin en toen zei vader dat het er gauw beter uit zou zien, dat de kersenboom weer zou gaan groeien en de goudpalm en de kerstrozen. Hij zei dat de brand eigenlijk goed was geweest voor de grond.

Op donderdag dwong ik mezelf om iets tegen Neil te zeggen, ook al begon mijn hart zo langzaam te kloppen dat ik dacht dat het ermee op zou houden (maar ik had me geen zorgen hoeven maken want na afloop klopte het twee keer zo snel). Ik ging naar zijn tafel toe en bleef daar staan tot hij opkeek, en toen zei ik: 'Ik ben blij dat je weer beter bent,' en hoewel het niet iets geweldigs was om te zeggen kon ik niks beters bedenken.

Ik geloof trouwens niet eens dat hij me hoorde. Hij keek dwars door me heen en keek toen weer naar zijn boek. Ik bleef daar nog even staan en liep toen naar mijn plaats.

Die middag deed vader ook iets wat hij steeds had uitgesteld: hij begon de schutting af te breken. Dat deed hij met een koevoet, die hij naar achteren en naar voren boog, en Mike hielp hem. Het hout kermde en versplinterde en de tuin lag al gauw vol met glas en cement en kapotte planken. Vader bewaarde de koperen knop en legde die op de schoorsteenmantel waar hij treurig lag te glanzen. Het was net alsof hij wist dat hij niet meer nodig zou zijn.

Die avond maakte ik spaghetti bolognese, en ik bakte de uien en het gehakt en ik kookte de spaghetti en het enige wat vader hoefde te doen was roeren. Ik vroeg of we net konden doen alsof de saus niet uit een pot kwam en dat deden we, en toen we zaten te eten zei Mike: 'Mag ik de kok lenen?' en vader zei dat hij daarover na moest denken, en ik kon me niet herinneren wanneer ik voor het laatst zo gelukkig was geweest.

Later toen Mike weg was en we stonden af te wassen zei ik: 'Kunnen we May en Elsie en Gordon uitnodigen?'

'Niet nu,' zei vader.

Ik wachtte even en zei toen: 'Gaat u wel weer naar de samenkomsten toe?'

En hij zei: 'Judith, ik wil hier niet over praten.' Dus dat deden we niet.

Maar later, toen ik op mijn kamer zat, zei ik tegen God: 'Help vader alstublieft.'

God zei: 'Ik kan hem niet helpen. Hij moet zichzelf helpen.'

'Dat probeert hij.'

'Zeg dan tegen hem dat hij het harder moet proberen.'

Ik nam mijn dagboek mee naar bed en sloeg drie bladzijden om en schreef: 'Is vader al beter?' Toen sloeg ik er weer drie om en schreef: 'En nu?' Ik bleef bladzijden omslaan en schrijven en ik viel in slaap met het dagboek naast me.

De laatste dag waarbij ik iets had geschreven was een woensdag. Maar het bleek dat we niet zover kwamen want meteen de volgende avond gebeurde er iets wat een einde aan al die dingen maakte. Het maakte zo'n beetje een einde aan alles, en ik zag het niet eens aankomen.

D.S. Michaels
The Flat
The Old Fire Station
Milton Keynes
MK2 3PB

Beste Judith,
Wat leuk om van je te horen! Natuurlijk weet ik nog wie je bent, en
dat we die zondag gepraat hebben, en ik vind het heel vervelend om te
horen dat het voor jou en je vader de laatste tijd zo moeilijk is geweest.
Aangezien deze wereld zijn einde nadert moeten we erop bedacht zijn
dat Satan onze integriteit op de proef zal stellen. Wat er ook gebeurt,
ik weet zeker dat God de liefde die jouw vader voor Zijn naam aan de
dag heeft gelegd niet zal vergeten en dat Hij hem met open armen weer
in de kudde zal ontvangen wanneer hij eraan toe is om terug te keren.

Ik weet zeker dat jouw eigen trouwe voorbeeld een stimulans zal
zijn voor je vader. Ik ben bang dat ik het nogal druk heb en voorlopig
niet naar jullie gemeente zal komen, maar ik zal voor jullie allebei
bidden.

Wat die mosterdzaadjes betreft, ik wist niet dat je ze wilde laten
ontkiemen. Ik weet niet zo goed hoe je dat zou moeten doen. Ik denk
dat de meeste mensen ze gewoon vermalen. Als je het nog een keer
met andere wilt proberen, ik heb ze in de Tesco gekocht. En anders
zou je het in een reformwinkel of in een tuincentrum kunnen proberen.

Ik verheug me erop om je weer te zien als ik de volgende keer
jullie gemeente bezoek.

Met christelijke liefde,
je Broeder,
Derek Michaels

Een ontdekking

Ik kwam op vrijdag thuis en draaide mijn sleutel om in de voordeur maar hij klikte niet. Ik dacht dat ik vergeten moest hebben om hem op slot te doen toen ik die ochtend naar school ging en was heel blij dat vader nog op zijn werk was en het niet wist. Ik ging de keuken in en maakte een boterham en een glas limonade en ging toen naar boven.

Ik liep de overloop op en concentreerde me op het rechthouden van de boterham en mijn drinken en dacht aan de ballontocht die vader en ik zouden maken dus ik zag niet dat mijn deur niet dichtzat. Toen ik het wel zag kromp mijn maag samen. Ik duwde hem open en ik zag twee dingen.

Het eerste was vader die op het bed zat. Hij keek niet op en zijn gezicht was rood en verkreukeld alsof hij geslapen had en hij rook naar bier. Het tweede was dat hij mijn dagboek vasthield. Toen schoot de kamer naar achteren en schoten vader en het dagboek naar voren. Ik hoorde mezelf zeggen: 'Waarom bent u niet op uw werk?'

'Er is geen werk,' zei hij en toen hij opkeek zag ik dat zijn ogen glazig en halfdicht waren. 'Tweeduizend man ontslagen.'

'Wat?'

'Hij is gesloten,' zei hij.

Ik knipperde met mijn ogen. 'Maar jullie waren net weer begonnen.'

'De staking heeft ons de das omgedaan. We zijn de helft van onze klanten kwijt.'

'Hij gaat wel weer open.'

'Ik weet het niet!' zei vader. 'Zeg jij het maar. Jij bent per slot van rekening degene met de magische krachten, of niet soms?'

Ik voelde me duizelig.

Hij lachte. 'Ik neem aan dat jij het toch al wist! Misschien heb jíj de fabriek wel gesloten! Dat doe je toch, of niet soms? Je laat dingen gebeuren. *En dan schrijf je erover in dat ellendige dagboek van je!*' Terwijl hij die laatste woorden zei stond hij op, en hij stootte zijn hoofd tegen de luchtballon en de kamer zwaaide heen en weer.

'*En ik maar denken dat Doug het op me voorzien had omdat ik werkte!*' schreeuwde hij. '*Dat die ellende hier bij het huis kwam door de staking! Dat het gewoon kwajongensstreken waren. Je had gezegd dat je zou ophouden met dat gedoe met die wonderen, Judith!* JE HAD HET BELOOFD!'

Hij kwam vlakbij en ik zag de adertjes in zijn ogen.

Ik zette mijn bord en mijn beker neer en ik kon hem niet aankijken, ik bleef maar naar beneden kijken naar mijn boterham.

'Hij zei: 'Ik heb het je gezégd, Judith! Ik heb het je gezégd en nóg een keer gezegd... dat je ermee óp moest houden...' Toen stokte zijn stem en hij ging op het bed zitten en zijn schouders schokten.

Ik zei: 'Het enige wat ik gedaan heb was geloof hebben,' en mijn stem was alleen maar lucht. 'God heeft de rest gedaan.'

'GOD KAN DOODVALLEN!' schreeuwde hij.

'Ik probeerde te helpen,' zei ik.

Hij stond op. Hij zag eruit als een bezetene. Hij zei: 'Weet je hoe ik over die hulp van jou denk?' Hij pakte mijn dagboek en scheurde de kaft eraf. Hij probeerde het doormidden te scheuren maar de rug was te sterk en boog alle kanten op. Dat maakte hem nog razender. Hij begon er handenvol bladzijden uit te scheuren en zijn handen trilden en schudden. Toen er nog maar een paar bladzijden over waren gooide hij het dagboek op de grond en keek om zich heen.

Ik zag wat er ging gebeuren een seconde voordat het gebeurde maar ik was evengoed te langzaam. Ik gaf een gil en rende naar hem toe maar hij had een veld in het Land van Melk en Honing beetgepakt en huizen en bomen en vee regenden op ons neer. Ik klauwde naar zijn armen maar hij duwde me terug en begon rivieren en kastelen en paleizen en steden de lucht in te slaan. Hij ontwortelde bomen, hij sloeg bergen plat, hij verpletterde huizen onder zijn schoenen.

Ik hing aan zijn armen, ik hing aan zijn benen, we vielen om, hij stond weer op, hij smeet de sterren naar beneden, hij trok de maan uit elkaar, hij wierp de planeten omver. Hij rukte aan de zon en de kooi brak in stukken. De zee barstte met het geluid van een bord en de boten werden omhooggegooid. De lucht viel op de aarde en de aarde brak in stukken. Bedden en stoelen, theepotten en struiken, rozen-boompjes en waslijnen, windmolens, hooivorken, pruimentaarten en kandelaars regenden om ons neer. Vilten honden huilden, vissen versierd met kralen flapperden op en neer, zebra's hinnikten, leeuwen brulden, vuurspuwende draken zagen hun vuur gedoofd, schorpioenen renden rond in kringetjes. Ik probeerde ze te redden maar evenveel als ik vasthield liet ik ook weer vallen en overal om ons heen was de lucht vol veren en klei en draad en kralen en hoofden en armen en benen en haar en vacht en stenen en zand en vleugels. En al vrij gauw was er niets anders over dan een berg oude rommel.

Vader stond te hijgen en te zwaaien. Hij keek om zich heen en wankelde naar de deur. Die sloeg met een klap achter hem dicht en ik hoorde hem struikelen op de trap. Toen viel ik ook neer, maar ik weet niet waar want er waren geen plekken meer, en ik weet niet hoelang ik viel want er was geen tijd meer. Duisternis vulde mijn ogen want er was geen licht meer en het had geen zin om ooit nog op te staan want wat er gedaan was kon nooit meer worden goedgemaakt.

Het einde van de wereld

Ik was in het donker toen ik een stem hoorde. De stem zei: 'Word wakker.'

'Laat me met rust,' zei ik.

'Word wakker,' zei de stem.

'Ga weg,' zei ik.

'Je moet wakker worden,' zei de stem.

'Waarom zou ik?'

'Je moet wakker worden,' zei de stem. 'Want de wereld vergaat.'

Ik deed één oog open.

Voor me was iets wat eruitzag als een bos. Er staken vezels omhoog en die vezels waren groen.

Ik deed allebei mijn ogen open.

Mijn wang drukte tegen een stuk groen tapijt. Het tapijt was onderdeel geweest van het Land van Melk en Honing.

Ik ging rechtop zitten.

Een deken die over me heen lag viel weg. Er kwam maanlicht door het raam.

Ik keek om me heen. Toen leunde ik met mijn hoofd tegen de muur en wilde ik niet meer kijken.

'Sta op!' zei de stem.

'Ga weg,' fluisterde ik.

'Er is geen seconde te verliezen!'

'Ga weg.'

'Weet je niet wat dit betekent?'

'Ga alstublíéft weg,' zei ik.

Maar de stem ging niet. 'Wat zie je?' zei Hij.

'Alles is kapot,' zei ik uiteindelijk, en ik deed mijn ogen dicht.

God zei: 'Precies!' Hij zuchtte. 'Judith, ik probeer je te helpen, maar er is bijna geen tijd meer.'

'Geen tijd meer voor wat?' zei ik.

'Denk eens na.'

Ik deed mijn ogen open en dit keer zei ik: 'Nee.'

'Ja,' zei God.

'Nee. U bedoelt toch niet…'

'Jawel.'

Ik schudde mijn hoofd. 'Dat is onmogelijk.'

'Wat was dat woord?'

'Onmogelijk,' zei ik.

'Zijn alle andere dingen gebeurd?'

'Ja, maar… Dat zou betekenen…'

'Armageddon,' zei God. Hij lachte. 'Je wilde dat de wereld verging. Je hebt Me er vaak genoeg naar gevraagd.'

Ik moest nodig naar de wc. Ik ging op mijn knieën zitten. 'Wanneer?' zei ik.

'Het is aanstaande.'

'Hoelang heb ik nog?'

'Ongeveer twee uur,' zei God.

'O lieve hemel,' zei ik. Ik hield me vast aan de muur. Toen zei ik: 'Ik moet het tegen mensen zeggen.'

'Je hebt het tegen mensen gezegd,' zei God. 'Je zegt het al jaren tegen ze.'

'Als ze wisten dat het vannacht kwam zouden ze misschien wel luisteren.'

God lachte. 'Denk je dat heus?'

'Ze zouden luisteren als ze wisten dat het echt gaat gebeuren.'

'Dan zou het om de verkeerde reden zijn,' zei God. 'Trouwens, hoe wou je ze overtuigen?'

'Dat weet ik niet,' zei ik. 'Ik moet het proberen.'

'Judith,' zei God, 'het is halfvijf 's ochtends. Wat ga je doen – van de daken schreeuwen?'

Alles draaide rond. Ik bedacht hoe blij de Broeders zouden zijn: Mays wintervoeten zouden beter worden, net als Elsies gewrichten. Nel zou weer lopen. Alf zou haren krijgen. Stans maagzweer zou verdwijnen. En Gordon zou nooit meer depressief zijn. En Josie zou tot in de eeuwigheid kleren voor mensen kunnen maken. En vader, vader zou moeder zien. En ik ook!

'Maar,' zei ik, 'hoe zit het met de andere mensen?'

God gaf niet meteen antwoord. Toen zei Hij: 'Je weet wat er met de andere mensen gebeurt.'

En Hij had gelijk; ik had het altijd geweten, maar nu het op het punt stond te gebeuren was het anders. 'Is er niet iets wat U kunt doen?' zei ik. 'Misschien is de wereld er nog niet echt aan toe om vernietigd te worden! Misschien zijn er nog goede dingen op de wereld.'

'Zoals?' zei God.

Ik probeerde na te denken. 'Mrs. Pew!' zei ik plotseling.

'Mrs. Péw?' zei God. Hij leek niet zo onder de indruk van mijn idee.

'Ja!' zei ik. 'En Oscar!… en tante Jo…! en Mike! En Joe en Watson, en Sue de Klaar-over… en Mrs. Pierce!'

'Die geloven niet in Mij,' zei God.

'Maar…' zei ik. 'U kunt ze niet zomaar doodmaken!'

'Je wist dat dit zou gebeuren.'

'En de kinderen dan… mensen die niet over U gehoord hebben… de mensen die niet geluisterd hebben toen we aan de deur kwamen omdat ze aan de telefoon waren, of omdat de baby ziek was, of omdat ze slechte dingen over ons gehoord hadden, of omdat het regende?'

'Het spijt Me,' zei God, 'daar is niets aan te doen. Ik kan niet eeuwig blijven rondhangen. Er zullen altijd mensen zijn die het niet weten of die niet luisteren of die het te druk hebben. Dat is niet Mijn schuld.'

'Het is ook niet hun schuld!' zei ik. Ik begon het gevoel te krijgen alsof ik niet alleen maar naar de wc wilde gaan maar ook zou willen overgeven. 'Kunt U ze niet gewoon vergéven?' zei ik.

God schoot in de lach. 'Moet jíj nodig zeggen! Luister, Ik heb er al sinds de Hof van Eden op gewacht om dit te doen. Je verwacht toch niet dat ik het nog een paar weken uitstel?'

'Dus vader heeft er helemaal niet voor gezorgd dat de wereld vergaat?' zei ik.

'Nou, ja en nee. Dat doet eigenlijk allemaal niet ter zake. Het is gebeurd; daar zou Ik hoe dan ook wel voor gezorgd hebben.'

'En nu is het weg,' zei ik en ik keek weer om me heen. 'Als ik het maar weer allemaal kon maken. Maar dat kan niet. Dat zou te lang duren.'

Maar ik dacht eigenlijk niet meer aan het Land van Melk en Honing. Ik dacht aan Mrs. Pew en Oscar, aan Sue de Klaar-over en haar reis naar de Bahama's, aan Mrs. Pierce en Mike. Ik dacht nog aan zoveel andere dingen ook dat het net leek alsof ze zich in mijn hoofd verdrongen omdat het misschien de laatste keer was dat er aan ze gedacht zou worden – aan hoe de wereld was in de sneeuw en hoe het in de lente zou zijn, hoe de kersenboom weer tot leven zou komen, en moeders kerstrozen, hoe de berg in de zomer groen zou worden, en vader en ik omhoog zouden gaan in de luchtballon en de hele vallei zouden zien. Ik probeerde me voor te stellen dat het allemaal weg was en dat was echt moeilijk.

'Dus ik kan ze niet redden?'

'Nee.'

Ik ging met een plof op de grond zitten en drukte mijn handen tegen elkaar om te proberen hun getril te stoppen. Ik zei: 'Hoe zal het zijn?'

'De grootste gebeurtenis die de wereld ooit heeft meegemaakt.'

'En daarna,' zei ik, 'de nieuwe wereld.'

God zei: 'Dat wil je toch, of niet soms?'

En ik zei niets want dat wilde ik inderdaad al zolang als ik me kon herinneren.

Ik deed mijn ogen dicht. 'Geen ziekte meer, geen dood meer?' zei ik.

'Dat klopt.'

'En U zult de tranen uit ieders ogen wissen?'

'Ja.'

'En vader en ik zullen daar leven, en we zullen moeder zien, en het zal weer zijn zoals in het begin?'

God zei: 'Wat zei je daar?'

'En we zullen moeder weer zien.'

'Niet dat,' zei God. 'Dat andere.'

'En het zal weer zijn zoals in het begin.'

'Nee, nee, dat eerste,' zei God.

'En… vader en ik zullen daar leven…' zei ik.

'Dat ja,' zei God. 'Daar ben Ik namelijk niet zo zeker van.'

'Wát?'

'Nou,' zei God, 'je vader; ik bedoel, kun je hem nou echt een gelovige noemen? Zijn gedrag laat al een tijdje te wensen over.'

Ik knipperde met mijn ogen. 'Vader gelooft in U!' zei ik. Ik lachte. 'Dat weet U! Hij is alleen moe de laatste tijd, het is hem allemaal te veel geworden…'

Maar God zei: 'Nee. Ik weet zeker dat hij helemaal niet in Mij gelooft.'

'Lúístert U wel naar me?' zei ik. Ik sprong op. 'U moet vader redden!'

'Het verandert niets aan het feit dat hij zijn geloof in Mij verloren heeft.'

'Nee,' riep ik. 'Dat is niet zo! Kunt U niet iets doen?'

En toen keek God naar mij. Ik voelde Hem naar me kijken en alles werd stil en mijn huid tintelde. Hij zei: 'Als Ik jou was, zou Ik die vraag aan mezelf stellen.'

'Ik?' zei ik. 'Wat kan ík dan doen?'

God lachte. 'Judith, kijk eens naar wat je al gedaan hebt!'

Ik knipperde met mijn ogen. Toen legde ik mijn hoofd in mijn handen. Ik tilde het weer op en zei: 'Ik heb behoorlijk wat gedaan, hè?' En daarna zei ik met een veel kleiner stemmetje, een stemmetje zo klein dat niemand het had kunnen horen behalve God: 'Als er iemand doodgaat zou ik het moeten zijn.'

'Slimme meid,' zei God zacht.

'Wát?' zei ik.

'Nou,' zei God. 'Je hebt natuurlijk gelijk; als jij er niet was geweest zou dit allemaal niet gebeurd zijn. Jij bent de enige die je vader kan redden. Hij heeft gezondigd, Judith; hij heeft zijn geloof verloren – de grootste zonde van allemaal. Hij verdient het te sterven; hij zál sterven; tenzij iemand hem redt…'

'Wie?' zei ik. 'Hoe?'

God zuchtte. 'Weet je het niet meer? Oog om oog, tand om tand...'

'Leven om leven,' zei ik.

'Als iemand Mij in ruil zijn eigen leven zou geven...'

'O,' zei ik, en mijn stem was heel zacht, als een briesje op weg ergens anders naartoe.

'Het is de enige manier,' zei God. 'De Fundamentele Wet. Weet je nog?'

Ik voelde wind in mijn gezicht slaan alsof ik op de rand van een klif stond en ik voelde de grond onder me verschuiven.

'Je houdt toch van hem?' zei God.

'Ja.' Maar ik dacht niet meer aan vader. Ik dacht op dat moment nergens aan.

God zei: 'Nou, ga je hem redden? Wel vlug beslissen, anders hoeft het niet meer.'

'Ja,' zei ik, want er was eigenlijk niet echt iets te beslissen; er was een moment geweest dat ik me afvroeg of ik het Land van Melk en Honing toch nog te zien zou krijgen, en toen deed dat er ook niet meer toe.

Maar ik moest wel ergens zeker van zijn. 'Als ik dit doe,' zei ik opeens, 'moet U me beloven, dan moet U me belóven dat vader niet zal sterven.'

'Waar is je geloof?' zei God.

'*Ik wil dat U het belooft!*' schreeuwde ik.

'Goed dan!' zei God. 'Mijn hemel! Ik geef je Mijn woord erop.'

Ik slikte en keek naar mijn schoenen. Ik zei: 'Mag ik hem dan zien?'

'Als je snel bent.'

Ik liep naar de deur. Het was mijn bedoeling om snel te lopen maar mijn lichaam bewoog alsof de accu bijna leeg was.

Bij de deur legde ik mijn hand op de kruk. 'God,' zei ik, 'kan ik hem echt redden?'

'Ja,' zei God, 'dat kun je.'

Het allergrootste wonder

Ik deed de slaapkamerdeur dicht en liep over de overloop en het was allemaal niet echt. Ik ging tree voor tree de trap af en hield me vast aan de leuning en die waren ook niet erg echt. Beneden kwam er licht door de ruitjes in de keukendeur. Ik liep de hal door en deed de klink omlaag.

Vader zat met zijn rug naar me toe aan tafel. Hij was het enige dat er echt uitzag. Ik deed de deur dicht.

Ik kon zijn overhemd op en neer zien gaan. Ik kon de haren op zijn hoofd zien glanzen in het licht. Ik kon hem ruiken en hem horen ademen. Ik stond daar een hele tijd alleen maar naar hem te kijken en te luisteren.

Opeens draaide hij zich om. Hij legde zijn hand op zijn borst en zei: 'Ik schrik me een ongeluk.'

'Sorry.'

'Ik dacht dat je sliep.'

Zijn stem was niet meer onduidelijk en zijn ogen waren niet glazig en zijn gezicht was nu grijs in plaats van rood. Hij zei: 'Ik ben weer naar boven gegaan om een deken over je heen te leggen zodat je het warm genoeg zou hebben. Ik wilde je niet wakker maken...' Hij zag er heel verdrietig uit.

Hij hield op met praten en daar was ik blij om want ik had een heleboel te zeggen tegen hem en niet veel tijd om het te zeggen. Ik haalde diep adem en zei: 'Vader, het spijt me dat ik u in problemen heb gebracht met de ouderlingen en het spijt me dat ik niet naar u geluisterd heb wat de wonderen betreft.'

Hij schudde zijn hoofd en ging er met zijn hand overheen. 'O Judith, het is niet jouw schuld. Je hebt het er niet echt beter op gemaakt maar er zouden evengoed problemen zijn gekomen, met de staking en zo.'

'Nee!' zei ik, en mijn hart sloeg hard. 'Ik was het! Als u maar half wist wat ik allemaal gedaan heb!'

Vader zei: 'Oké; laten we daar nu maar niet over beginnen.'

Ik liet mijn hoofd hangen en zei: 'Ik heb het allemaal gedaan.'

Toen zei vader: 'Judith!' dus hield ik mijn mond.

Hij hield zijn duim en wijsvinger tegen zijn ooghoeken alsof hij er pijn aan had. Toen hij ze weghaalde leek zijn gezicht nog grijzer dan daarvoor en zijn ogen waren rood en moeër dan ik ze ooit gezien had. Hij zei: 'Het spijt me van je kamer.'

'Het geeft niet.'

Hij legde zijn hoofd in zijn handen. 'Het geeft wel maar het is nu eenmaal gebeurd. Ik was dronken.' Toen haalde hij zijn hoofd uit zijn handen en zei: 'Je weet toch dat ik heel veel van je hou, hè?'

Die woorden waren zo vreemd. Ze rolden naar het midden van de keuken en schommelden daar tussen ons heen en weer en we luisterden tot ze stil lagen en daarna was het zo ontzettend stil.

Ik probeerde snel te denken, ik probeerde te bedenken wat ik moest zeggen maar dat was moeilijk want ik had een pijn in mijn hart en het ademen ging moeilijk. Vader draaide zich weer om naar de tafel. Hij zei: 'Ik hou meer van je dan je weet.'

Toen deed mijn hart meer pijn dan ooit daarvoor het geval was geweest en ik dacht dat het misschien gebroken was maar ik wist wat ik moest zeggen. Ik zei: 'Ik weet het wel.' En opeens wist ik het ook.

Ik dacht aan hoe hij al die tijd voor me had gezorgd, ook al had ik ervoor gezorgd dat moeder doodging, hoe hij met me naar de dokter was geweest toen ik klein was en de Bijbel aan me had voorgelezen om me te helpen met praten, hoe hij me alleen maar voor de wonderen had gewaarschuwd om me te beschermen, en me niet over de staking had verteld zodat ik me geen zorgen zou maken, de jongens had weggejaagd om me te beschermen, mijn hand had gepakt zodat ik niet bang zou zijn toen we tussen de fietsen door liepen, me had vergeven dat ik gelogen had, de schutting had gebouwd zodat ik veilig zou zijn, had gedaan alsof het briefje door de deur niet over mij ging, na het ongeluk op mijn bed had gezeten en tegen me gezegd had dat alles goed zou komen, had aangeboden om me naar de samenkomst te brengen hoewel hij zelf niet naar binnen mocht, fish-and-chips voor me had gekocht en die ene dag achttien kilometer hand in hand met me had gelopen, en dat hij me mee zou nemen in een luchtballon.

Hij zei: 'Ik ben niet zo'n geweldige vader voor je geweest maar ik heb het geprobeerd. Er zijn dingen die ik nooit tegen je heb kunnen zeggen, over de tijd nadat je moeder gestorven was, dat jij er opeens was, en aandacht vroeg, en verzorging vroeg, zoveel vroeg, en ik had niets… ik kon verdorie amper voor mezelf zorgen; soms kon ik niet eens naar je kijken omdat je me zoveel aan haar deed denken.' Hij zuchtte. 'Dit slaat waarschijnlijk allemaal nergens op…'

Hij zei ook nog andere dingen maar hij ging te snel en ik dacht nog steeds aan dat eerste wat hij gezegd had, dat hij van me hield. Wat hij daarna zei maakte niet zoveel uit. Hij hield op een gegeven moment op met praten en keek me niet nog een keer aan en daar was ik blij om want hij hield er niet van om mensen te zien huilen. Hij zei: 'Nou ja. We moeten nu naar de toekomst kijken,' en ik zei: 'Ja,' maar ik kon niet goed denken.

Toen zei hij zacht: 'Het is al bijna morgen. Je kunt maar beter naar boven gaan.' En ik dacht er weer aan dat het laat was, later dan hij of wie dan ook wist, en dat ik alleen maar gekomen was om gedag te zeggen, maar ik kon mezelf er evengoed niet toe zetten om te gaan.

Hij zei: 'We kunnen morgen nog wat meer praten.'

'Oké.'

'Welterusten, Judith.'

'Welterusten.'

Toen ik me niet bewoog draaide hij zich weer om en ik liep naar de deur. 'Vader?'

'Ja.'

'Maakt u zich maar nergens zorgen om! Alles komt goed. Het wordt nog beter dan u denkt.'

Hij lachte, een droog geluid dat middenin opeens ophield, en hij knikte, maar hij draaide zich niet nog een keer om.

Hij zei: 'Ga nu maar naar bed, Judith.'

Ik kon toen verder niets meer bedenken om te zeggen dus keek ik voor de laatste keer naar hem en deed de deur open. Ik deed die achter me dicht en veegde mijn gezicht af. Daarna ging ik tree voor tree de trap op, terwijl ik me vasthield aan de leuning.

De ruimte waar wonderen gebeuren

En zo kwam ik erachter dat alles mogelijk is, altijd en overal en voor alle soorten mensen. Als je denkt van niet dan komt dat doordat je niet kunt zien hoe dichtbij je bent, hoe je maar een klein dingetje hoeft te doen en alles komt naar je toe. Geloof is een sprong; jij bent hier, en dat wat je wilt is daar; er zit een ruimte tussen jullie. Je moet gewoon springen. Op water lopen en bergen verplaatsen en de doden tot leven wekken zijn niet moeilijk; je neemt de eerste stap en het ergste is voorbij, je neemt er nog een en je bent halverwege.

Wonderen hoeven geen grote dingen te zijn en ze kunnen op de onwaarschijnlijkste plekken gebeuren. Ze kunnen in de lucht gebeuren of op een slagveld of in een keuken midden in de nacht. Een wonder kan zelfs gebeuren zonder dat je hoeft te geloven dat wonderen mogelijk zijn, maar je zult het wel weten als het gebeurt omdat dan iets heel gewoons waarvan je nooit gedacht had dat het veel zou voorstellen uiteindelijk heel veel voorstelt. Dat komt doordat wonderen het beste met gewone dingen werken, hoe gewoner hoe beter; hoe groter de kans, hoe groter het wonder.

Leven om leven

In mijn kamer heerste duisternis. Ik zei: 'Bent U daar?' maar niemand gaf antwoord. Ik ging naar het raam en deed de gordijnen open en de maan scheen naar binnen. Hij maakte de fabriek en de hoogspanningsmasten zilverkleurig en liet de treinrails glinsteren als lijm achtergelaten door een slak.

Ik keek naar de stad, naar de televisieantennes en schoorstenen en daken, de telegraafdraden die door de vallei liepen, en boven dat alles de donkere berg, donkerder nog tegen het wit van de maan, en het was raar, maar voor het eerst zag het er allemaal heel mooi uit, zoals Broeder Michaels had gezegd, en over een paar minuten zou het weg zijn.

Ik draaide me om naar de kamer. Ik duwde masten en vorken en tuinhekken opzij, en takken en strodaken, strengen regenboog, kabels waar vogels op hadden gezeten, witte paarden van de koppen van golven, sliertjes wolk. De magie was nu verdwenen, de zon zag er gewoon uit als een kooi van ijzerdraad, de zee als een spiegel, de velden als stukken stof, de heuvels als papier-maché en schors.

Ik vroeg me af wat vader met het Land van Melk en Honing zou doen. Hij zou het waarschijnlijk in zwarte zakken buiten zetten voor de vuilnisman. De eierdoosheuvels zouden papier worden, het toffeetrommelhuis een nieuwe toffeetrommel of een blikje of beker, de melkpakhuizen weer melkpakken en andere dingen wanneer ze leeg waren, de veren en rietjes zouden misschien weer echte vogelnesten worden, het hout en de heide zouden nieuwe bomen en nieuwe heide worden, de stenen zouden op een dag weer bergen worden, de schelpen zouden zand worden, het zand glas en het glas misschien een nieuwe spiegel.

Bijna alles zou veranderen, maar één of twee dingen zouden blijven wat ik ervan gemaakt had. Misschien de trommel met het zeil, misschien zou die echt zijn weg naar de zee vinden en het vissertje echte zeevogels boven zich zien, echte druppels op zijn lippen voelen en zou een echte bries zijn wangen roze kleuren. Misschien zouden er een paar piepkleine stukjes stof, wat glitter, of de allerkleinste kraaltjes hier in deze kamer onder de vloerplanken blijven liggen, in hoeken en gaten bij de spinnen en muizen.

Toen bedacht ik dat er geen kamer zou zijn, en dat vader niets zou doen met het Land van Melk en Honing, en dat het Land van Melk en Honing nergens zou zijn – of liever gezegd dat het overal zou zijn, omdat het echt zou zijn.

Ik haalde een stoel en zette die op de plek die ik vrij had gemaakt. Ik stapte op de stoel. 'Eenendertig minuten,' zei een stem.

'Daar bent U,' zei ik. Toen hield ik me in. 'U bent het toch, hè?'

God zei: 'Wie zou het anders zijn?'

'Ik weet het niet,' zei ik. 'U klonk even vreemd.'

'Hoezo vreemd?'

'Anders,' zei ik. 'Nou ja... een beetje zoals ík.'

'Doe niet zo mal,' zei God. 'Jij bent jij en Ik ben Ik.'

'Ja,' zei ik. 'Sorry. Er is een hoop gebeurd vanavond.'

Ik ging op mijn tenen staan en draaide het peertje los.

'Negenentwintig-en-een-halve minuut,' zei God. 'En de klok loopt.'

Ik legde het peertje op de stoel en het rolde heen en weer.

'Zachtjes!' zei God. 'We willen niet onderbroken worden.'

Ik draaide de luchtballonlamp los en legde hem ook op de stoel maar hij viel op de grond.

'Welja,' zei God. 'Toe maar.'

Ik probeerde het lichtsnoer uit. Ik stapte van de stoel af en pakte mijn schooldas. Ik stapte er weer op en bond het ene uiteinde van de das aan het snoer boven de fitting en trok eraan. Ik knoopte het andere uiteinde tot een lus en maakte die losser. Ik deed mijn hoofd door de lus. Het materiaal voelde zacht aan mijn huid. Ik denk dat het zich afvroeg waar mijn kraag was.

De kamer zag er vreemd uit vanaf het plafond: als een doos, kleiner dan hij ooit had geleken. Ik vroeg me af of ik al van de stoel gestapt was want mijn armen en benen voelden aan alsof ze vielen, maar ze vielen niet, en ik viel ook niet, zei ik tegen mezelf. Er klonk een geraas in mijn oren alsof de das werd aangetrokken. Maar dat is niet zo, zei ik tegen mezelf. Nog niet.

Ik keek naar het Land van Melk en Honing. 'Het was zo fijn in het begin,' zei ik. 'Nu denk ik dat het beter was geweest als ik het helemaal nooit had gemaakt.'

'We maken allemaal fouten,' zei God.

'Wat zei U?'

'Ik zei: we maken allemaal fouten,' zei God.

'We?' Ik maakte de das losser.

'Jij, Ik – iedereen.'

Ik begon misselijk te worden. 'Weet U dit wel zeker?' zei ik.

'O ja,' zei God. 'Honderd procent. Drieëntwintig-en-een-halve minuut.'

Er klonk een geluid in de kamer als van een beest dat hijgde. 'Wat is dat voor geluid?' zei ik.

'Dat ben jij,' zei God. 'Kun je wat zachter ademen?'

'Nee,' zei ik.

Mijn knieën deden nu heel raar, alsof ze naar voren wilden vallen, hoewel ik daar banger voor was dan voor wat dan ook, en mijn linkerbeen bleef de hele tijd maar tegen de stoel tikken.

Ik haalde één voet van de stoel af en hield me vast aan de das. Ik deed mijn ogen dicht en tilde de andere voet er ook vanaf. Duisternis bonkte en schokte voor mijn ogen. Gekleurde lichten en fluitende geluiden vulden mijn hoofd. Ik zette beide voeten weer op de stoel en klampte me vast aan de das en mijn lichaam was nat alsof ik gerend had en mijn tanden klapperden.

'Negentien minuten en negen seconden,' zei God.

Mijn voet gleed uit. Er liep iets warms langs mijn benen. Ik slikte, ik deed mijn best om niet te huilen.

'Negentien minuten en twee seconden,' zei God.

Toen zei ik: 'Weet U wat ik wou?'

God lachte. 'Ik zou maar heel goed nadenken voor je weer een wens doet. Die laatste hebben niet zo goed uitgepakt.'

'Ik wou dat U wegging en nooit meer terugkwam.'

'Wat?' zei God.

Ik klampte me vast aan de das. 'Eigenlijk,' zei ik, 'wil ik nooit meer met U praten.'

God zei: 'Dat meen je niet.'

'Jawel,' zei ik, 'dat meen ik wel.'

'Pas op wat je zegt,' zei God.

'Het maakt niet uit,' zei ik. 'U kunt me nu toch niets meer doen.'

God zei: 'Je zult er spijt van krijgen.'

'Nee,' zei ik, en ik haalde mijn handen van de das af. 'Ik heb er al spijt van.'

Eén goede gedachte

Het werd stil in de kamer. Ik haalde diep adem maar ik kon de stoel niet wegschoppen.

Ik probeerde te bedenken wat vader zou doen als hij mij was en ik wist dat hij zou proberen een goede gedachte te denken. Dus probeerde ik dat. Ik bedacht hoe fijn het was nu God verdwenen was, zoals het in het begin was geweest. Maar het was niet zoals het in het begin was geweest want nu wist ik dat uiteindelijk niets van wat ik gemaakt had goed was.

Ik probeerde het opnieuw. Ik bedacht dat over een paar minuten Armageddon echt daar zou zijn en dat alle nare dingen weggespoeld zouden worden en dat de wereld zou zijn zoals hij altijd bedoeld was. Maar toen dacht ik aan alle mensen die God zou vernietigen en al gauw kon ik daar ook niet meer aan denken.

Toen keek ik naar beneden en zag ik een van de kleine mensjes liggen die ik als eerste had gemaakt. Er had een arm losgelaten van het lichaam maar het gezicht was nog hetzelfde. En op dat moment kreeg ik de beste gedachte die ik ooit in mijn leven gehad heb. Ik dacht aan mijn vader die het Land van Melk en Honing binnenging en mijn moeder weer tegenkwam.

Vader zou moeder een eindje bij hem vandaan zien staan. Ze zou iets hebben waardoor hij naar haar toe zou lopen. Dan zou ze zich omdraaien en hij zou het niet kunnen geloven. Maar hij zou het wel moeten geloven omdat het waar zou zijn. Ze zouden samen gaan wandelen, en ze zouden een spoor achterlaten in het gras, en soms zou mijn moeders hand in die van vader liggen en soms zou zijn arm om haar schouders liggen. En alle straten en alle rivieren en alle namen en plaatsen van deze wereld, alle mensen die waren en zijn en zullen zijn zouden niets zijn vergeleken bij dit moment.

Ik wist dat het mogelijk was, ik wist dat ze echt bij elkaar konden zijn als ik maar gewoon naar voren kon stappen. Maar ik kon het nog steeds niet. En toen drong opeens tot me door dat het niet zo was dat vader niet van mij hield, maar dat ik niet genoeg van vader hield. En toen ik dat dacht scheurde de wereld aan stukken.

Ik maakte de das los en viel van de stoel en begon te huilen, hoewel het niet erg op huilen leek maar meer op overgeven, mezelf binnenstebuiten keren.

Ik weet niet hoelang ik gehuild had toen ik iemand hoorde zeggen: 'Judith.' Daar stond vader.

Zijn gezicht was wit. Toen zat hij naast me op de grond en trok me ruw tegen zich aan, en hij hield me stevig vast en zei steeds maar weer: 'Het spijt me' – en het was heel vreemd allemaal, alsof ik droomde.

Ik weet niet hoelang we zo bleven zitten maar we waren op geen enkele plek en er was geen tijd meer. We werden hoog opgetild, we brandden, ik wist helemaal niet dat iemand anders dat met mij kon doen, en misschien deed ik het ook wel met hem.

En toen gebeurde er iets. De klok in de hal begon te slaan, en ik stopte met ademen en keek hem aan. Ik krabbelde overeind en mijn borst ging op en neer.

Hij zei: 'Wat is er aan de hand?' Hij zei: 'Judith! Wat…?'

Ik luisterde naar die slagen en bij iedere slag verdween er een stukje van me in het niets, en met elke nieuwe slag kwam er een nieuw stukje van me voor in de plaats.

Toen waren de slagen voorbij en keek ik hem aan. Ik zei: 'We zijn nog steeds hier.'

Hij knipperde met zijn ogen. 'Waar had je dan gedacht dat we waren?'

'Ik weet het niet.'

'Judith, waar heb je het over?'

Ik begon weer te huilen. Ik zei: 'We leven toch, hè?' Ik greep me vast aan zijn mouw, zijn schouder. Mijn handen waren hongerig.

Hij zei: 'Judith,' en toen huilde hij ook.

Ik zei: 'Ik probeerde u te redden. Ik dacht dat de wereld verging,' en we zeiden een tijdje niets meer. Toen lachte hij en hij snoof en zei: 'Nou, volgens mij is hij er nog steeds.'

Ik schudde mijn hoofd. Ik staarde hem aan. 'Wat gaan we nu doen?'

zei ik, want ik kon echt niets bedenken; ik kon niet zien hoe het zou gaan.

Vader veegde zijn ogen af. Hij zei: 'Nou, we kunnen altijd gaan ontbijten.'

'En daarna?'

'Ik weet het niet – we zouden kunnen gaan wandelen.'

'Wáár?'

Hij dacht even na. 'De berg op; de Stille Vallei misschien. We zouden naar de zonsopgang kunnen kijken.'

Ik veegde mijn ogen af. Ik keek om me heen. 'En het Land van Melk en Honing?'

'Daar houden we ons wel mee bezig als we terugkomen.'

Mijn oog viel op de kaart van tante Jo en ik pakte vader bij zijn mouw. 'Laten we bij haar op bezoek gaan,' zei ik opeens.

Hij keek naar mij en toen naar de kaart. Ik bleef zijn mouw vasthouden. Ik hield hem stevig beet. Hij zei: 'Oké.' Hij stond op alsof hij heel erg moe was en toen hielp hij mij overeind.

In de deuropening bleef ik plotseling staan. 'Wat is er?' zei hij.

'Ik dacht dat ik iets hoorde,' zei ik.

Hij keek me aan. 'Oké?'

'Ja,' zei ik. 'Ik heb het me waarschijnlijk verbeeld.'

Hoe je een luchtballon maakt

En nu zal ik je laten zien hoe je een luchtballon maakt, eentje die echt kan vliegen. Het is niet zo moeilijk als je de basisvorm eenmaal goed hebt.

Je hebt nodig:

ijzerdraad
een heliumballon
hobbylijm
vliegertouw
een schaar
acrylverf
een mandje
jute
een naald
katoengaren
crêpepapier
een sinaasappelnetje
karton (niet dikker dan een cornflakesdoos)
heel kleverig plakband
een scherp potlood
rijst

1) Neem een heliumballon die de vorm heeft van een peer. Niet zo'n platte, niet zo'n volkomen ronde, niet zo'n raar gevormde. Knip de naad af die langs de rand loopt.
2) Knip een rechthoekig stuk karton uit en krul het rond de onderkant van de ballon zodat het een kleine cilinder vormt die het uiteinde verbergt. Lijm het vanbinnen aan elkaar en maak het met plakband aan de ballon vast.
3) Schilder de cilinder en de ballon in brede, felgekleurde strepen.
4) Neem een sinaasappelnetje en knip het label eraf. Drapeer het over

de ballon en pak het bij elkaar zodat het onderaan smal toeloopt. Naai elke netplooi vast met het katoengaren. Keer het net binnenstebuiten en knip de plooien af. Keer de goede kant weer naar buiten, doe het net over de ballon en maak het op een paar plaatsen vast aan de onderkant van de cilinder.

5) Bevestig vliegertouw aan de cilinder door er gaatjes in te prikken met een potlood. Neem een kleine mand (zo een waar minizeepjes in zitten, die heel licht is) en maak er vier touwtjes aan vast, één op elke hoek.

6) Duw de steel van de ballon door het midden van de mand en knip de steel onderaan in vieren. Vouw de uiteinden open onder de mand en maak ze er met plakband aan vast.

7) Scheur geel, oranje en rood crêpepapier in slierten, voeg die bij elkaar tot een tong van vuur en bevestig die aan een ijzerdraadje dat aan de binnenkant van de cilinder is geplakt.

8) Kleed kleine mensjes warm aan en zet ze in de mand.

9) Ontsteek de vlammen boven hun hoofd.

10) Maak vier kleine jutezakjes met rijst en bevestig die met een heleboel touw aan de binnenkant van de mand. Als je wilt dat de ballon gaat vliegen zet dan de zakjes op de grond.

Je kunt de zakjes ook helemaal achterwege laten, maar ik zou er eentje aan vast laten zitten, anders vliegt de ballon in één keer naar het plafond en blijft hij daar nog dagen stuiteren en stort hij neer als je er niet bent om hem op te vangen en dan gaan er een heleboel kleine mensjes dood. Of hij valt misschien op een stad of een school of een markt en dan gaan er zelfs nog meer dood. Of als je niet in een kamer bent maar in de openlucht dan zweeft hij echt weg en dan hoor je nooit meer iets van die mensjes.

Ze hebben dan natuurlijk wel de tijd van hun leven want het uitzicht zal prachtig zijn; het probleem is alleen om weer beneden te komen. Dus laat er altijd iets aan vastzitten. Als je hoger wilt gaan, laat dan gewoon het touw wat vieren.

Dankbetuiging

Dank aan Clare, omdat ze behalve een roman ook een mens heeft ontdekt, en omdat ze beide heeft gered.

Dank aan Clara – medeliefhebster van kleine dingen – en aan Sarah, voor zulke gevoelige en transformationele redactionele adviezen.

Dank aan Anthony, Val en Mike, omdat ze de tijd genomen hebben om de eerste versie te lezen en voor hun buitengewoon nuttige commentaar.

Dank aan Mark, Sos, Richard en Karen, omdat ze geloofden dat ik iets kon, lang voordat ik dat zelf deed.

En bovenal dank aan mijn moeder, een bijzonder mens, omdat ze nooit heeft opgegeven.

Bij de productie van dit boek is gebruikgemaakt van papier dat het keurmerk Forest Stewardship Council (FSC) draagt. Bij dit papier is het zeker dat de productie niet tot bosvernietiging heeft geleid. Ook is het papier 100% chloor- en zwavelvrij gebleekt.